S0-CCD-958

VICKI BAUM

Kein Platz für Tränen

VICKI BAUM

Kein Platz für Tränen

Roman

ERSCHIENEN BEI HESTIA

Printed in Germany

ISBN 3-7770-0242-9
Umschlaggestaltung: Atelier 14, München
Satz: Compusatz GmbH, München
Druck und Bindung: May & Co., Darmstadt

Hans Richard Lert,
dem Freund, dem Künstler, dem Menschen

Tanz in Grün

Die Mutter sitzt am Klavier und spielt in die Dämmerung hinein. Am Platz draußen, dicht an den Fensterscheiben, spinnen Nebel; der Winkel hinter dem Klavier ist dunkel und geheimnisvoll, dort kauert das Kind, Ines, und kann die Töne hören und sehen zugleich. Sie fallen wie weiche, lichtgrüne Bänder von den Tasten herab, hinein in das Graue des Zimmers, ineinandergeschlungen, seidig aufglänzend, wie Gelächter da und dort. Das Klavier bebt. Ina schmiegt die Wange an das Holz: Das Klavier ist lebendig.

Aus dem Winkel hinter dem Klavier quillt die Dunkelheit heraus, überwächst das Zimmer, sie wird sehr groß, und die fünfjährige Ina duckt sich zusammen. Die häßliche Tapete, braun, mit schwarzen Punkten, die manchmal ängstigen, wird zuerst von den Schatten aufgefressen; und dann die Kredenz mit dem alten Silber; und dann die Nähmaschine; und dann bleiben nur die helleren Vierecke der Fenster übrig und die Töne, die aus den Tasten fallen.

Im grenzenlos gedehnten Zimmer wächst ein Wald auf, grün, durchsichtig wie der Stein in Vaters Krawattennadel; eine Straße geht einsam mitten durch, ein kleines Mädchen – ist es Ina selbst? – winkt: Auf der Mondwiese tanzt Däumelinchen mit den Elfen. Vom Himmel hängt ein Stern so tief herab, daß man ihn greifen kann. Ina kommt langsam, von den Tönen gezogen, aus ihrem Winkel hervor, sie stellt sich auf die Zehenspitzen, sie hebt die Arme hoch, pflückt den Stern vom niedrigen Himmel ab und beginnt sich langsam zu drehen. Sie trägt den Stern vor sich her, bald macht die Musik ihn leuchtend hell, dann wieder löscht sie ihn ganz, es wird finster, kalt und traurig im Musikwald, Elfen und Däumelinchen sind fort. Ina dreht sich schnell, schnell, und in ihr singt es: ganz allein, allein. Der Stern glänzt wieder, sie hebt ihn hoch über den Kopf, sie spürt ihn in den Händen, sieht seinen Schein. Sie lacht, und dabei ist es so traurig, daß sie nasse Augen bekommt. Dann ist die Musik aus, und Ina fällt schwindlig auf den Teppich.

»Ina? Was treibst du da?« fragt Mama und dreht sich auf dem kreischenden Klavierstuhl halb ins Zimmer, mit weißem Gesicht und weißen Händen in der Dämmerung und mit fremden Augen.

»Ich tanze, Mama, o, so schön, was du gespielt hast, das vom Wald und das vom Stern und alles.«

»Ja?« sagt Mama, und es klingt, als ob sie Mitleid mit Ina hätte: »Das? Habe ich vom Wald gespielt und vom Stern? Kannst du das hören, Ina?« Und dann legt sie die Hände in den Schoß, als ob die nun sehr müde wären und schlafen gehen wollten, und sagt wie zu einer Erwachsenen: »Das war Schubert, die a-Moll-Sonate. Dazu darf man nicht tanzen.«

Dann kommt das Mädchen mit der Petroleumlampe, und alles ist vorbei.

Die Petroleumlampe in der kleinen Vorstadtwohnung ist ein Zeichen des Niederganges, und auch das verstimmte Pianino, in einem Zimmer mit Speisetisch und Nähmaschine zusammengewürfelt. Früher hatte man Gas, fünf Flammen in einer Messingkrone prangend, die Nähmaschine stand im Kinderzimmer und der Flügel im Salon. Damals hatte Herr Raffay, stets in Gehrock, Zylinder und schmalen Lackstiefeletten, tagsüber gute Geschäfte für die Versicherungsgesellschaft »Danubia« gemacht, und abends leitete er mit Eleganz den Unterricht im Tanzinstitut Raffay, welches auf zahlreichen roten und grünen Plakaten als vornehmstes seiner Art bezeichnet war. Jedoch die Moden wechseln: Leichtfertige Menschen verschmähen es, ihr Leben, ihre Gattinnen, Kinder und Besitztümer durch Versicherungen der »Danubia« schützen zu lassen. Im Tanzinstitut, das noch vor zehn Jahren zwei Baronessen zu seinen Schülerinnen zählte, ist ein gesellschaftlicher Niedergang unaufhaltsam hereingebrochen, seit der Ballettmeister Javelot von der Hofoper selbst eine Tanzschule eröffnet hat. Töchter von Hausmeistern und blühende Kaufmannssöhne studieren jetzt hier die Grundregeln von Ästhetik und Anstand, und am Sonntagabend, in der »Perfektion«, kann jedes Ladenmädchen für eine Krone Entree sich mit seinem Liebsten selig walzen. Herr Raffay selbst, der schöne Deszö Raffay ist nicht mehr, was er war.

Die Petroleumlampe blakt und seufzt, das Kind liegt mit offenen Augen im kleinen Gitterbett; ein Schein, schmal wie ein weißer Stab, zwängt sich ins Schlafzimmer, nebenan sitzt Mama und putzt mit einer Zahnbürste das alte Silber mit dem Wappen der Delares. Es riecht beißend nach Salmiakgeist in den niedrigen Zimmern; Papa wird schimpfen, wenn er heimkommt; er schimpft jeden Samstagabend, und doch putzt Mama jeden Samstag selbst die drei Stücke, die sie das Familiensilber nennt; dazu summt sie ein kleines Lied, und Ina, noch immer leise schwindlig, schaukelt auf den Tönen in Traum und Schlaf hinein.

Eine Uhr sagt zehn, ein Schlüssel knirscht, und Frau Raffay räumt hastig das Silber beiseite. Herr Raffay erscheint, räuspert sich und äußert: »Es stinkt bestialisch! Aha, die Durchlaucht? Putzt das Familiensilber! Nur keine Rücksicht auf den Mann nehmen. Der kann ersticken!«

»Ich kann ein Fenster aufmachen«, sagt Frau Raffay sanft.

»Damit ich mir den Tod hole! Mit meinem Bronchialkatarrh, erhitzt wie ich bin. Draußen ist ein Hundewetter.«

Seit Herr Raffay fünfzig Jahre alt ist, spricht er beständig vom Tod wie von einem persönlichen Feind, wie von den Konkurrenzgeschäften der »Danubia« und dem Ballettmeister Javelot, der selbst eine Tanzschule gegründet hat. Immer ist er erkältet, in seinen Taschen klimpern Pastillen in Blechdosen, und immer ist das Wetter schlecht; Frau Raffay, die kaum dreißig ist, sieht ihn mit großen, blauen Augen an und kann ihn nicht verstehen.

»Margit, das Essen für den Herrn«, sagt sie still. Margit, das ungarische Mädchen, schlurft in Filzpantoffeln hin und her, Zwiebelgeruch steigt von ihren Röcken, aus talergroßen Löchern in den Strümpfen sehen hell und rund die Fersen. Immer haben Raffays ungarische Mädchen, die schlampig sind, stehlen und nach kurzer Zeit kündigen, weil sie Kinder kriegen; aber sie kochen für den Herrn gute, erheiternde Speisen: Pörkelt, gefüllte Weinblätter und eingelegte Paprikaschoten.

Herr Raffay entledigt sich seiner Schuhe: »Die Füße tun mir weh«, sagt er, »der Lack brennt auf den Sohlen.« Auch den Gehrock zieht er aus, der glänzt an den Nähten, und Frau Raffay sagt aus Gedanken heraus: »Zu wenden ist da nichts mehr.«

Herr Raffay ißt gierig, Frau Raffay sieht ihm zu und wird sentimental; seine Haare sehen grünlich und verstaubt aus, obwohl Ina jeden Sonntag die weißen abschneidet, unter den Augen sind schlaffe Säcke, der Schnurrbart aber ist viel zu schwarz durch den übermäßigen Gebrauch von Nußextrakt: Und gerade er scheint am müdesten in dem ermüdeten Gesicht. Seine Hände sind gewöhnlich, ungepflegte Hände, gierig im Ausdruck, mit leisem Zittern das Rotweinglas umschließend; wenn Frau Raffay diese Hände nach der Flasche mit ungarischem Schnaps greifen sieht, dann erscheint das ganze Leben ihr verfehlt und unbegreiflich.

Es kommt das Wirtschaftsbuch, die Wochenabrechnung, der Samstagabendstreit. Frau Raffay spart nicht genug: Sie hat es nicht gelernt, denn ihre Mutter ist eine geborene Baronin Delares. Herr Raffay seinerseits verspielt unverhältnismäßig hohe Beträge im Kaffeehaus. Er muß ins Kaffeehaus gehen und Karten spielen, um Kunden für die »Danubia« zu gewinnen. Herr Raffay opfert sich auf für seine Familie. Er steigt hundert Treppen im Tag, er redet bornierten Menschen Löcher in die Bäuche, er wird fünfzigmal in unzweideutiger Weise hinausgeworfen trotz Zylinder und seidenem, elegant geschlungenem Schal. Er erduldet Vorwürfe vom Generalagenten der »Danubia«, einem unfeinen jungen Mann, der überdies an den Prozenten zu schwindeln versucht. Abends, in brennenden, engen Lackschuhen, mit entzündeten Bronchien, muß er Hausmeisterstöchtern und Kaufmannssöhnen Twostep vortanzen und Quadrillen arrangieren, Abend für Abend: *La poule – vis-à-vis* die ersten Damen!

Frau Raffay bedauert ihn, seine Opfer liegen auf der Hand. Doch auch sie fühlt sich aufgeopfert, nur kann man es nicht sehen und nicht aussprechen. Sie sitzt in niedrigen Zimmern bei Petroleumlicht, sie stopft die Strümpfe und bewacht die schlampige Margit. Gewiß, das tun alle guten Frauen und sind zufrieden dabei. Aber auch den Flügel hat man verkaufen müssen; der Fleischer ist grob, weil man seit Monaten alles aufs Buch nimmt; Frau Raffay quält sich, um einen Ausdruck zu finden. Innerlich nennt sie dies alles: Mann, Petroleumlicht, Schulden, Niedergang: Das Wirkliche. Und das Wirkliche lebt beleidigend und durch Abgründe getrennt von dem, was sie innerlich: »Das Wahre« nennt: Die a-Moll-Sonate; Musik, in der Dämmerung gespielt; Erinnerungen an einen einstmaligen blendend schönen, hinreißenden Herrn Raffay. Chopin. Chopin liebt Frau Raffay vor allem, denn sie ist sentimental, unklar und willensschwach. Und dann ist noch das Kind in ihrer Welt: Das

Kind mit den fürstlich zarten Gelenken, den violetten Augen der Delares, angefüllt mit Märchen, das Kind, traumhaft von Wald und Sternen tanzend.

Das Kind ist längst wieder erwacht. Es hört den Streit, es kennt jedes Wort, das gesagt werden wird. Es kennt das Geräusch, mit dem schmatzend der Kork von der Schnapsflasche gelöst wird, und den dumpfen Schlag, der sie wieder verschließt, den strengen und süßen Geruch von Slibowitz. Es weiß, wie fremd Mamas Augen dann durch alle Dinge hindurchsehen. Ina hat brennendes Mitleid mit den Eltern, sie spürt es an ihrem Herzen saugen mit einem Schmerze, der stark und süß ist. Sie weiß bestimmt, daß einmal eine silberne Fee kommt und alles wieder in Ordnung bringt; und sie ist voll Erwartung, wie es nachher sein wird.

»Ina hat wieder getanzt«, erzählt Mama.

»Hat sie getanzt? Hübsch? Temperamentvoll? Wird sie nicht schwindlig? Eine echte Raffay!« sagt Papa.

»Eine Raffay? Gott behüte! Nein, das wird eine Delares; sie hat die richtigen Delares-Augen, sie wird ganz wie ihre Großmutter.«

Ina horcht gespannt. Hier beginnt der zweite Teil des Streites, und jetzt geht es sie selbst an. Sie dreht sich unruhig in ihrem kleinen Bett hin und her, sie versteht nur halbe Dinge, und es gilt doch, Partei zu ergreifen. Sie seufzt; im dunklen Zimmer stehen lebendige Möbel mit Gesichtern um sie her und sprechen knackend mit.

Die Raffay haben plumpe Hände, sie sind grobknochig, ungebildet, sie denken viel ans Essen, sie haben Liebschaften: Es sind Zigeuner und Slowaken, sagt Mama.

Die Delares sind so fein, daß jeder zweite von ihnen schwachsinnig oder verkrüppelt ist: Eine herabgekommene Gesellschaft; sie haben so dünnes krankes Blut, daß sie zum Leben nicht taugen. Sie sind romantisch, sagt Papa. Und am Ton kann Ina hören, daß Romantischsein etwas sehr Schlimmes bedeutet.

Herr Raffay renommiert mit belebter Stimme: Wie ich Student war in Budapest – der beste Csárdástänzer – die Abende auf der Margareteninsel –. Mama sagt demgegenüber: Bevor ich dich kennenlernte – das Gartenfest bei meinem Onkel, dem Baron Delares – immer trug ich fliederfarbene Kleider –.

Ina kann alles sehen: Den jungen Vater, den sie sich unter einer wehenden Fahne marschierend vorstellt. Und die Mutter, süß, mit offenem Haar und Schleiern, wie das Bild im Märchenbuch. Dunkel empfindet sie, wie vielfältig das Leben ist, sie spürt es wie ein unbekanntes Haus mit hundert Türen, die alle zu öffnen sind, und ihr kleines Herz hat Hunger nach allem. Sie will eine Delares sein und eine Raffay, will Csárdás tanzen abends auf der Insel und dabei fliederfarbene Kleider tragen; sie will bei Gartenfesten sein, sie sieht unermeßliche Wolken blühender Apfelbäume, und will viel ans Essen denken. Auch zu jenen Dingen, die sie nicht verstehen kann, ist sie bereit: Sie wird eine Zigeunerin werden, viele Liebschaften haben und, wenn es sein muß, auch das Schlimmste versuchen: romantisch zu sein.

Im Mai ist in der Tanzschule zum Schluß der große Wohltätigkeitsball, und Papa leert aus der versperrbaren, schwarzen Ledertasche einen klingenden Berg von Fünfkronenstücken über den Tisch. Wenn Mama sparen gelernt und Papa nicht so viel Pech im Kartenspiel hätte, könnte man damit bis September reichen. Aber man reicht nicht, und der August, endlos in Großstadthitze und Dunstschwaden gedehnt, ist ein unerfreulicher Monat. Mama braucht viel Chopin und Papa viel Slibowitz, der Streit findet nicht nur samstags, sondern allabendlich statt. Im September beginnen die Einschreibungen, fließt wieder Geld in den Beutel, im September kommt Ina in die Schule und fängt an zu begreifen, was Mama »das Wirkliche« nennt. Alles wird so ordentlich und undurchsichtig, die Tage marschieren in Reih und Glied wie kleine Soldaten. Stundenplan, Abc, Einmaleins: traurige Dinge, die man unbedingt bewältigen muß, denn man ist erstaunlich ehrgeizig. Feen, Elfen und Däumelinchen, sonst immer zur Gesellschaft bereit, kriechen in den dunkeln Winkel hinter dem Klavier und kommen nur abends hervor, dicht vor dem Einschlafen. Die Kinder in der Klasse sind fremd und bleiben fremd, es sind immer »die andern«, und Ina sitzt mit ihrem kleinen Ich allein in ihrer Bank wie unter einer Glasglocke. Die Lehrer lieben sie wegen ihrer horchenden Augen. In der Religionsstunde kommen ihr die Tränen, weil Jakob sieben Jahre um Rahel freit und dann doch nur Lea bekommt. In der Turnstunde ist sie die Beste, auch im Singen. Zu Neujahr kann sie lesen. Sie nimmt das Märchenbuch vor. Und die Welt wird wieder durchsichtig, hinter dem Wirklichen tut sich eine Tiefe auf, neu und voll ungeahnter Abenteuer. Das schönste Märchen ist das von der kleinen Seejungfrau. Ina versucht es in der Dämmerung zu tanzen, die Musik, die Mama spielt, stimmt nicht recht dazu, und sie selbst ist schüchtern und befangen geworden. Sie trägt eine schwarze Wollschürze und hat Alltagshände, in die kein Stern fällt, weil Tintenflecke darauf sind.

Aber sonntags zieht Mama ihr ein Seidenkleid eigener Erfindung an – es ist ein Überbleibsel und schwacher Abglanz des Fliederfarbenen – und sie gehen zu den Großeltern.

Vor dem Haus steht ein Baum, es ist Februar, die Spitzen der Zweige glänzen klebrig und rosig angeschwellt, der Baum wiegt sich, es ist ganz windstill, dennoch wiegt er sich hin und her: Der Baum ist lebendig.

Der Hausflur atmet Kühle, einen bezaubernden Geruch nach Keller und Äpfeln. An der Tür ist ein Messingschild. Stets schon das Entzücken von Ina, kann sie es nun auch lesen. Herbst steht da. Es ist Großvaters Name. Für Ina, der alles zum Bilde wird, verbindet er sich unlösbar mit dem

Begriff von Gold, das langsam in blauer Luft herabsinkt. Die Großeltern sind fein. Sie haben einen Salon mit roten Damastmöbeln und einen großen Flügel. An dem Flügel sitzt Großvater, er trägt zum schwarzen, geschweiften Gehrock altmodische Pepitahosen, er hat Mamas blaue Augen, die beim Klavierspielen fremd werden. Großmama, die geborene Baronin, gehört zu jener Sorte Delares, die Papa schwachsinnig nennt. Ina liebt sie deshalb so stark, daß sie den vertrauten, saugend süßen Schmerz im Herzen spürt, wenn sie ihr die Hände küßt. Großmamas Schwachsinn besteht darin, daß sie nicht, wie Mama, die Welt in das »Wirkliche« und das »Wahre« zu trennen vermag: Sie negiert das Wirkliche ganz und gar, es ist nicht da; sie glaubt nicht daran. Hört sie von unangenehmen, rauhen oder grauen Dingen, dann lächelt sie kindlich, sagt: »Du machst Spaß, mein Kind, das gibt es nicht«, und schiebt mit einer nachlässigen Bewegung ihrer feinen Hand das Unerfreuliche, Wirkliche beiseite. Nie würde sie begreifen, daß Raffays Schulden haben, eine Petroleumlampe in einer würdelosen Vorstadtwohnung, daß sie selbst zu den Deklassierten gehört und Herr Herbst, der Großpapa, sie und den rotseidenen Salon nur durch die Unterstützung erhält, die ihr Bruder, der reiche Baron, regelmäßig schickt. Sie trägt helle, kindliche Kleider, biedermeierisch mit Falbeln und Bändern geschmückt; auf der Straße laufen ihr die Kinder nach, dann lächelt sie, und die violetten Augen leuchten in dem alten Gesicht. Auf der Tischwäsche und dem Porzellan sind kleine Kronen angebracht, man ißt feine Speisen, Ina bekommt ein Glas mit Himbeersaft, Großpapa spielt mit seinem Siegelring und hält eine spitzbübisch galante Rede an die Damen, wobei er Ina zublinzelt. Nach dem Essen setzt sich Großmama mit Ina auf den Fenstertritt, und sie holen die Kassette mit den Bildern vor. Da kommen Stiche und Aquarelle und Daguerreotypien zum Vorschein, Landschaften und Gesichter, und alle Gesichter haben die Delares-Augen mit den zusammengewachsenen Brauen und den schweren Lidern. Großmama erzählt von der großen spanischen Vergangenheit, und sie berichtet von jedem Insassen der Schachtel unheimlich schöne und spannende Geschichten, die gar nichts mehr mit dem »Wirklichen« zu tun haben und Inas Herz hungrig machen nach Erlebnissen, Reisen und Abenteuern. Dann aber wird sie unaufmerksam, denn im Salon beginnt Großpapa Klavier zu spielen, er spielt noch schöner als Mama. »Deine Mama ist ein Talent, mein Kind«, sagt Großmama, »aber dein Großvater ist ein Genie.« Später sitzt sie im großen, rotseidenen Lehnstuhl, und Großpapa spielt für sie allein. Schon kann sie Mozart, Schumann und Beethoven genau unterscheiden, sie erkennt sie an den Bildern, die aus der Musik wachsen. Wenn Großvater spielt, ist er herrlich wie ein Zauberer, er atmet tief, und seine Hände springen gegen die Tasten an wie Tiere. Nachher trinkt man Tee aus dünnen, chinesischen Tassen, durch die der kleine silberne Löffel schimmert: Aus ihren Arabesken steigen Märchen.

Großmama in ihrem kindlichen Kleid trippelt durch den Salon mit zwei brennenden Herzen, die sie am Flügel befestigt. Die Möbel werfen lange zitternde Schatten, Mama, sehr weiß im Gesicht, spielt mit Großvater vierhändig. Großmama winkt Ina heimlich und ermunternd zu, denn dies ist *ihre* Stunde.

Dann tanzt Ina.

Immer tanzt sie mit tiefernstem, hingebungsvollem Gesicht, die schweren Lider dunkel über die Augen gesenkt, daß die langen, aufgeschwungenen Wimpern feine Schatten auf die Wangen werfen. Um die Kinderschultern liegt Rührendes und Scheues, die kleinen Hände aber senken sich aus emporgesteilten Gelenken unkindlich und preziös den Falten des Kleides entgegen. »Rokoko«, sagt Großvater leise in das Kerzenlicht und den Klang eines Mozartmenuetts hinein. Großmama, selbst ein kleines Mädchen, winkt Ina zu sich, sie flüstern aufgeregt, verschwinden, rascheln und knistern im Nebenzimmer; aus dem Dunkel der großen Flügeltüre tritt Ina wieder hervor, sie hat ein festliches Kleid aus starrem, rosenblumigem Taft an. Großmamas Verlobungskleid, in aller Eile zu barocken Falten hochgerafft, sie trägt einen spinnwebdünnen, indischen Schal über den Armen, aus dem gepuderten Haar tropft eine grauschimmernde Perlenschnur.

Ina tanzt feierlich, wie im Traum, Großpapa und Großmama lächeln. Aber Mama läßt die Hände von den Tasten fallen und sagt: »Ina, was treibst du da?« Es ist Angst in ihrer Stimme. Die Uhr auf der Konsole schlägt neun gläserne Schläge. »Wir müssen Papa abholen, es ist Zeit«, sagt Mama, »wir haben ihn ganz vergessen.«

Im Schlafzimmer wird Ina von Großmama ausgezogen wie ein kleine, steife Puppe. In die Bauschärmel des Rosenkleides kommt Seidenpapier. Ein bauchiger Schrank frißt Stück für Stück in sich; zuletzt gehen die Perlen in einem weißen Samtbett schlafen. Ina würgt an Tränen.

Großmama lächelt, ihre Delares-Augen strahlen, und sie sagt heiter: »Wenn ich tot bin, dann schenke ich dir alles, aber dann mußt du auch froh sein, Ines!«

Ina fragt trotzig und verwundert: »Bist *du* denn froh, wenn du tot bist, Großmama?«

Und Großmama, die schwachsinnig ist und das Wirkliche nicht sehen kann, antwortet mit einem leisen und klingenden Lachen: »Tot sein und lebendig sein ist doch ganz dasselbe, Kind.«

Der Platz, wo das Haus mit Papas Tanzschule steht, heißt der Judenplatz, und das ist unheimlich. Die alten Häuser schlafen in sich verkrochen mit verhängten Fenstern, vielleicht auch sind sie verzaubert. Ina jedenfalls würde sich nicht wundern, wenn eines Abends der ganze Judenplatz verschwunden wäre samt Tanzinstitut, Pestbrunnen und Papa. Auch die Hinrichtungen in den Märchen spielen sich ein für allemal am Judenplatz ab, gerade unter dem schwarzgoldenen Schild von Raffays Tanzinstitut. Über diesem Schild aber leuchten erhellte Fenster, aus denen manchmal Dunst kräuselt, und Schatten drehen sich gleichmäßig vorbei.

Das Treppenhaus ist voll von einer Musik, die an Sohlen, Fingerspitzen und Gaumen pocht und kitzelt. Mamas Hand in den gestopften Zwirnhandschuhen hält Inas Hand ganz fest, und Mamas Mund ist feindselig zusammengepreßt. Junge Männer, die schweißbedeckt im Flur stehen und Zigaretten rauchen, bilden eine spöttisch achtungsvolle Gasse vor ihr. Im Saal tanzt die »Perfektion« Walzer, die Gaskronen pendeln leise, die Tapeten sind bis zur Kopfhöhe abgescheuert von Generationen wandgereihter Mütter und Gardedamen, die an den Sonntagabenden fehlen. Ein Kaiserpaar aus Gips und in den besten Jahren lächelt huldvoll herab. Die Mädchen in der »Perfektion« haben nur Vornamen, die Schönsten von ihnen kennt Ina, und sie lächeln ihr im Vorbeitanzen aus halbgeschlossenen Augen zu. Sie tragen helle Blusen und weitausschwingende Röcke, aus kleinen Lackschuhen stoßen Lichtreflexe hervor. Die reichen jungen Herren in gutgeschnittenen Anzügen tun so, als wäre ihnen das Tanzen gleichgültig. Aber Ina, vom Kopf bis in die Zehenspitzen mitvibrierend, spürt, daß man am liebsten schreien und jauchzen würde vor Lust. Papa hat das schönste Mädchen, die schwarze Olga, im Arm, langsam bildet sich ein freier Kreis um das Paar, sie tanzen so, daß es im heißen Saal noch heißer wird. Ina steht verzaubert, ihr Herz klopft, sie starrt Papa an, er ist jung, schön und hinreißend im Schwung seines Körpers. Auch Mama starrt, ihre Hand hält Ina ganz fest, und ihr Mund verrät Bitterkeit.

»Komm in die Garderobe«, sagt Mama, »hier ist die Luft schlecht.« Ina zieht die Luft tief ein, sie findet sie herrlich:

Sie ist nicht ganz durchsichtig und riecht nach Schweiß und Parfüm und Puder. Ina möchte immer diese Luft atmen. In der Garderobe ist es kühl, hängen die Schuhbeutel in Reihen an den Wänden, bei der Wasserleitung hantiert Fräulein Irma Zwillingsbauer und preßt Zitronensaft in schlechtgespülte Gläser, selbst einer leichtverschimmelten Zitrone ähnlich. Sie spricht säuerliche Dinge, die ihr den Mund zusammenziehen; sie leidet unter dem gesellschaftlichen Niedergang des Institutes, sie findet die Mädchen in der »Perfektion« skandalös, und die reichen jungen Männer, die ihre Freundinnen hierherbringen, unfein. Ihr ist Herr Raffay, der Geliebte ihrer Jugend, noch immer Krone und Maßstab aller Männlichkeit. Aus dem Saal ruft er: »Eulalia, bringe mir eine Limonade, ich habe Abkühlung nötig: Das Fräulein Olga hat mir warm gemacht!« Gelächter fliegt auf, jemand pfeift ganz hoch. Fräulein Zwillingsbauer ergreift kummervoll nickend das Tablett mit den Limonadengläsern. Frau Raffay steht grau in der graugetünchten Garderobe, wo die kleingedrehte Gasflamme saust und im spärlichen Licht regelmäßig Tropfen von der Wasserleitung fallen. Sie kennt den Witz, er wird in jeder Stunde gemacht. Er gehört zum Geschäft, auch der heiße Tanz mit Fräulein Olga gehört dazu, Herrn Raffays schwarze Zigeunerblicke und der Schwung seines Körpers. Ihr Geschäft ist es, den wirklichen Herrn Raffay, den müden, fünfzigjährigen, zu bedauern, seine Strümpfe zu stopfen, seine Füße mit Vaseline einzureiben und ihn zu pflegen, wenn er Nierenkoliken hat.

Drinnen ist Pause, Paare suchen mit verschlungenen Händen das Halbdunkel der Garderobe auf, streifen an Frau Raffay vorbei, die ihren Rock eng an sich zieht und sehr gerade dasitzt. Ina schleicht sich davon, an den roten Samtbänken der Saalwände entlang in den Erker; dort sitzt ihr einziger Freund, der Klavierspieler Konradin, und streckt ihr seine kühle, bläulich aufgelaufene Trinkerhand entgegen.

»Guten Abend, Principessa! Endlich bist du da; ich hätte fast geweint, so bang war mir schon nach dir.«

»Guten Abend, Konradin! Aber du darfst dich nicht lustig machen wie die anderen Großen, nicht wahr?«

»Gott bewahre mich. Ich hab mich nicht lustig gemacht, ich hab mich traurig gemacht. Du weißt doch: Wenn ich dich Sonntag nicht sehe, holt mich am Montag der Teufel. Aber jetzt bist du ja da.«

Er strähnt mit seinen kalten, stets leise zitternden Fingern durch ihr schwarzes Haar. Warm ist das und knistert seidig.

»Was hast du die ganze Woche gemacht, Principessa?«

»Du, jetzt kann ich schon mit Neun rechnen!«

»Wie langweilig! Und sonst? Hast du an deinen armen Knecht Konradin gedacht?«

»O ja, auch.«

»Und für mich gebetet?«

»Ja, du, Konradin, was hast du früher für eine Nummer gehabt, sag?«

»Früher? Nummer? Bin ich dir zwischen das Einmaleins gekommen, Principessa?«

»Papa sagt: Früher war Konradin eine Nummer, bevor ihn das Laster erwischt hat.«

»Aha, so ist das. Ja, früher war ich eine große Nummer, mindestens Tausend. Ich habe eine Oper komponiert und einen Zauberstock gehabt, mit dem mußte ich nur so ein bißchen hin und her wedeln, und hundert Menschen sangen und bliesen und geigten die herrlichste Musik. Das Ganze nennt man Kapellmeister. Dann hat mich das Laster erwischt, wie dein Papa sich auszudrücken beliebt, hat mich erwischt, zusammengeknüllt, in den Dreck geschmissen, wieder hervorgezogen, wieder erwischt und so immer weiter. Kannst du dir das vorstellen?«

»Wie komisch du bist!«

»Äußerst, Principessa. Komm sieh mich an, so. Sprich nie mehr davon, hörst du? Wo ich in dieser Woche war, das errätst du nicht, Ina. In Indien, bei der Königin von Raipur. Sie hat mich rufen lassen, mich mit Schokolade gefüttert, und ihre hundert schönsten Sklavinnen haben vor mir getanzt. Ich selbst habe die Musik dazu gemacht. Höre einmal zu.«

Er spielt ganz leise, eine Wand wächst um den Erker, um den alten Klavierspieler und das Kind, der Saal mit der »Perfektion« versinkt gänzlich in grünen Schleiern. Ina sieht die Sklavinnen tanzen, wieder pocht die Musik ihr an Sohlen, Hände und Gaumen: Konradin spielt am allerschönsten.

»Nächste Woche, wenn mich der Teufel nicht holt, reise ich nach Ägypten und schaue zu, was die weißen Pfauen machen, dann komponiere ich eine Pavane ganz für dich allein. Hast du schon einen Pfau tanzen gesehen?«

»Nein, noch keinen Pfau überhaupt.«

»Aber, Principessa, das mußt du. Das ist nötiger als das Einmaleins. Wir werden zusammen den Pfau suchen, und er muß uns vortanzen. Willst du?«

»Ja. Aber ich kann auch tanzen, ich will dir auch vortanzen«, sagt Ina eifersüchtig. »Ich kann es besser als ein Pfau. Nicht so gut wie Papa und das Fräulein Olga, aber ich kann auch tanzen.«

»Ha, du!« sagt Konradin. »Du wirst ja auch einmal eine Nummer.«

Papa klatscht in die Hände. »Aufstellen zur Quadrille, bitte! Hier noch ein Visavis, bitte! Dort die ersten Damen!« Der Saal ist wieder da mit abgenutzten Tapeten, Dunst und Gelächter, mit Mädchen, die unter einem Griff schrill aufkreischen, und jungen Männern, deren Hände und Augen ungeduldig werden. Mit Mama, grau und steil unter der Türe stehend, und mit Papa, der elegant führt und kommandiert und arrangiert und nur manchmal in einer Ecke in sein Taschentuch hustet. Konradin läßt seine kalten blauen Hände lethargisch auf die Tasten fallen. Und Ina, übermüdet von zu viel Erlebtem, schläft plötzlich ein, den kleinen Kopf an eine rote Samtbank gelehnt.

Konradin ist ein guter Freund. Er erscheint im verknitterten Radmantel, unter dem zerbogenen Hutrand weht dünnes, graues Haar, um Ina zu den Pfauen zu führen. Sie gehen zu Fuß nach Schönbrunn, durch die armen Vorstadtgassen. Ina trinkt mit offenen Augen in sich ein: Zeilen von grauen Arbeiterhäusern, eine bunte Madonna, blumenumkränzt in einer Kirchenmauer, den Blick von Pferden hinter Scheuklappen, Menschen mit schweren Schritten, Klang ferner Drehorgeln. Die weißen Pfauen entzücken sie, sie wendet selbst den Kopf nach Pfauenart, ohne es zu wissen, aber sie findet, daß sie nicht schön tanzen können. Die Wege zwischen den Tierhäusern sind leer, frühe Dämmerung fällt mit dünnem Märzschnee vom Himmel. Am Teich schwimmen weiße Flaumfedern aufgereckt wie winzige Segelboote, dazwischen still die schwarzen Schwäne mit blutigen Schnäbeln. Konradin hält Inas warme Hand in seiner kalten, und ihm ist gut. Am Heimweg spürt er müde seine Knie. Noch an der Ecke des Platzes fängt Ina eine Wolke mit ihren Augen ein, grün, gelblich, edelsteinleuchtend.

Konradin erwartet sie vor der Schule, seine Augen sind trübe wie Blei, seine Hände zittern stark, aber er hat das erste Schneeglöckchen gefunden. Ina jauchzt.

»Eine Principessa, beinahe so fein wie du«, sagt Konradin. Ina faßt nach seiner Hand, hinter ihnen fliegt das Lachen der anderen Kinder auf, sie werden Ina noch fremder, wenn Konradin da ist. Er führt sie in den Stadtpark und zeigt ihr den ersten Flug schlanker Schwalben, silbern in die Luft geschnitten. Der dünne Wienfluß unten taut auf, in den Schneerändern sind kleine Wassermulden, angefüllt mit blauem Himmel. Das schmale Rinnsal zieht in steter Bewegung vorbei, der Kiesgrund schimmert rosig herauf, die

Wellen laufen mit schwarzen und goldenen Schwänzen durcheinander wie kleine Eidechsen. Das Wasser zieht vorbei und vorbei: Das Wasser ist lebendig.

In dem lauen Wind beginnt Konradin plötzlich zu taumeln, er setzt sich auf eine Bank, sein verfallenes Gesicht ist voll Angst. Mit der Straßenbahn fahren sie nach Hause.

»Sie haben Auslagen gehabt, Konradin«, sagt Mama. »Sie verwöhnen mir das Kind.«

»O nein, Gnädigste, wieso? Durchaus nicht.«

»Bleiben Sie wenigstens zum Essen; Raffay freut sich.«

Aber Konradin lehnt ab. Mama geht in die Küche und läßt Margit ein Paket mit Wurst und Fleisch in die Tasche des Radmantels versenken, der im Flur hängt. Inzwischen erzählt Konradin im Zimmer von seinem Schloß. Er wohnt in Döbling in einem Schloß. In seinem Bett hat früher die große Kaiserin geschlafen. Alle Bilder hat er von den Wänden genommen, denn an das Fenster hat der liebe Gott selbst etwas Herrliches gemalt.

»Etwas Herrliches? Was denn, du?«

»Die blauen Berge.«

»Die blauen Berge?« sagt Ina. »Das möchte ich auch sehen.«

»Principessa sind eingeladen; am nächsten klaren Tag geruhen Euer Gnaden mein Schloß zu beehren«, erwidert Konradin feierlich.

Mama kommt wieder ins Zimmer. »Trinken Sie wenigstens ein Gläschen Slibowitz?« fragt sie vorsichtig. Konradin senkt die zerknitterten, dunkelblauen Lider; die Hand, die nach dem Schnapsglas greift, ist eiskalt und zittert.

Es kommt eine Woche, wo Konradin fast täglich vor der Schule wartet; er spricht wenig, er sagt nicht mehr »Principessa«, er macht überhaupt keine Späße mehr, er zeigt Ina auch nichts und übersieht Wolken, Vögel und sonderliche Bäume. Er geht nur, geht immer vorwärts, mit Sohlen, die sich nicht erheben, müde am Boden hinschleifen. In der

Hand spürt er Inas warme kleine Kinderfaust, die soll ihm helfen. Aber er verfällt von Tag zu Tag, um den Mund läuft immer ein Zittern, die Augäpfel werden gelblich, rotgesprenkelt, die Unterlippe hängt schlaff geöffnet von den Zähnen herab. »Bete für Gottes armen Knecht Konradin«, sagt er beim Haustor und geht, kurz abgewendet, davon.

Am Sonntag in der »Perfektion« sitzt ein fremder Klavierspieler da, ein junger Mann, fein in schwarzes Tuch geschniegelt.

»Das Laster hat ihn wieder erwischt«, sagt Herr Raffay. Mama verlangt: »Du mußt ihn entlassen, mit einem Quartalsäufer kann man nicht arbeiten.« Inas Herz zittert um ihren Freund. Aber Papa sagt: »Konradin Rahl entlassen? Was fällt dir ein! Es gibt in Wien keinen, der Tänze so spielen kann. Javelot nimmt ihn sofort. Javelot kennt ihn noch von der Zeit her, wo er eine große Nummer war.«

Im April steht plötzlich dann ein Bettler im Vorzimmer, mager, abgerissen, ohne Hut und Mantel. »Aber Konradin«, sagt Mama nur, und dann preßt sie die Lippen zusammen und geht, um aus Papas ganz alten Kleidern einen Mantel und Schuhe zu suchen.

»Du siehst aus wie ein kranker Hund, du!« sagt Ina, und sie meint das zärtlich. Konradin versteht es auch so, er streicht das dünne graue Haar aus der Stirn, lächelt kameradschaftlich und sagt:

»Du hast schlecht für mich gebetet, Principessa, darum hat mich der Teufel geholt und in siedendem Öl braten lassen; aber diesmal bin ich ihm noch davongelaufen.«

Doch Ina schaut ihm ganz ernsthaft in die Augen, und im Herzen spürt sie den vertrauten, saugend süßen Schmerz des Mitleids und der Liebe. Am Karfreitag aber – die Tanzschule ist geschlossen – erscheint Konradin, der fast ein Bettler ist, mit einer Einspännerdroschke, um Ina in sein Schloß zu führen. Ina ist sprachlos, und Mama sagt streng: »Wo haben Sie Geld für Dummheiten her, Konradin?«

Konradin, sein Gesicht in ein weltmännisches Lächeln drückend, erwidert: »Dummheiten, Gnädigste? Dummheiten sind das einzige, wofür es sich lohnt, Geld zu haben. Übrigens stammt es nicht von einem Bankraub, sondern von einem Musikidioten, der komponieren will, und dem nichts einfällt, und dessen bedürftiger Phantasie ich etwas durch meine kleinen Kompositionen nachgeholfen habe. Mein Freund Javelot hat die Bekanntschaft vermittelt.«

Ina lehnt im Wagen, das Pferd humpelt, der Kutscher schwankt halb schlafend vor und zurück. »Principessa«, sagt Konradin, »kannst du sehen, daß wir in goldener Karosse fahren, sechs Schimmel voraus, und weiße Reiter an jedem Schlag? Hélas!« Ina sieht es deutlich. Konradin redet unaufhörlich, er erzählt von Ländern, Tieren, Menschen, er flunkert Himmel und Hölle zusammen, Ina glaubt alles. Am Himmel blühen zarte Wolken wie Apfelblüten, die Luft weht feucht und rein in die Straßen, Sonne zieht die Linien und Simse alter Häuser nach. Vor dem Schloß, einem alten, halb zerfallenen Kutscherhaus in verwildertem Garten, steht eine Hexe und droht mit dem Besenstiel. Eine Hühnerstiege führt unters Dach. Aber das Zimmer, zu dem Konradin die Tür aufstößt, ist ganz aus Gold. Es ist leer, nur Sonne, Sonne, Sonne liegt ausgegossen darin, weit hereinströmend beim geöffneten Fenster.

»Principessa, willkommen!« sagt Konradin, mitten im Zimmer hinkniend. Und Ina, sehr gelaunt, ein Märchen zu spielen, läßt ihre Hand aus aufgestelltem Handgelenk herabfallen, unkindlich und preziös. In einem Verschlag steht das Bett, das keineswegs aussieht, als hätte die große Kaiserin darin geschlafen. Konradin schleppt zwei Kisten her, eine große, eine kleine. Auf die kleine wird Principessa gesetzt, auf der großen ist das Mittagessen serviert. Es besteht ganz und ausschließlich aus Schaumrollen, und Ina zweifelt nun mit keiner Faser ihres Herzens mehr daran, daß sie in einem Schlosse ist. Konradin sitzt auf dem Bett und baumelt mit den Beinen, er nennt sich den Hofnarren ihrer königlichen Hoheit und hat sich tief in seine Rolle hineingespielt. Über dem Bett sind große schwarze Lettern in die Wand gekratzt. Ina buchstabiert: Mene mene tekel upharsin.

»Was heißt das, Konradin?«

»Es heißt – es ist chinesisch, Ina, und chinesisch kann man nicht übersetzen; es heißt ungefähr: Konradin Rahl, nimm dich beim Kragen; aber es heißt auch: Konradin Rahl ist blödsinnig geworden aus Verzweiflung; es heißt, daß man nachts liegt und in die Fäuste beißt, so, und daß es nichts hilft. Und daß dann die toten Tage aufstehen, die unrettbaren, verspielten, vertanen Tage; und die Frau geht durchs Zimmer, sanft, mit seidenen, schwarzen Haaren, und das Kind schaut mich an und sagt: ›Verloren!‹ Und es heißt: Am Fensterkreuz dort wird bald einer hängen mit der Zunge aus dem Halse.«

Konradin hält die Hände vors Gesicht, er preßt die Finger so krampfhaft gegen seine Stirn, daß ihre Gelenke weiß werden, und als sie heruntersinken, hat sich das verwüstete Trinkergesicht nur mühsam in die Kavaliersfalten gelegt. »Es ist eine chinesische Geschichte«, sagt er leichthin, »und sie hat fast nichts zu bedeuten.«

Später darf Ina die blauen Berge sehen. Sie ziehen sich sanftgewellt am Rand des Himmels hin, in Buchten einsinkend und mit Schleiern der Ferne verhängt. Blühende Obstbäume schreiten ihre Hänge herab wie bekränzte Mädchen, schreiten wiesenwärts, zwischen kleinen Häusern hin und bis unter das Fenster. Von den Kirschblüten steigt Mandelduft, und eine Amsel wirft eine kleine Flötenmelodie zwischen den Zweigen hervor.

»Was singt sie?« fragt Ina.

»Ich will mein Herz dir schenken, sagt sie, natürlich in der Amselsprache. Gestatte mir, Principessa, denselben Ausdruck zu gebrauchen. Mein Herz gehört dir ja schon immer, du Kleines; du bist das einzige, das ich noch habe, Ina. Ich halte mich an dir fest, sonst wäre ich schon krepiert; nein, mach' nicht so erschrockene Augen, du verstehst es nicht, noch nicht, Ina. Ich habe ein Kind gehabt, ein Mädchen, nein, reden wir davon nicht mehr. Ich will dir also mein Herz schenken, Principessa, und damit es frisch und sauber sein soll, habe ich es zum Auslüften vors Fenster gehängt; sieh nur nach, rechts an dem Nagel hängt es.«

»Ein Luftballon, ein roter Luftballon!« schreit Ina verklärt.

»Gewissermaßen, ja. Aber eigentlich doch mein Herz; du kannst es an der roten Farbe erkennen; und sieh nur, wie es zappelt und sich quält: es will hinauf, hinauf – mindestens bis zum Himmel. Aber der alte Strick, der an dem Herzen befestigt ist, zieht es herunter. So etwas nennt man ein Symbol, Ina; ich schenke es dir, und wir werden etwas Herrliches damit anfangen.«

»Was denn, du?«

»Komm mit mir und warte.«

Sie gehen; an Inas Hand festgebunden, zieht der Ballon wolkenwärts.

Sie gehen über Wiesen, schon schickt der Nachmittag schräge Sonne und ersten Tau über die Hänge. Es ist sehr still. Unter ihren Füßen drückt sich das Gras mit dumpfem Ton zur Erde. Ina sieht zurück, sie ist auf eine Anemone getreten. Die Blume richtet sich wieder auf, der zarte Stengel streckt sich, das Blütengesicht nickt, die gefiederten Blätter zittern und bewegen sich klug: Blume und Gras lebt. Ein feuchter grüner Duft nach Erde legt sich kühl auf die Lippen, auch in die Hände schmiegt sich Luft. Die Fernen blauen, und Ina spürt, wie ihr Herz sich dehnt in einem Gefühl, das noch keinen Namen hat.

»Du hast schon oft einen Luftballon besessen?«

»Ja, einen von Papa und einen zum Geburtstag und einen, als ich ganz klein war.«

»Was hast du damit gemacht?«

»Ans Bett gebunden.«

»Und dann?«

»Nichts. Dann sind sie klein geworden, immer kleiner und dann war einmal in der Früh nur so eine häßliche verschrumpelte Haut da. Ich habe geweint.«

»Ja, so geht es, wenn verzauberte Herzen falsch behandelt werden. Diesmal sollst du nicht weinen; wir wollen diesen Ballon oder vielmehr dieses verzauberte, zappelnde, ungeduldige Herz glücklich machen. Schau her: So.«

Der Strick ist durchgeschnitten, der Ballon schaukelt hin und her, als begriffe er seine Freiheit nicht im Augenblick. Dann schnellt er empor, hinauf, hinauf. Wind breitet sich unter ihn, er wiegt sich klein und kleiner in der Luft. Schwarz treibt er im Blau dahin, schräge den blauen Bergen entgegen. Schwalben schneiden tief unter ihm durch das Abendrot, Kühle weht in Inas emporgewandtes Gesicht.

Ein Punkt zergeht selig irgendwo zwischen Abendwolken.

Ina atmet tief auf, sie ist unsagbar glücklich, ihr Herz zittert süß und neidvoll, und ihre Hände haben Hunger. Konradin hat dem Ballon nicht zugesehen, nur ihren Augen.

»Ja, Ina«, sagt er sehr leise, »jetzt hast du Sehnsucht.«

Ina hat Sehnsucht. Nun weiß sie es. Sie hat immer Sehnsucht, bei Tag, abends vor dem Einschlafen am stärksten und noch nachts in den Träumen. Sehnsucht haben ist wunderbar, Ina streckt ihren kleinen Körper, sie ist fremd den Kindern in der Schule, verwandt allen Dingen, die fliegen können oder sich verwandeln, die schön sind und das, was Ina lebendig nennt. Sie wächst, und was sie von anderen Kindern unterscheidet, sind die suchenden Delares-Augen und der eigen beschwingte Gang. Sie tritt mit der Spitze des

Fußes zuerst auf, die kleine Sohle berührt nur einen Augenblick den Boden und löst sich wieder mit auffedernder Ferse. Die Knie schwingen vor, und Kopf und Nacken biegen sich zurück, dem Körper Schwere nehmend. Es ist der Gang, den Hinduknaben haben und die nackten afrikanischen Krieger und baskische Frauen, Stämme mit hochgewölbtem Spann und langen Zehen.

Als Ina acht Jahre alt ist, entdeckt sie den Spiegel; bald wird er Freund, vertrauter und verläßlicher noch als Konradin. Die Spiegelfläche ist ein Geheimnis, eine der hundert Türen, die sich aus der Welt in Unbekanntes öffnen. Ina steht lange davor, mit Decken und Tüchern und Lappen, und sieht sich zu: Sie gefällt sich sehr. Sie löst ihr Haar, es ist lang und schwer geworden, kleine blauseidene Schimmer wellen darin; sie findet ihre Stirne. Kein Kind in der Schule hat eine solche Stirne, auch Mama nicht, nicht einmal Großmama, die geborene Baronin Delares. Aber die Kaiserin auf der Gipsbüste und die Kaiserin auf Bildern im Schulzimmer und in den Büchern: Sie hat dieselbe Stirne wie Ina Raffay. Das Bild einer nackten Frau, in einem Schaufenster am Ring ausgestellt, wird Ereignis. Sie liegt sehr glatt in Kissen, man sieht die Wärme ihrer Haut, ein Mohr bringt Blumen. Sie heißt: Olympia. Ina möchte sich auch gerne nackt sehen im Spiegel, aber eine Scheu hält sie zurück. Doch am Sonntagmorgen, in der Badewanne, spielt sie Olympia, hingelehnt in laues Wasser, das zärtlich nach Seife duftet. Sie schmeichelt ihren Knien, die wie Seide glänzen, ihren Schultern, die klein und kühl wie runde Gebirgskuppen aus dem Wasser ragen. Wenn sie aus dem Bad kommt, drückt ihr Fuß nasse Spuren auf den Boden, in denen ein großer trockener Fleck bleibt, dort wo die Sohle, gewölbt, die Erde nicht berührt. Diese Fußspuren liebt Ina zärtlich und drückt sie überall hin, zu Hunderten auf die Dielen der Kammer. Die Aranka, daß neue Mädchen, murrt auf ungarisch über die Schweinerei.

Ina liebt alles, was sich bewegt. Es gibt Bewegungen, irgendwo gesehen, die ihr lange nachgehen, noch abends im Bett vor ihren geschlossenen Augen sich wiederholen: Eine Katze springt weich von einem Wagen. Ein Dienstmädchen zieht ein schwarzes Tuch straff um ihre Brust; an einer Ecke nehmen zwei junge Leute Abschied, er, fast noch ein Knabe, dreht immer wieder den Kopf zurück. Aus einem Fenster winkt eine Frau. Ein Reiter trabt über den Ring, das Pferd hebt die schmalfeßligen Vorderbeine kokett hoch und rundet sie zierlich ein.

All das versucht Ina nachzumachen und dem Spiegel vorzuspielen. Noch andere Bewegungen gibt es, wunderbar, aber unnachahmlich. Von Lindenbäumen segeln gestielte Früchte durch die Luft, sie haben ein vergilbtes schmales Blättchen als Rock und drehen sich wie kleine Fräulein Olgas. Und Wolken, Wolken wandern täglich über den Platz, am Morgen eilig wie dicke, weiß vermummelte Kinder, die zur Schule laufen, am Abend Nixen in grünen Gewändern und große Frauen, die Arme hochreckend und zerfließend. Über alles liebt Ina den Wind; er geht über ein Tulpenbeet: Die Tulpen verbeugen sich tief wie bei einem Hoffest. Der blaue Teich im Stadtpark wird unter ihm grau wie Stein, runzlig wie ein altes Gesicht; aber ein grünes, unreifes Kornfeld in Döbling draußen, es wird ein Meer mit Wellen, hellen Kämmen und dunkelschattigen Wogentälern.

Mit ihr streitet der Wind, er greift ihr in den Nacken, er jagt sie am Schulweg, plötzlich ist er weg, er haucht nur zum Spaß ein wenig Kühle an ihr Gesicht und füllt ihre Hände. An der nächsten Ecke wartet er auf sie und wirft sich ihr entgegen. Sie spürt ihn mit ihrem ganzen Körper und preßt die Fäuste, die kleinen Schenkel und Knie gegen ihn an, schreiend vor Vergnügen. Am Abend, vor dem Spiegel, versucht sie, den Rocksaum so zu drehen und zu schwingen, wie der Wind es ihr tat, aber das mißglückt.

Ina liebt unzählige Dinge: den Ofen, das Bett, das Klavier, Bücher, Papas Lackstiefeletten, Großmamas Kassette und ihr Teeporzellan; Unzähliges, Unzähliges. Jedes Ding hat sein Gesicht, seinen Geruch, seine eigene Stimme, und alle sind Ina vertraut und lebendig.

Gerüche liebt Ina, manche sind zart wie Erinnerung, manche süß, manche laden zu Traum und Sehnsucht ein. Farben liebt Ina über alles, solche, die toben und schreien, rot zum Beispiel, und andere, fein und schüchtern. Aber Graues mag sie nicht, und deshalb weint sie mit unerklärbarer Heftigkeit, als mit Hilfe von Fräulein Zwillingsbauer, die tagsüber in Häuser nähen geht, aus dem alten grauen Kleid von Mama ein Neues für sie selbst zurechtgeschneidert wird. Mama bekommt ein neues graues Kleid, das genau so aussieht wie das alte. Ina kann den ganzen Vorgang nicht begreifen. Denn nun sieht sie einem armen Kinde gleich und fühlt sich doch unermeßlich reich.

Das sind die kleinen Erlebnisse. Die großen kommen, kurz bevor Ina zehn Jahre alt wird.

Die Tanzschule geht schlecht. Zwar ist Ina unermeßlich reich, aber Herr Raffay hat kein Geld. Seine Einladungen zum großen Wohltätigkeitsball finden wenig Gegenliebe, und er sieht sich bemüßigt, heftigere Anstrengungen zu machen. Neue Einladungen werden gedruckt und verheißen Großes.

Herr Raffay arbeitet wie ein Pferd. Er kommt erst gegen Morgen aus dem Kaffeehaus, wo er Einladungen verteilte, ein wenig Geld, kaum der Rede wert, verspielt und vier Karten zu fünf Kronen verkauft hat. Auch nahm er dort Rücksprache mit seinem Freund und Berater, dem Reporter Pratt, der bereit ist, eine Notiz in sein Blatt zu bringen. Jedoch meint er: »Es fehlt dem Abend ein Clou, ein Clou, verstehen Sie, Raffay! Etwas Besonderes! Es finden jetzt siebenundachtzig Frühlingsfeste per Abend statt, jedes mit Kotillon und Tombola. Ein Clou, ein Clou!«

Herr Raffay feuchtet seine ermüdet zusammengesunkene Phantasie mit etwas Slibowitz an. Frau Raffay schichtet Scherzmasken, krasse, gelbrote Gesichter und Tierköpfe, die nach Leim riechen, ineinander. Sie hat die ganze Nacht für die Scherztombola gearbeitet, sie ist so müde, daß sie wie im Traum hantiert, und wie im Traum hat sie Angst, die rohen Grimassen der Larven könnten lebendig werden. Im Schlafzimmer stolpert Herr Raffay vor dem Spiegel über Schleier und Samtlappen, da hat Ina gespielt.

Er tritt mit der Kerze an ihr Bett und betrachtet sie, wie sie daliegt, die glatten, bräunlichen Kinderarme an die Wangen geschmiegt, das sanft gelockte, schwarze Haar in der Kaiserinnenstirne und unter der Decke das ganze Mädchen, nicht kindlich eingerollt, sondern noch im Traum sehnsüchtig gestreckt und angespannt.

Herrn Raffay scheint es, als hätte er den Clou gefunden.

Ina erhält ihre erste Tanzstunde. Zu Hause sitzt Mama mit Fräulein Zwillingsbauer an der Nähmaschine, und sie verfertigen aus Inas Spielflicken einen Gegenstand, den sie für ein spanisches Kostüm halten. Indessen zeigt Herr Raffay inmitten der staunenden Wände seines Institutes seiner Tochter einen Fandango eigener Erfindung. Am Vormittag sieht der Saal traurig aus. Von den Lüstern blättert die lackierte Vergoldung ab und fällt zu Boden, so oft Papa nach einem Sprung mit einem dumpfen Plumps zum Parkett zurückkehrt. Das Parkett knarrt laut im leeren Saal, die Gipsbüsten haben grauen Staub in allen Falten, die roten Samtbänke sind fleckig, und an ihren Kanten laufen abgewetzte hellere und glanzlose Streifen. Das geschlossene Klavier stößt dumpfe Töne aus sich und draußen in der Garderobe klirren die Limonadengläser auf dem Tablett im Takt von Herrn Raffays Schritten. Aber dies alles merkt Ina nicht. Ihr Herz klopft im Hals, sie sieht Papa zu, und ihre Hände und ihre Beinmuskeln spannen sich schon beim Zusehen schmerzhaft mit. Dann soll sie es nachmachen. Papa klatscht den Takt in die Hände: »Eins – zwei – Sprung rechts – eins – zwei – Sprung links – eins – zwei – am Absatz drehen – schlecht! Noch einmal: Eins – zwei – am Absatz drehen!« Papa nimmt Ina um die Mitte und dreht sie mit einem Druck seiner schweren Hand. »Eins – zwei – Sprung rechts – eins – zwei – Sprung links – eins – zwei – am Absatz drehen.«

Ina sitzt schwindlig auf einer Bank; daß Tanzen schwer ist, hat sie nie geahnt. Herr Raffay schwitzt und ißt Hustenbonbons aus einer Blechdose. Ina denkt an ihre Tänze in der Dämmerung, wenn Mama Chopin spielt, und an die bei den Großeltern im Licht der Kerzen, und lächelt wie über Vergangenes.

Die zweite Stunde ist schöner. Im Erker liegt ein wenig Sonnenschein verschüttet, das offene Klavier lacht mit allen Zähnen, und Konradin ist da. Konradin hat seine adrette Zeit, sein Rock ist gebürstet, und die grauen Haare sind mit einer gewissen Planmäßigkeit angeordnet. »Na, Principessa«, sagt er, »willst du dich unters Volk mischen?« Die Musik pocht mit einem neuen fremden Rhythmus in Inas Blut, Papa zählt nicht mehr, er steht mit gegrätschten Beinen, den Blick immer auf Ina, die flüstert: »Eins – zwei – Sprung rechts – eins – zwei – Sprung links – eins – zwei – am Absatz drehen.« Sie hat das graue Kleid an, die Alpakaschürze. Wenn sie zum Schluß sich in einem Wirbel drehen soll, dann fühlt sie ihr ganzes Gewicht, sie ist plump, enttäuscht und müde in allen Gliedern. Die Aranka, das neue Mädchen aus Ungarn, muß ihr ein rotes Kreuz an den rechten Ärmel nähen, zur Unterscheidung, sonst wird sie es nie erlernen.

Sie erlernt es. Herr Raffay geht angeregt im Saal auf und ab. »Es ist doch etwas anderes! Begabtes Material, gebt mir begabtes Material und ich stecke alle Javelots in die Tasche! Ideen, Ideen, verstehen Sie, Konradin? Man hat den Kopf voll Ideen und muß jungen Nilpferden Polka beibringen. Noch nicht einmal siebzig Karten sind dabei verkauft. Es muß etwas geschehen; ich werde die Nilpferde eine Frühlingsquadrille tanzen lassen. Fräulein Ilm studiert ein Menuett; manchmal glaube ich, mich trifft der Schlag dabei, Konradin.«

Nachmittags erhält Herr Raffay von seinem Freund Pratt im Kaffeehaus zwei Freikarten für die Oper. Man gibt ein Ballett, das »Tanzmärchen« heißt, und Ina darf mitgehen, weil sie den Fandango brav gelernt hat. Im Fliederfarbenen sitzt sie neben Papa, hat kalte Hände und redet fieberhaft bis zum Aufgehen des Vorhangs. Dann öffnet sie die Augen ganz weit und hält den Atem an, manchmal hört Herr Raffay sie zitternd seufzen. Doch im Zwischenakt ist sie sehr schweigsam. »Ina, nicht die Lippen beißen«, sagt Herr Raffay. Manchmal gibt er ihr einen kleinen Puff: »Die Primaballerina! Sieh hin, das ist die Primaballerina, die kann am meisten!« Die Primaballerina kreiselt die Rampe entlang, sie hat die Ellbogen wie Henkel weggespreizt und dreht sich auf einem Bein. Herr Raffay hat einen erwartungsvoll geöffneten Mund. »Vierundzwanzig Touren«, sagt er befriedigt, »das ist schwer, Ina. Die Taglioni machte zweiunddreißig.«

Aber Ina sieht anderes als Herr Raffay. Sie sieht wahr gewordene Träume, Feen, Nixen und Elfen mit weißen Gliedern und ohne Schwere, Landschaften aus Wolken, Gold und Rosen, Ströme von Licht und Farben. Auf silbernen Bäumen wachsen goldene Früchte, Mondschein und Sonne wechseln in Minuten, das Unmögliche ist möglich.

»Ist das alles *wirklich*?« fragt sie und hat die echten Delares-Augen. Aber auf so törichte Fragen gibt Herr Raffay keine Antwort.

Zu Hause sitzt Mama in Wolken von Seidenpapier und schneidet Blumen und Girlanden für die Frühlingsquadrille der jungen Nilpferde.

»Wie war es, Ina?« fragt sie lächelnd.

»Schön«, sagt Ina einsilbig. Sie hat so starke Sehnsucht.

»Ich will auch mit den Armen tanzen«, verlangt sie in der nächsten Stunde, »ich will so machen und so, wie die Primaballerina«, und sie stellt eine zierliche kleine Ballettpose. Konradin streckt interessiert den Kopf über das Klavier. »Zum Schluß von dem Tanz will ich sterben«, äußert sie bestimmt. »Du bist ja übergeschnappt!« sagt Herr Raffay. »Die Primaballerina ist auch zum Schluß gestorben, das war schön, so.« Ina stößt sich einen imaginären Dolch ins Herz, taumelt, sinkt drehend zur Erde, erhebt sich nochmals und liegt dann endgültig tot da, mit gefällig gerundeten Gliedern.

»Da haben wir die romantischen Ideen von Herrn Javelot«, sagt Papa grimmig. »Mit dem Tod spielt man nicht. Stehe sofort auf, überspannter Fratz!« Sein Bronchialkatarrh ist schlimmer geworden; er ist übel gelaunt. Aber Konradin hört auf mit der Musik und schaut mit sonderbar spähendem Ausdruck auf das hingesunkene Kind. Am Heimweg, die warme Hand in seine kalte geschmiegt, vertraut sie es ihm an: »Ich will auch Primaballerina werden. Ich habe solche Sehnsucht, das Herz klopft mir, weißt du, Konradin.«

»Sososo«, murmelt er; seine Augen behalten das Sonderbare, Spähende.

Das Frühlingsfest in Raffays Tanzinstitut verläuft glanzvoll. Es sind nun doch fast hundert Karten verkauft. Die Damen erscheinen in Kostümen, Veilchen, Bebépuppen und Zigeunerinnen; aus ihren gekräuselten Haaren steigt ein leise angesengter Duft. Die jungen Herren hingegen riechen nach Pomade. Es ist heiß, die Fenster stehen offen, manchmal hört man in einer Pause Kirchenuhren über den

Judenplatz hin schlagen. Fräulein Zwillingsbauer hat eine Taftschürze von außerordentlichem Glanz vorgebunden und waltet mit rotgezirkelten Flecken auf den Zitronenwangen in der Garderobe, beim Büfett und den Blumen. Schwarzseidene Mütter reihen sich um die Wand, die gesellschaftliche Spitze bildet die Magistratssekretärswitwe Frau Ilm, die unter der Kaiserbüste Cercle hält. Neben ihr sitzt Frau Raffay, mühsam lächelnd, die Hände liegen ihr wie schlafend im Schoß, und die weißen Handschuhe riechen nach Benzin; Herr Raffay hat den neuen Frack an und Konradin den alten, jenen, in dem Herr Raffay geheiratet hat. Herr Raffay hat frischrasierte, bläuliche Wangen, Haar und Schnurrbart sind mit Nußextrakt behandelt, und er saß vor dem Fest eine Stunde lang am Inhalierapparat. Er ist sprühend lustig, kommandiert, sorgt diskret für Tänzer, er macht Scherze, über die der ganze Saal lacht, nur Frau Raffay und Konradin kennen sie schon zu genau, er tanzt selbst mit Fräulein Ilm. Fräulein Ilm in Rokoko ist klein, sommersprossig, sie hat ein O-Bein, das andere ist gerade; an Raffays Brust bleibt ein weißer Fleck von ihrer Puderfrisur.

Herr Raffay geht in die Garderobe, sein Gesicht ist plötzlich schlaff und grau und ernsthaft.

»Wieviel, Irma?«

»Hundertsechs Karten, vierzehn Buketts. Die Tombolalose gehen gar nicht.«

»Von der ›Perfektion‹ wollten auch noch ein paar kommen.« Herr Raffay sinkt auf einen Stuhl und wischt sich das Gesicht mit seidenem Taschentuch. »Ach Eulalia«, sagt er, »wenn's schon vorbei wäre, ich bin so müde.« Fräulein Zwillingsbauer hebt ungeschickt ihre zerstochenen Schneiderfinger hoch, als möchte sie einmal über seinen gefärbten Kopf streicheln. Aber die Zeiten sind lange vorüber.

Der Walzer schweigt. Herr Raffay stürzt in den Saal. »Bitte, aufstellen zur Quadrille! Quadrille, Herr Konradin!

Es fehlt ein Visavis, bitte noch ein Visavis, hier die ersten Damen.« Er knickt vor seiner Frau zu einer vorbildlichen Verbeugung zusammen, sie bildet mit ihm das fehlende Visavis. Die jungen Nilpferde grinsen, die Mütter an den Wänden nicken gerührt mit den Köpfen. Ina sitzt im Erker bei Konradin hinter dem Klavier, sie soll sich nicht zu früh zeigen, sie hat das spanische Kostüm an, ihr Herz zittert schmerzhaft und glückselig.

Die Stimmung ist animiert, der Scherzkotillon übertrifft alle Erwartungen.

Um neun Uhr ist Souperpause.

Dann erscheint lärmend die »Perfektion«. »Schkandal«, sagt Fräulein Zwillingsbauer zwischen schmalen Lippen. Die Damen haben helle Sommerkleider an und Seidenstrümpfe, sie sehen entzückend aus. Die reichen jungen Herren sind im Smoking. Die Stimmung sinkt. Rechts vom Kaiserpaar tanzt der Kursus, links die »Perfektion«. Die Mütter räuspern sich, wenn Fräulein Olgas Rocksaum an den runden, seidenen Beinen emporweht. Herr Raffay steht in einer Ecke der Garderobe und hustet krampfhaft, sein Hals brennt; den Tod kann man sich dabei holen.

»Wieviel, Irma?«

»Hundertachtundzwanzig Karten, und die Herren von der ›Perfektion‹ haben jede Karte ums Doppelte überzahlt.«

»Großartig!«

»Sie benehmen sich auch danach«, äußert Fräulein Zwillingsbauer und schluckt etwas Saueres. Herr Raffay stürzt in den Saal zurück. »Aufstellen zum Sir Roger! Herr Konradin, Sir Roger!« Er schleppt die Herren von der »Perfektion« zu den Damen vom Kursus, er befestigt stammelnde Kaufmannssöhne an den Damen der »Perfektion«, er beschwört leise die Übermütigsten, er beschwichtigt Mütter, er klatscht in die Hände. Der Sir Roger wirbelt alle durcheinander. Beim nächsten Walzer liegen junge Nilpferde selig an Smokingbrüsten, die Herren vom Kursus schwitzen in den Armen heller Sommerkleider. Es wird sehr heiß im Saal, man sieht zurückgeneigte Köpfe und halbgeschlossene Augen; manchen geht das Geheimnis des Walzers auf. Heftiges und Neues bedrängt die Siebzehnjährigen. – Herr Pratt ist erschienen, er steckt klein in einem großen traurigen Frack und hat ein rotseidenes Taschentuch flott über den Magen gebunden. Jeder Eindruck beunruhigt ihn so lange, bis er ihn in ein Klischee gepreßt hat, er notiert in Gedanken: »Fröhlich wiegt sich die Jugend im Dreivierteltakt.« Fräulein Olga begibt sich an Stelle von Fräulein Zwillingsbauer in die Garderobe und verauktioniert unter Lachen und Schreien alles, was noch zurückgeblieben ist: Blumen, Orden, Lose, Brötchen. Herr Raffay schwitzt. »Irma, wieviel?« »Vierhundertsechzehn Kronen ohne die Karten.« Herr Raffay tanzt mit Fräulein Olga einen Kunstwalzer auf einem schnell herbeigeschleppten Tisch.

»Die Stimmung hatte ihren Höhepunkt erreicht«, notiert Herr Pratt. Es ist elf Uhr. Die jungen Nilpferde exekutieren die Frühlingsquadrille unter einem Regenbogen aus farbigen Seidenpapierblumen. Konradin spielt eine feine, zarte Musik dazu, die niemand hört, er spielt für Ina.

»Bald kommst du dran, Principessa, bist du nicht schläfrig?«

Sie schaut ihn mit überwachen heißen Augen an. »Schläfrig? Aber Konradin! Es ist doch so herrlich!«

»Kleines, Kleines«, sagt er, seine Stimme bricht fast vor Zärtlichkeit; sie tut ihm so leid in ihrem Samtfräckchen, das Kind, und weil sie glücklich ist dabei.

Fräulein Ilm tanzt ihr Menuett; sie trippelt ordentlich nach rechts und links, bald mit dem O-Bein und bald mit dem geraden voraus. Frau Raffay schlägt ihre schlafenden Hände schwach ineinander und sagt zu Frau Ilm: »Süß, einfach süß.«

Ina hinter dem Klavier zittert.

»Aufgeregt, Principessa?«

»Ich weiß nicht, du. Ich habe die Knie so weich. Konradin, fang noch nicht an, noch nicht.«

Aber Herr Raffay klatscht in die Hände. Konradin läßt Inas Haare los, seine Augen trüben sich plötzlich. Dann ist es ganz still, nur die Musik pocht.

»Los, zum Donnerwetter!« flüstert Herr Raffay zwischen den Zähnen.

Ina lächelt, mitten im Saal. Eins – zwei – Sprung rechts – eins – zwei – Sprung links – eins – zwei – am Absatz drehen. Es ist so still, sie ist ganz allein mit der Musik. Die Wände mit den Menschen kreisen undeutlich um sie. Sie ist ganz leicht, sie kann den Rocksaum schwingen, wie der Wind ihn schwingt. Was sie spürt, das könnte sie nicht sagen, aber tanzen kann sie es, aufgelöst in Bewegung und der hinreißenden Kraft des spanischen Rhythmus hingegeben. Der Wirbel zum Schluß gelingt, ihr Rücken biegt sich weit zurück, und dann steht sie da, laut atmend, und Applaus fällt auf sie nieder.

Zuerst schaut sie auf Papa, der lacht mit schwarzen Zigeuneraugen, dann auf Mama, die ist sehr weiß im Gesicht und unbegreiflich traurig. Konradin aber sieht Ina überhaupt nicht an, er sitzt versunken da, als horche er in sich hinein. Das überblickt sie in einer Sekunde, in der nächsten stürzt alles über sie her, klebt Küsse in ihr Gesicht, stopft Schokolade in ihren Mund, hebt sie auf Arme und schnattert über sie hin.

»Der Clou des Abends«, sagt Herr Pratt.

In der Garderobe tauchen Champagnerflaschen auf, einer der reichen jungen Männer will auf Inas Wohl trinken; auch sie bekommt ein Glas, und sie lacht laut, weil der Wein sie süß im Munde kitzelt. Nachher wird ihr so, als hätte sie Fieber oder als wäre sie wieder im Theater. In einer Ecke nimmt Herr Pratt sie auf die Knie. »Die geborene Primaballerina«, sagt er, »die Linie, der Schwung, das Temperament.

Zeig deinen Fuß, kannst du ihn biegen? So? Du wirst eine Taglioni, eine Fanny Elßler. Ich verstehe etwas davon. Nicht wahr, Raffay, das wissen Sie!«

Raffay weiß es. Pratt ist ein Ballettnarr. In der Oper läßt er kein Ballett aus. Früher, als er noch Vermögen hatte, reiste er monatelang hinter einer Tänzerin her. Er kennt alle berühmten Tänzerinnen, die Tosti, die Salvartini, die Almedas, die Krasinskaja. Er hat eine Schuhsammlung zu Hause, seine Wohnung ist tapeziert mit Bildern, die alle lächeln und alle auf einem Bein stehen, mit gerundeten Armen und in Pose. Sie sind sein einziges Besitztum, obwohl er einmal Millionär war.

»Willst du Primaballerina werden?« fragt Herr Pratt.

»Natürlich«, antwortet Ina.

Sie soll noch einmal tanzen; seit sie den Champagner getrunken hat, singt alles in ihr vor Übermut. Sie tanzt noch einmal, sie zählt gar nicht mehr, und zum Schluß »stirbt« sie, gleichgültig, ob es Papa recht ist oder nicht. Applaus, Küsse, Lärm. Mamas weißes Gesicht, Konradins trübes zärtliches Lächeln.

»Kannst du noch etwas tanzen?« fragt man.

»Ja, ich kann alles tanzen!« ruft Ina berauscht.

»Nein, sie hat nichts anderes gelernt, sie kann nichts anderes!« ruft Papa.

»Doch ich kann alles tanzen. Ich kann Menuett tanzen.« Ina tanzt Menuett. Applaus. Alles kreist in seligen Wolken um Ina. Frau Ilm räuspert sich. »Genug!« ruft Papa. »Walzer! Bitte, engagieren zum Walzer!« Er selbst engagiert Fräulein Ilm.

»Walzer kann ich auch!« schreit Ina. Gelächter. Ein Smoking verbeugt sich vor ihr. Ina tanzt Walzer. Die reichen, jungen Herren aus der »Perfektion« umdrängen sie, einer nach dem andern nimmt ihre leichte, kleine Person an die Hände und tanzt, über sie gebeugt, Walzer. Ina weiß nichts mehr von sich, als daß sie fliegen kann.

»Sie hat spanisches Blut in den Adern«, sagt Herr Pratt zu Frau Raffay. »Gnädige Frau tanzen selbst sehr gut?«

»Nein. In unserer Familie waren nie gute Tänzer. Dies hat sie von Raffay«, erwidert sie. Neben ihr sprechen zwei junge Herren von Ina. »Donnerwetter, wie der Fratz tanzt!« sagt der eine. »Die weiß, was ein Walzer ist!«

»Gnade uns Gott, wenn die zehn Jahre älter ist!« sagt der andere.

Es ist zwei Uhr. Frisuren und Kleider hängen welk im dunstigen Saal. Ina landet hinter dem Klavier bei Konradin. »Kleines, Zartes, bist du nicht müde?« fragt er und läßt die Finger im Takt auf das Klavier sinken. Ina lacht mit zurückgeworfenem Kopf. »Ich? Müde? Konradin!« sagt sie nur.

»Sie hat den Schlaf übergangen«, sagt mitleidig Fräulein Zwillingsbauer, die mit Limonadengläsern vorbeiklirrt, und streicht mit rauhen Fingern über ihr Haar.

»Konradin, so glücklich war ich noch nie, nie, nie.«

»Ich glaube, jetzt hat der Teufel es auf dich abgesehen!«

»Ich werde Primaballerina, Konradin.«

»Es scheint fast so, Principessa.«

Neben Mama, die sehr gerade sitzt, räuspert sich Frau Ilm. »Ein beängstigendes Kind«, sagt sie. »Wenn *ich* die Mutter wäre, *ich* hätte Angst um das Kind.«

»Ja«, sagt Mama still. Sie geht ans Fenster; draußen fließt blaue, kühle Mondnacht. Der Himmel liegt schon schwach erhellt dicht über den Dächern. Unten rinnt verschlafen der Brunnen. Die ersten Wagen fahren mit vermummten Lasten zum Markt. Mama legt die Hände in den weißen Glacéhandschuhen vor die Augen und weint.

Die kleine Eisenpforte klirrt. Hundegebell stürzt vielstimmig aus dem Haus. Drinnen ruft eine Stimme: »*Taisez-vous donc*!« Konradin sagt auf der Treppe: »Man küßt Herrn Javelot die Hand, Ina.«

»Ich vergesse es nicht, Konradin.«

Eine Dogge wartet an der Tür wie ein Lakai; sie atmet warm in Inas Gesicht. Da Ina zutraulich lächelt, legt sie eine Pfote schwer auf ihre Schulter, der Schweif wippt einmal freundschaftlich auf und nieder, das Tier richtet sich auf und öffnet die Türe.

Im sonnigen kleinen Zimmer sagt Herr Javelot: »Konradin Rahl! Bester Freund! Ich freue mich! Was bringen Sie mir?«

Herr Javelot ist groß, schlank; das Haar, hellgrau, wie gepudert, fällt in zwei Bogen über die Buchten der Stirne. Aus dem zurückgeschlagenen weißen Leinenkragen steigt der Hals einer Statue; die gelblichen Hände sind vollendet schön. Ina macht weite, anbetende Augen.

»Lieber Meister, hier haben wir eine ehrgeizige, junge Dame, die unbedingt Primaballerina werden will. Ich erzählte Ihnen.«

Herrn Javelots Augen ziehen Ina die Haut ab.

»Kein Typ für ein Ballettmädchen. Nicht entgegenkommend. Hübsch? *Pas du tout; mais plus que ça! Elle sera du grand style*! Alt?«

»Zehn Jahre.«

»Alt, sehr alt. Mais, sie hat Rasse. Zehn Jahre schon.«

»Die Gelenke, Meister, der Fuß!«

Herr Javelot nimmt Inas Ellbogen und drückt sie im Rücken aneinander, er läßt sie hinknien und mit zurückgebogenem Kopf die Fersen berühren. Er legt eine Hand in ihr Kreuz und hebt sie in die Luft. Ina macht sich steif und leicht. »Es geht, es wird noch gehen«, sagt Herr Javelot, »sie kann im August in die Ballettschule eintreten, man muß sie noch offiziell in der Oper bei mir anmelden. Sie wird aufgenommen werden.«

Konradin, die Hand in Inas Haaren, sagt: »Aufgenommen wird jede, ich weiß, Meister. Es handelt sich um etwas anderes: Die hier ist etwas Besonderes. Die hier hat Talent.«

»Talent? Wer hat heutzutage Talent? Lieber Freund! Die Almedas! Die Tosti! Die hatten Talent. Heute? Nichts!« Herr Javelot läßt die Hände hinunterfallen. Ein Meer von Resignation wird durch eine Bewegung ausgedrückt.

»Unsere Galiena? Eine Primaballerina? Han! Eine Puppe! Ein Gefäß ohne Inhalt! Voilà!« Herr Javelot nimmt ein leeres Wasserglas vom Tisch und dreht es um, es kommt nichts heraus. »Es kommt nichts heraus«, sagt Herr Javelot.

Die Dogge streckt sich, atmet Ina ins Gesicht, legt eine schwere Pfote auf ihre Schulter. Ina lächelt. Herr Javelot belebt sich: »Monsieur Frédéric, *que faites-vous*? Gefällt Ihnen die Kleine? Er hat den sensibelsten Geschmack der Welt. Von der Galiena würde er kein Stück Zucker nehmen. Sie finden die Kleine hübsch, Frédéric?«

Monsieur Frédéric schaut Ina mit braunen Augen an. Ina nimmt seinen Kopf in beide Hände und drückt ihn an ihre Schulter, Herr Javelot schluckt mit den Augen die Bewegung, den stürmischen Griff ihrer bräunlichen Hände, ein und sagt ganz kurz, wie gestoßen: »O?«

Herr Javelot führt Ina in den Saal.

Sie steht in Ballettschuhen auf den hellen Dielen, die in leiser Schrägung sinken; wandwärts laufen Stangen. Der vertraute Tanzschulgeruch weht in der Luft. Inas Zehen spielen an dem harten Blatt, das die Spitze des Schuhes bildet.

Sie tanzt den Fandango: Eins – zwei – Sprung rechts – eins – zwei – Sprung links – eins – zwei – am Absatz drehen. »Scheußlich!« sagt Herr Javelot nach acht Takten. »Geschmacklose Dressur.« Konradin am Klavier spricht Französisches. Inas Haut brennt vor Kränkung, als wäre sie mit Ruten geschlagen. Sie ballt die Hände und spannt die Wadenmuskeln. »Ich will anders tanzen, auch mit den Armen, und mit Sterben«, sagt sie verzweifelt.

Ina stirbt. Herr Javelot wird still und geht federnd im Saal auf und ab. »Mignonne, höre zu: Dies ist eine Wiese, du suchst Blumen, du findest eine Rose, du pflückst sie ab, riechst daran, kurz, du machst, was dir gerade einfällt, kannst du das?«

Das kann Ina, es ist genau dasselbe wie das, was sie in der Dämmerung tanzte und vor dem Spiegel. Herr Javelot spricht wieder Französisch mit Konradin.

»Mignonne, der Mond scheint. Du läufst lachend über die Bühne. Da erblickst du am Boden die Leiche deines Geliebten; ein Dolch steckt in seiner Brust, du sinkst verzweifelt nieder, kannst du das?«

Inas Begriffe von Leichen und Geliebten sind unklar und schwankend. Immerhin, sie findet die Leiche ihres Geliebten, erblickt den Dolch, sinkt verzweifelt nieder; sie tut ein Übriges, sie reißt den Dolch aus der Leiche, stößt ihn in ihre Brust und stirbt nochmals, diesmal virtuos und mit reichen Nuancen.

»Nun, Monsieur Frédéric, was sagen Sie jetzt?« fragt Herr Javelot die Dogge, als wäre sie es gewesen, die an Inas Talent gezweifelt hatte. Inas Knie zittern. Herr Javelot beugt sich mit unvergleichlicher Bewegung über ihre Kinderhand und küßt sie.

»Sie ist wie aus unsrer Zeit, Konradin Rahl. Lieber Freund! Romantik. Poesie. Das Poetische. Wo ist es heute? Ihre Oper. Ich erinnere mich noch gut: die Arie der Bathseba«, er trällert eine Melodie, Konradin horcht vergraben in sich hinein.

»In Stuttgart, denken Sie noch daran? Der König! Das waren Zeiten! Heute? Ein Niedergang. Eine Welt von Parvenus. Der Tanz stirbt an Arterienverkalkung. Naturalismus! Verismus! Die Natur tanzt. Die Kultur tanzt. Aschanti, Griechen, Inder, Ägypter, Rokoko: die haben Tänze. Wir sind naturlos und kulturlos, wir haben keine. Wir? Wir erfinden Automobile. *Mais oui, nous avons la civilisation.* Man gibt: ›Exzelsior‹. Liebster Freund, ein Ballett mit Dampfschiff, Eisenbahn und einem Tunneldurchbruch.

Harlekin als Elektriker! Der Tanz ist tot. Sie ermorden uns mit ihrer Zivilisation; uns. Das Leichte. Die Seele. Wo hat das Kind es her? Jetzt sieht sie aus, als ob sie fliegen möchte. Wenn Fräulein Galiena dies hätte, dies Fliegenwollen, wäre sie vielleicht eine Künstlerin. Wirst du fleißig sein, Mignonne? Ja? Sehr fleißig? Wir werden arbeiten, später, später. Zuerst mußt du Technik haben, Technik ist das Selbstverständliche. Heute spricht man von Technik; sie schreien, sie brüllen: Wir haben Technik, wir haben Technik, seht unsere gebenedeite Technik! Das gab es zu unsrer Zeit nicht, nein, Konradin Rahl? Man hatte Technik, man sprach nicht davon. Wollen Sie mir die Ehre erweisen, mit meiner Familie eine Tasse Schokolade zu trinken?«

Die Familie des Herrn Javelot lebt in winzigen Zimmern, allen Raum des Hauses braucht der Ballettsaal. Man trinkt die Schokolade unter Kränzen, Schleifen und Bildern mit Widmungen. Madame Javelot, klein, das eingeschrumpfte Apfelgesicht von Hängelocken umgeben, die modern waren, als sie noch Ballett tanzte, radebrecht ihr kindliches Französisch-Deutsch. Monsieur Frédéric sitzt neben Herrn Javelot, der Weißbrot in Stücke bricht, in Schokolade taucht und Frédéric hinreicht. Auch Ina schiebt er ein Stück davon in den Mund, und Konradin fragt darauf: »Sie werden das Kind im Auge behalten, Meister?«

Dann erscheint Mademoiselle Eugénie Javelot, die Solomimikerin der Oper, hoch, schlank, statuenhaft und immer in Pose. Unter ihren Augen laufen schon kleine mürbe Falten, sie führt einen kleinen, schönen Knaben an der Hand.

»*Voyez donc, le front, c'est le même front*«, flüstert Madame Javelot. Ina folgt ihrem Blick und errötet heiß und entzückt: Auch Mademoiselle Eugénie hat die Kaiserinnenstirne. Konradin spricht von romanischem Einschlag. Ina stellt sich darunter etwas vor, das mit einem Gewitter zusammenhängt. Herr Javelot redet wieder vom Tanz; der alte

Tanz ist tot. Der neue ist noch nicht geboren. Wir können es nicht, wir sind zu schwach, Herr Javelot läßt kraftlose Hände herabsinken, zu alt. Das Kind wird ihn vielleicht erleben. Die Zukunft wird die Seele des Tanzes neu entdecken. »Mignonne, ich möchte dich noch erleben, dich in fünfzehn Jahren tanzen sehen«, sagt Herr Javelot, und einen Augenblick lang ist sein schönes Greisengesicht hüllenlos und ohne Maske und zärtlich. Herr Javelot führt Ina die Treppe hinunter in ein Zimmer, wo sieben Hunde von sieben Puppenbetten aufspringen und sich vor ihrem Herrn in Parade stellen. »Ich habe das Vergnügen, Ihnen Fräulein Ina Raffay vorzustellen, die Primaballerina der Zukunft«, sagt Herr Javelot. Die Hunde bellen. Man küßt Herrn Javelot die Hand.

Monsieur Frédéric begleitet sie bis an die Türe und legt nochmals seinen Kopf auf Inas Schulter und öffnet, die kleine Eisenpforte klirrt. Konradin und Ina stehen auf der Straße. Er streicht sich erschöpft das Haar aus der Stirn. In Ina gehen die Gedanken wirr durcheinander wie ein Traum. Sie hat nichts verstanden, als daß sie ins Ballett aufgenommen wird und fleißig sein muß. Ganz fern und verschwommen zieht ihr das Märchen vom Zwerg Nase durch den Sinn, der bei den Eichhörnchen kochen lernt. Man muß auch Französisch können, denkt sie dazwischen.

Konradin streckt das Kinn sehnsüchtig dem Abendhimmel entgegen. »Ina, sieh, die schöne Wolke«, sagt er leise.

Aber Ina hat jedes Interesse an Wolken verloren.

Ina geht von Konradin fort, fort von Mama und den Großeltern, fort von den Tänzen der Kindheit, ganz tief in das Wirkliche hinein.

Man tanzt nicht, indem man in Märchenwäldern Sterne pflückt, man hat einen Stundenplan, man hat die Exercisen an der Stange und die Exercisen ohne Stange, erste, zweite und dritte Position. Die Muskeln schmerzen, abends taumelt man sackschwer ins Bett, Traum und Sehnsucht sind verschwunden. Aber daß Marianne Marschall schon auf den Spitzen quer durch den Saal kommt und Ina noch nicht, hängt schwarz über allen Gedanken. Die Dielen im kleinen Ballettsaal, in leichter Schrägung gesenkt, sind dunkel und abgeschliffen von ungezählten Pas. In einer Ecke schläft ein grauer Mann und spielt mit grauen Fingern auf einer Geige. Schlafend zieht er immer dieselben dürftigen acht Takte einer Melodie aus seiner Geige wie einen zähen, endlosen Faden. Die »Alten« machen dazu ihre Pas; die »Neuen« quälen sich ohne Musik an den Stangen ab. Fräulein Grab, die Lehrerin, kommandiert halblaut und eintönig; in ihr altes, mageres Gesicht sind zwei runde Ballettbäckchen gemalt, und manchmal streckt sie gewohnheitsmäßig die Brust heraus und streicht an ihren Hüften entlang. »Das linke Bein auswärts stellen; noch mehr, noch mehr! Die Marschall macht es gut. Die Raffay macht es schlecht.« Die Raffay ist unter den Neuen die Älteste, sie hat es schwer.

Herr Javelot heißt in der Ballettschule der Alte. Er ist gefürchtet wie Gott und ebenso unsichtbar. Die »Alten« behaupten, er säße in einem Zimmer im Intendanturtrakt auf grünen Plüschmöbeln, er habe sonntags eine Sprechstunde, in die jede gehen könne; versucht hat es noch keine. Die Ballettproben im großen Saal leitet er mit einem Elfenbeinstock in der Hand; er ist nicht ganz richtig im Kopf, sagen die »Alten«, die schon im Ballettsaal mitprobierten.

In den Wolken, ihm zunächst, thront Fräulein Galiena, die Primaballerina. Diese wird zuweilen sichtbar, wenn sie an der Türe der Elevengarderobe vorbeigeht, im wippenden, weißen Studierrock, mit runden Beinen, die an den Gelenken zu stark sind. Man stürzt zur Tür und küßt ihr die Hand, die zart nach Seife riecht.

Aber Ina steht abseits und macht hochmütige Augen. Sie weiß, was Herr Javelot von Fräulein Galiena hält.

Von der Primaballerina abwärts führt eine endlose Treppe, besetzt mit Solotänzerinnen, Solomimikerinnen, Koryphäen, Corpstänzerinnen, Fünfzigjährigen, Dreißigjährigen, Sechzehnjährigen. Die Guten, Jungen, stehen vorne, die Alten, Abgebrauchten, die Ungraziösen, stehen hinten und kauen an ihrem gekränkten Ehrgeiz. Dann kommen die drei Ballettklassen, auch hier gibt es Rangunterschiede zwischen erster Reihe und vierter Reihe, zwischen Alten und Neuen. Und alle wollen sie vor, hinauf, sie arbeiten wild an den Stangen und beißen die Zähne zusammen und spannen die Muskeln. Immer riecht es nach Schweiß in den Ballettsälen.

Die Raffay ist in der niedersten Klasse die Schlechteste. Die Schönste und Beste ist Mila Merz mit dem silbrigen Blondhaar und den braunen Augen; sie ist immer lustig, und alle Pas gelingen ihr und sehen aus, als wären sie kinderleicht. Sie ist erst neun Jahre alt, und schon kann sie zwei Touren drehen. Um sie wirbt Ina mit allen Kräften ihres leidenschaftlichen kleinen Herzens. Sie opfert ihr Frühstücksbrot, ihre Abziehbilder, ihre Seidenläppchen. Sie verehrt ihr die eigene, himbeerrote Haarschleife, die auf Milas Kopf sofort ein unternehmendes und schnippisches Aussehen bekommt. Sie begleitet Mila Merz täglich nach Hause, obwohl ihre Zehen und die Schenkel und das Kreuz vor Müdigkeit schmerzen, und Mila Merz läßt sich erobern. Für Ina ist Mila Merz etwas ganz Silbernes, und wenn sie neben ihr hergeht, dann kann es geschehen, daß sie inmitten aller Wirklichkeit ihr Herz wieder saugend und glückselig schmerzen fühlt und Sehnsucht hat.

Mila Merz hat zu Hause ein Zimmer mit weißen Möbeln und eine seidene Daunendecke, so erzählt sie. Nachmittags darf sie mit ihrer Schwester, die Solotänzerin ist und einen Verehrer hat, im Fiaker zum Lusthaus fahren. Mit siebzehn Jahren will sie selbst Solotänzerin sein und einen Verehrer haben; einen, der reich und fesch ist und graue Glacéhandschuhe trägt. Mila Merz setzt ihre zierlichen Beine in den dünnen Strümpfen so fest und sicher auf die Erde, und ihre braunen Augen lachen. »Und was willst du mit siebzehn Jahren, Raffay?« fragt sie die Schweigende, Nachdenkliche.

»Ich will Primaballerina sein«, sagt Ina ungewiß. Mila Merz wirft die Hände in die Luft und lacht. »Das möcht' freilich eine jede!« sagt sie, und es scheint ihr sehr komisch. Aber Ina quält sich um einen Ausdruck, den sie nicht finden kann. Sie möchte eigentlich noch mehr werden als Primaballerina, mehr und anderes. Sie kann nun mit Mühe und Not eine Tour machen, und Fräulein Galiena auf der Spitze der Ballettleiter kann vierundzwanzig; aber im Grund ist es dasselbe, fühlt Ina. Ihre Augen, die suchenden Delares-Augen, blicken ziellos in die Luft und verlangen etwas, das ohne Schwere und Enttäuschung wäre. Die Ballettschule ist eine Enttäuschung. »Es dürfte kein grauer Geiger in der Ecke sitzen«, sagt sie in sich hinein.

Zu Haus streicht Mama über Inas Haar. »Immer bist du jetzt blaß, fehlt dir etwas? Bist du müde?«

»Nein«, sagt Ina. In der Ecke hinter dem Klavier schläft sie gleich ein. Wenn sie erwacht, brennt die Petroleumlampe, Ina hat kalte Füße und einen heißen Kopf, in dem es saust. Sie muß noch ihre Schularbeiten machen. Sie muß noch Französisch lernen. Ina lernt bei Konradin Französisch. Im Bett denkt sie an Mila Merz; sie fühlt sich so schwer und fehl am Platz. Zu sein wie du, Silberne, denkt sie, und dann spürt sie ihr Herz wieder klopfen, das tagsüber tot und gefroren in ihrer Brust schläft. In der Nacht erwacht Ina mit geballten Fäusten; sie hat von Marianne Marschall geträumt. Marianne tanzte im großen Ballettsaal ein Pas-dedeux mit Herrn Javelot.

Ina klettert aus ihrem Kinderbett, in der Kammer ist es eisig, der Fußboden greift mit kalter Glätte an ihren Sohlen. Inmitten der Finsternis umklammert sie die Stangen ihres Bettes und übt die Exercisen.

Im Februar dürfen die Neuen in den großen Saal, um die Probe für ein Ballett mitzumachen. Fräulein Grabs farblose Person ist vom schattenhaften Schimmer einer Erregung durchleuchtet, Fräulein Bienert, die graue Gouvernante, welche die schnatternde Herde durch einen dunklen Gang in den großen Saal geleitet, ist einem Schlaganfall nahe.

Der große Ballettsaal, ein Abbild des kleinen: Die schrägen, dunklen abgeschliffenen Dielen, die Stangen an den Wänden, derselbe Geruch. Ina schaut schnell in die Ecke. Doch in der Ecke sitzt kein schlafender grauer Geiger, sondern ein munterer junger Mann an einem Klavier. Um Herrn Javelot mit dem Elfenbeinstock ballt sich in Kreisen das Ballett: Man küßt Herrn Javelot die Hand. Ob er Ina wiedererkennt, ist mehr als zweifelhaft; aber sie schaut ihn mit großen Augen an, und er ist ihr vertraut wie ein Freund, der ihr alle seine Geheimnisse erzählt hat. Sicher ist Ina die einzige im Saal, die in Erfahrung gebracht hat, daß Fräulein Galiena eine Puppe – Han! – ein leeres Wasserglas sei. Was nicht hindert, daß sie die fulminanten Kreiselbewegungen der Primaballerina mit kleinen Frostschauern von Ehrfurcht und ehrgeizigem Neid betrachtet. Brennend gerne möchte Ina hier vor versammeltem Ballett, vor Herrn Javelot, zeigen, was sie leisten kann; aber dazu ist wenig Gelegenheit. Die Neuen müssen einmal im Gänsemarsch quer durch den Saal gehen und dazu mit den Armen wippen. Das Klavier murmelt Marschmäßiges, Herr Javelot klopft mit dem Stock auf den Tisch: eins, zwei, drei, vier; eins, zwei, drei, vier. Beim dritten Male ist es richtig. Dann schleppt Fräulein Bienert sie wieder fort in den kleinen Saal zur Exercise.

Abends herrscht fiebrige Unruhe in den Garderoben. Marianne Marschall ist zuerst fertig und turnt auf den Spitzen bis vor den Spiegel. Wandgereiht hängen heute die Studierhöschen, man prangt in weißem Tarlatan, einem Kleidchen aus fließendem zarten Wollgewebe. Ina wird von Mila Merz geschminkt, und die schwarze Tusche unter den

Augen treibt Tränen brennend hervor. Eine schreiende Glocke stößt sie auf die Bühne hinunter.

Herr Friedrichs, der Gewaltige, der Inspizient, regiert von einem Pult in der ersten Kulisse, an dem er Klingelzeichen gibt. Aus einem Reflektor tobt rotes Licht auf die Bühne, es ist sehr still. Arbeiter schleichen farblos auf Filzsohlen, von draußen kommt das Schleifen vieler Ballettschuhe in die Kulissen, draußen wogt es von Solotänzerinnen, Koryphäen, Corps de ballet. Gesichter lächeln wächsern im Licht. Irgendwo lehnt Herr Javelot und gibt gedämpfte Befehle.

Die Bühne wird frei zum Pas-de-deux, das Ballett verweilt in der ersten Position im Hintergrund. Man hört in gleichen Abständen Fräulein Galiena auf die Bretter plumpsen, Herr Forli, der erste Tänzer, wirbelt in Pirouetten vorbei, er stößt den Atem laut zwischen den geschlossenen Zähnen hervor.

»Raus«, sagt Herr Friedrichs zischend in der Kulisse. »Raus«, sagt Fräulein Bienert. Die Neuen ziehen über die Bühne, Licht peitscht sie, eine aus unendlicher Ferne zirpende Musik hebt ihre Beine im Takt. Es ist unheimlich still in der großen Schwärze unten. Die Bühne scheint unermeßlich, oben, in staubverhängter Höhe verliert sich verwischt das Gewühl des Schnürbodens. Allen Neuen schlagen die Herzen in lautem Wirbel, sie zählen eins, zwei, drei, vier. Mila Merz lächelt, das richtige, wächserne und reizvolle Koryphäenlächeln. Marianne Marschall, die anführt, landet als Erste in der jenseitigen Kulisse, wo Herr Javelot auf seinem Stock lehnt. Kaum sind sie drüben angelangt, bricht Finsternis über der Bühne zusammen. Ina, im Dunkel, fühlt eine Hand auf ihrem Haar. »Mignonne«, sagt Herr Javelot leise wie ein Geheimnis. Ina spürt sich weinen vor Glückseligkeit.

Der erste Abend auf der Bühne ist Abenteuer, der zwanzigste Abend ist Dienst. Man hat viel Dienst. Man statiert in

Opern, schleppt Postamente zu Gruppierungen, man wedelt in Apotheosen mit den Armen, man hüpft als Fliege über die Bühne, als Münze, als Katze, als Puppe. Immer ist es derselbe Gänsemarsch: eins, zwei, drei, vier. Garderobe, Bühne, Schnürboden und Kulissen verlieren Schimmer und Geheimnis, in allen Ecken sitzt der graue Geiger. Man hat immer Dienst. Die Stunde, die Exercisen an der Stange und ohne Stange, Probe im kleinen Saal, im großen Saal, auf der Bühne. Nachher die bleierne Müdigkeit und der ranzige Geschmack billiger Abschminke auf den Lippen. Mila Merz lacht dazu, aber Ina Raffay möchte weinen.

Im Nebel vor dem Bühneneingang wartet Konradin nach der Vorstellung auf sie, er war kürzlich vom Teufel geholt und lange verschwunden. Nun steht er plötzlich wieder da, mager und äußerst zerknittert.

»Principessa, wie geht's?«

»Danke.«

»Was hast du inzwischen erlebt?«

»Ich bin jetzt in der zweiten Reihe, battieren kann ich besser als die Marschall; der Alte sagte noch vorgestern: Die Raffay macht es gut. Herr Friedrichs hat versprochen, Mila Merz und ich dürfen nächstens die zwei kleinen Mohren in ›Aida‹ machen.«

»So«, sagt Konradin. Er schaut unter einer Laterne von der Seite her in Inas Gesicht. Die Lider verhängen schwer die Augen, der Mund ist neu. Kein Kindermund mehr, denkt Konradin.

»Ich meine, was du innerlich erlebt hast«, fragt er behutsam.

»Innerlich, wie ist das?« fragt Ina, aber sie versteht ihn gut. Innerlich ist sie müde und gefroren, fremd zu den andern, und die vertrauten, lebendigen Dinge der Kindheit sind gestorben oder reglos. Das Schlimmste aber ist: das Sehnsüchtige ist weg; niemals mehr schmerzt das Herz auf jene saugende, süße Art. Das alles aber sagt sie nicht.

»Und was hast du getanzt, Ina?«

»Getanzt? In der Ballettschule tanzt man nicht. Wir haben da solche Übungen, weißt du, schwer und langweilig; ein Mann, der schläft, spielt dazu Geige. Getanzt! Nein, getanzt habe ich lange nicht, lange.«

Sie gehen schweigend weiter im Nebel, und dann sagt Ina: »Ach Konradin, ich möchte fortgehen manchmal, fortgehen, weit, ganz fortgehen.«

»Wohin denn fortgehen, Principessa?«

»Ich weiß nicht. Fortgehen eben.«

Konradin ist still. Aber Ina Raffay, die Zwölfjährige, beginnt zu lächeln, das wächserne Ballettlächeln, und sagt: »Ach, lassen wir das lieber; *parlons français, mon ami.*«

Im Juni ist Großpapa gestorben, und Papa erbt eine reichliche Anzahl der Pepita-Hosen, sonst allerdings nichts. Mama ist noch stiller und sanfter als sonst, sie spielt abends das Adagio aus der Sonate pathétique und trägt einen Kreppschleier am Hut, der einen wunderbar bittersüßen Duft ausstreut. Ina kann lange im dunklen Flur stehen, das Gesicht in den schwarzen Krepp gedrückt, und diesen Duft mit geschlossenen Augen einatmen. Sonntag muß der Besuch bei Großmama gemacht werden, in der fremdgewordenen Delares-Welt. Großmama ist in Hellgrün, sie lächelt wie immer, der Salon ist sehr stumm.

»Ihr habt Großpapa gestört«, sagt Großmama, »er hat eben noch Klavier gespielt.«

Bei Tisch ist für den toten Großpapa gedeckt, er ißt zwar nichts, aber Großmama führt eine so lebhafte Konversation mit ihm, daß Ina in ihren ohnedies unsicheren Ansichten über das Sterben schwankend wird. Es scheint, daß es zu jenem Wirklichen gehört, mit dem Mama und Großmama sich nicht vertragen können.

Nachmittags aber begibt es sich, daß Großmamas reicher,

jüngerer Bruder, jener Baron Delares, den Ina immer zu den unwirklichen Dingen gerechnet hatte, zu Besuch kommt. Er ist von unbestimmbarem Alter, groß, schmal, braun und hat die Delares-Augen, hochmütiger und kälter unter den schweren Lidern, als Ina sie von Großmama und aus dem Spiegel kennt. Er kommt, um Großmama zur Übersiedlung nach Amrun einzuladen – »Das kleine Schloß im Walde; wir waren einen Sommer lang dort, als du verlobt warst« – und Großmama sagt freudig zu. Baron Delares raucht eine Zigarette und schaut Ina an. Er sagt »Sie« und »Fräulein«.

»Was machen Sie den ganzen Tag, Fräulein Ines?«

»Ich arbeite, ich habe Dienst.«

»Ach! Haben so junge Damen schon Dienst?«

»Ich bin doch beim Ballett«, sagt Ina stolz.

Der Baron schluckt etwas hinunter. Seine Augenbrauen stoßen aneinander. »Du?« sagt er leise. »Du, mit diesen Augen?« Er legt eine Hand unter ihr Gesicht und sucht etwas darin. »Müde?« fragt er. »Und blaß? Und beim Ballett? Du gehörst auch nach Amrun. Mein Sohn ist auch dort.«

Ina gehört nach Amrun. An einem Spätnachmittag steigt sie mit Großmama aus dem Zug, der vor einer winzigen Stationshütte hält. Aus allen Coupéfenstern folgen ihnen Augen, da Großmama in ihrem geblümten Biedermeierkleid Sensation gemacht hat. Ein brauner Knabe kommt sicher auf sie zu und küßt Großmamas Hand. »Ich bin Fernand Delares«, sagt er. »Darf ich Sie bitten, Tante, der Wagen.« Ina hat er kaum gegrüßt. Sie schaut ihn an, auch er hat die Augen. Sie strahlen groß und dunkel in einem merkwürdigen Gesicht, das zwischen hohen Schultern einsinkt. Er kann zwölf Jahre alt sein und zwanzig Jahre; denn Fernand Delares ist bucklig. »Mein Lehrer, Doktor Witram«, sagt er; neben der verschrumpelten Kalesche kommt von einem mageren, gelben Menschen eine kurze Verbeugung.

»Er wird mit Ihnen fahren, Tante, ich gehe lieber zu Fuß über die Wiesen.«

Ina atmet tief die starke Luft, voll vom bitteren Geruch blühender Schafgarben; hügelaufwärts zieht schwarzer Wald, zackig in gelben Dämmerungshimmel greifend; aus den Wiesen steigt weißer Nebel, die Chaussee säumen Birken und Ebereschen, dann greifen die Pferdehufe in weichen Waldboden. Ina schaut zurück auf die Wiesen, wo der bucklige Fernand als kleiner, wandernder Schatten in ersten Nebeln zergeht. Er geht lieber zu Fuß über die Wiesen, denkt sie. Und plötzlich, fast erschreckend süß, fängt ihr Herz zu schlagen an in Sehnsucht und einem unerklärlichen Gefühl von Neid und Hoffnung.

Doktor Witram, über seinen zerzausten Bart geneigt, erklärt einsilbig die Gegend, aber Großmama hört keineswegs zu; sie lächelt ganz durchschimmert, und es ist anzunehmen, daß sie an Großpapas Arm durch den Wald geht. Auch Ina schweigt, ergriffen vom kleinen, verschlafenen Vogelruf, der aus Bacherlen aufsteigt, und vom Geruch des Holzrauchs, der aus dem Dorf heranzieht; kleine Häuser ducken sich friedlich an den Hügelhang, hinter verhängten Fenstern winken kleine Lichter, irgendwo singt eine Glocke dünnes Geläute, ein Chor betender Stimmen kommt aus den Hütten; im Stall klirrt eine Kette, offenes Herdfeuer schlägt rot aus einer Türe, der fleißige Holzschlag eines Webstuhls entschläft im dunklen Haus. Über das Schwarz des Waldes hebt sich silbern aufblühend die Mondscheibe.

Am Hügel steht eingehüllt in schweren Akazienduft Schloß Amrun. Die Kalesche poltert in niedriger Toreinfahrt über Steine. Der enge Hof tut sich auf, aus Felsengrund wachsen die Mauern hinauf mit hohen, runden Fenstern. Der Schöpfbrunnen reckt hoch seinen Arm in das Mondlicht. An dem geschwungenen Einbau einer kleinen Barocktreppe dienert der Kastellan, seine Frau rasselt in der Küche mit Kupfertöpfen. Langgezogen bellt ein Hund. Ina geht die Barocktreppe hinauf wie die Treppen auf der Bühne, ihr Gang schwingt. Ihr ist, sie träume nur dies Schloß so einsam und still verzaubert in den Abend gelegt.

»Gute Nacht, mein Kind«, sagt Großmama in der großen, blauen Stube; »hier ist dein Zimmer; als junges Mädchen schlief ich dort. Laß mich jetzt. Ich möchte mit Großpapa allein sein.«

Das Bett mit Säulen und Vorhängen ist groß wie ein Haus. In »Lohengrin« haben sie so ein Bett, denkt Ina und vergißt es gleich wieder. Das Bettzeug ist kühl und feucht, beim offenen Fenster rinnt Mondlicht herein. Schwarz und ernsthaft stehen draußen Tannen und regen sich im Schlaf, irgendwo murmelt Wasser. Ganz von ferne und gleichmäßig singen Frösche. Unten fällt mit einem klingenden Stoß das Tor zu: Fernand Delares ist von seinem Gang über die Wiesen heimgekommen.

Über der Toreinfahrt türmt sich das Schloß in drei Stockwerken hinauf, aber rückwärts neben dem Turm klettert der Fels an den Mauern hoch und trägt auf seiner geflachten Höhe einen kleinen Garten bis an die runde Turmstube, in der Fernand Delares wohnt. Die Holunderbüsche atmen ihren strengen Duft in den Mondschein, ein barocker Heiliger hebt verzückte Arme weiß empor. Doktor Witram schaut durch ein Fernrohr in den Himmel, in dessen Tiefe viele Sterne schwingen. Fernand, auf einer Steinbank sitzend, sieht empor, den Kopf zwischen die hohen Schultern zurückgeneigt. »Suchen Sie wieder Ihre Unendlichkeit, Doktor?« fragt er.

»Ich schließe die Augen und stelle mir vor: Unendlich«, sagt er nach einer Weile, da keine Antwort kommt. »Etwas Schwarzes, in dem helle Kugeln kreisen; ja, aber das ist es nicht. Ich denke: Ewig; und in dem Augenblick, wo ich es spüre, werde ich schwindlig. Ich würde ohnmächtig werden, wenn ich noch eine Sekunde weiter dächte, ganz hinein, vielleicht würde ich sterben.«

»Nun, Nando«, sagt Doktor Witram beschwichtigend.

»Sie müssen mir heute wieder von Indien erzählen, das macht so ruhig. Lieber Doktor, Sie müssen bei meinem Bett sitzen und mir davon erzählen, bis ich einschlafe, ja? Dieser Mond macht einen ja verrückt, er zieht einen so aus sich selbst heraus.«

»Nun, Nando«, sagt Doktor Witram, »du bist nervös, du denkst zu viel über dich selbst nach. Das macht unruhig.«

»Unruhig. Unruhig. Ja. Ich weiß schon, Doktor: Die Unendlichkeit ist groß, und ich bin klein, o, ich spüre mich ordentlich einschrumpfen wie einen gebratenen Apfel. Ich weiß schon: Nichts ist wichtig. Der Käfer ist mein Bruder, er erlebt dasselbe wie ich; nein, erzählen Sie mir von Indien, aber Geschichten, keine Philosophie, ich bitte Sie. Ich bin heute gar nicht philosophisch. Doktor, Doktor, es schreit förmlich: ich, ich, ich. Ich bin siebzehn Jahre alt, Witram, denken Sie doch daran.«

»Nando, mein Junge«, sagt Doktor Witram sehr leise.

»Sie sind gut, Doktor, danke. Sie sind gut. Ich bin ja kein Kind mehr, ich habe über Sie nachgedacht und wie Sie mich erziehen, den letzten Delares. Sie haben recht, mir den Weg zu zeigen, der von mir wegführt. Ich will ihn auch gehen. Es ist meine Sache. Aber glauben Sie mir, Doktor: Wenn ich wäre, wie früher die Delares waren, wenn ich ihre Kraft hätte und ihr starkes Blut und ihre Hände, die alles greifen konnten, den Teufel würde ich mich mit Buddhismus abgeben und die fünf Meditationen lernen. Sehen Sie sich doch um, Doktor: Alles sagt ›ja‹ zum Leben, zum wirklichen, handfesten Leben, warum muß ich, gerade ich, es lernen, ›nein‹ zu sagen, aus mir selbst fortzugehen in jede Kreatur hinein, in die Leere hinein? Ich bin doch ein Junge, Doktor, ich bin doch nur ein Junge. Die Jungens im Dorf, die so alt sind wie ich, das sind Kinder, ich spiele mit ihnen. Und wenn sie aufhören, Kinder zu sein, dann packen die die Welt gleich an, wo sie am heißesten ist, ach Gott, man kann nicht davon sprechen, man darf nicht daran denken, aber ich bin doch auch bloß ein Junge, Witram.«

Fernand sitzt sehr steif da und schlingt seine Hände ineinander. Witram schaut an ihm vorbei. Und Fernand setzt nach einer Stille hinzu:

»– wenn ich auch verwachsen bin . . .«

Im Dorf unten wandert eine Stimme, die singt:

Drei Ringel, drei Rosen, drei Sommer ins Land,
Mein Schatz, der hat mir den Sinn verbrannt –

»Da sitzt man in Amrun, Doktor«, sagt Fernand in anderem Ton. »Wir beide. Hoffnungsloser Ausschuß. Sie mit Ihrer Malaria und dem Chinin und der Überzeugung, daß Sie eigentlich gar nicht existieren, ich mit meinem Buckel und dem bißchen Blut, das meine verehrlichen Vorväter mir gelassen haben, und mit dem verdammten Delares-Hunger darin. Mein Vater, sehen Sie, der ist noch etwas wert. Die hochmütigen Augen, wenn er seinen mißglückten Sohn einmal jährlich besichtigt. Mir wird heiß, wenn ich daran denke. Und dann fährt er wieder weg, nach Wien und Paris und Monte. Und im Sommer hat er Gesellschaften auf Schloß Larsstein und Jagden und Gott weiß was. Nach Amrun wird man geschickt, wenn man krank ist oder sonst minderwertig, oder wenn man sterben soll. Ich weiß noch gut, wie sie meine Mutter herbrachten, so weiß, so schwach. Das Haus haben wir immer leer in Amrun, wie verzaubert; aber die Gruft oben am Hügel bei den Birken, die ist voll von toten Delares. Jetzt schicken sie uns wieder ein bißchen Familienabfall daher, die gute alte Dame mit der Blumenkrinoline und dem bewußtlosen Blick hat uns gerade noch gefehlt.«

»Nando, du bist außer Rand und Band heute, du sagst Dinge, die dir morgen leid tun werden, du bist indiskret gegen dich. Das kenne ich nicht an dir.«

»Der Mond, Doktor! Er hat mich nach außen gestülpt wie

einen Handschuh. Nun, ich rede Dummheiten; genug, gehen wir schlafen.«

»Doktor«, sagt Fernand und bleibt in der Türe zur Turmstube stehen, mitten im weißen Mondschein, der aus dem Garten fließt. »Doktor, aber das Kind? Das Mädchen? Was fehlt der? Was ist es mit der? Daß sie nach Amrun geschickt wird?«

»Dein Vater schrieb: Eine Art Nichte; stark heruntergekommene Verwandte, scheint es. Sie ist überanstrengt, die Kleine, schrieb er. Sie ist beim Ballett, weißt du.«

»Ballett? Beim Theater? Ein Ballettmädchen? Gibt es das denn wirklich? Ich dachte immer, das kommt nur so in dummen Büchern vor. Was für eine Welt!« Er denkt nach, und dann beginnt er leise und vergnügt zu lachen. »Ich verstehe«, sagt er belustigt: »Beim Ballett sein, das ist fast so schlimm wie ein Buckel; man wird nach Amrun geschickt. Nein, Doktor?«

»Nun, Nando, du bist ein richtiger Kindskopf«, sagt Doktor Witram. »Geh jetzt schlafen.«

Fernand steht im Mondschein und legt die Hände vor die Augen: So kann er Ina sehen. »Sie hat *unsere* Augen«, sagt er versunken, »das Mädchen. Und wie es geht. Ich habe nie etwas so Schönes gesehen.«

Daß Ina und Fernand Freunde wurden, begab sich am Hügel hinter dem Schloß; da steht die uralte hohe Birke mit den beiden Zwillingsstämmen, ihre Blätter rieseln wie grünes Wasser im Bogen herab, drunten liegen Steintafeln eingesunken im Gras, wo die toten Delares schlafen. Klebrige Steinnelken blühen überall in roten Büscheln darüber hin, und zwischen Farnen zucken kleine bläuliche Schmetterlinge – Seelchen nennt man sie in Amrun. Ina fand den Platz beim Erdbeersuchen, und er gefiel ihr sehr; sie kniete nieder, um die verwischten Steinschriften zu lesen: »Hier ruht

Fernand Delares. Hier ruht Ines Delares«. Aus Gras und Erde floß Wärme in ihre Knie und Hände, sie streckte sich lang auf eine Steinplatte hin. Über ihr sprachen die Birkenblätter, der Himmel neigte sich blau und golden, Bienengesumm läutete, und Schmetterlinge streiften ihre Lippen und Hände; Ina lag ganz still in die Stille gebettet, und was sie spürte, war ein unbegreifliches Glück.

»Liegst du hier?« fragte zu Mittag Fernand Delares, aus dem Schloßwald tretend. »Liegst du die ganze Zeit hier? Es ist mein Platz.«

»Hier? Hier steht ›Ines‹, da habe ich mich hingelegt. Dort wo ›Fernand‹ steht, gehörst du hin, nein?«

Fernand lachte still in sich hinein. »Heißt du Ines? Natürlich, Ines heißen sie alle, sieh nur: Ines und Fernand, Fernand, Ines, Ines. Hier ist eine Maria Dorothee, das war die Mutter meines Vaters. Aber gewöhnlich hat ein Fernand Delares eine Ines Delares geheiratet, irgendeine Cousine oder ähnliches; man nennt das Inzucht, weißt du, und für die Kinder ist es schlimm.«

»Ja, ich weiß; die werden schwachsinnig oder romantisch davon, sagt Papa.«

Fernand lacht knabenhaft und lustig. »Bist du romantisch?« fragt er. »Oder was?«

»Ich bin ja keine echte Delares; ich bin eine halbe Zigeunerin, sagt Mama; ich heiße auch Raffay.«

»Ja, natürlich. Und du bist beim Ballett, du? In einem Theater? Du mußt mir genau davon erzählen; ich bin so neugierig, immer will ich wissen, wie jeder Mensch lebt.«

»Das Ballett, nein, siehst du, jetzt kann ich mir's nicht vorstellen. Wenn man da liegt im Gras und hat den Himmel oben, da kann man sich's nicht vorstellen, alles das Wirkliche, den Saal und den Dienst und den grauen Mann. Aber wenn man im Theater ist, da kann man sich wieder nicht vorstellen, daß es Wiesen gibt und Wald und überhaupt etwas, das nicht Theater ist. Auch Konradin sagt . . .«

»Wer ist Konradin?«

»Mein Freund. Ein alter Mann, ich lerne Klavier bei ihm und Französisch und noch allerhand; er ist gut und gescheit.«

»Ist er auch Buddhist? Mein Doktor Witram ist Buddhist.«

»Nein, er ist Alkoholiker«, sagt Ina mit Würde. Fernand lacht und fragt: »Gehst du nicht in die Schule, lernst du nichts?«

»Das Theater braucht zu viel Zeit, viel lerne ich nicht. Aber Mila Merz sagt, was wir für unsere Verehrer brauchen, das können wir bald. Ich werde später Primaballerina sein und einen Verehrer haben.«

Fernand schüttelt verständnislos den Kopf. Ina schaut um sich, und es ist ihr mit einem Male, als wären Theater, Ballett, Mila Merz und die Zukunft nur geträumt.

»Ich will Arzt werden«, sagt Fernand. »In zwei Jahren mache ich mein Examen, und nachher gehe ich nach Zürich oder Paris studieren. Dann sehe ich auch die Welt. Ich kenne ja nur Amrun. Und die Bücher. Die Bücher, ja die kenne ich, und jeden Vogel kenne ich am Pfiff und die Tiere an der Spur und am Flug, und wie die Käfer leben, das weiß ich ganz genau. Aber Menschen kenne ich keine. Nur manchmal ist mir, als ob ich viele in mir drinnen hätte, viele verschiedene Menschen, und das zieht mich, daß ich etwas tun möchte.«

Ina schaut ihn an, den verwachsenen Knaben, in Hemd, Reithose und Stiefeln, und er ist ihr sehr vertraut mit seinen Augen und dem breiten geöffneten Mund. Auch Fernand schaut Ina an, und das tut ein wenig weh, es brennt im Herzen und an den Rändern der Lider. Dann liegen sie beide still und schließen die Augen. Da hören sie die Grashalme aneinander schleifen, die Birkenblätter reden im Wind, oben schifft eine Wolke schläfrig hin, und ein Falke hängt unbewegt in der blauen Himmelsglocke.

»Was hast du jetzt gedacht, Ines?« fragt Fernand.

»Gedacht? Nichts. Ich habe nur etwas gespürt, aber das läßt sich nicht sagen. Ich bin aus mir draußen gewesen.«

»Ja, du? Hast du das gespürt? Das ist das Richtige. Es ist ein Geheimnis, sagt Doktor Witram, und wer das nicht spüren kann, weiß nichts, sagt er.« Fernand faßt nach Inas Händen, ohne sich aufzurichten und ohne sie anzusehen und fragt: »Wollen wir Freunde sein? Ich werde dir alles zeigen: Wie man reitet und Gedankenlesen und wo die meisten Erdbeeren stehen. Alles in Amrun. Die Mohnfelder und die alte Bibel und die Schlangenkönigin und die Wiese mit den Tanzelfen. Aber der Platz unter den Birken ist das Beste, das wir in Amrun haben«, setzt er später hinzu.

Jetzt kommen Tage, die schön sind wie nichts zuvor in Inas kleinem Leben. Ballettschule, Ehrgeiz, der graue Mann und die ganze schwitzende Ballettleiter bleiben irgendwo dahinten, das Wirkliche verschwindet ganz und gar. Inas Herz klopft stark und hungrig den Dingen entgegen, die Fernand ihr zeigt, sie sind erdgewachsen und dennoch wunderbar, daß sie sehnsüchtig machen, und Ina horcht tief in sie hinein. Frühmorgens schon wartet Fernand im Hof mit Türk, dem Hund, mit Bleß und Bräunl, den Pferden. Reiten kann Ina nach acht Tagen, sie schreit dabei vor Vergnügen, und Fernand sagt, das sitzt im Blut. Fernand führt Ina in den hohen feierlichen Herrschaftswald, wo kirchenhoch die Tannen aufstreben und die Wipfel Orgeltöne singen; manchmal fällt dumpf ein Tannenzapfen in tiefe Moospolster, Zwerge mit bunten Mützen ziehen in Reihen dahin, und wenn man näherkommt, verwandeln sie sich in Wurzeln und Giftpilze. Ina wird schweigsam. Anders ist es im Kauzenwald, hier muß man laut reden und lachen, denn es ist unheimlich, es gehen Stimmen auf und nieder, bitterduftender Farn wächst bis an die Hüften, Binsen und Sumpfgräser rascheln plötzlich, wenn eine Schlange sich hinwindet. Tollkirschen stehen am Sumpfrand und winzige Urwälder aus

Zinnkraut. Ins Moor hinein wandern kleine weiße Orchideen, Sündenblumen nennt Ina sie, die einen feinen Vanilleduft ausstreuen. Die Föhren tragen Gesichter wie Menschen, eine jede sieht anders aus. Fernand zeigt auf einen Baum, der mit gekrümmtem, dickvernarbtem Stamm sich aufwindet und oben eine breite Krone ins Licht streckt. »Der heißt Fernand; er hat als Kind Unglück gehabt, aber er verbittet sich jedes Mitleid.«

Wenn Fernand so spricht, erschrickt Ina, ihr Blick läuft seitwärts davon, und sie versucht, Fernand zu streicheln. Aber dann pfeift er nach Türk und läßt sie allein stehen, mitten im unheimlichen Kauzenwald.

Im Turmzimmer liegt Doktor Witram auf dem Sofa, er ist sehr gelb und hat etwas Fieber. Er schaut in Fernands unruhiges, verfinstertes Gesicht und sagt gar nichts. Aber er denkt: Mein Nando, mein armer Junge – quält es dich so sehr? Fernand, am Fenster, sieht mit sonderbarer Neugier die Adern an, die violett durch seine Hand laufen und am Armgelenk hinauf, unter der braunen Haut. »Das bißchen Blut«, sagt er spöttisch und nachdenklich. Im Traum hat er Ina, das warme schmiegsame Frauenkind im Arm gehabt und an sich atmen gespürt; seither ist Süße und Gefahr und Bitterkeit in die Freundschaft gekommen. Und daß die Akazien schwer um das Schloß hin blühen, macht die Nächte voll Qual.

Immer trägt Ina Kränze im Haar und rote Beerenketten, die Fernand ihr nachts ins offene Fenster legt.

Fernand zeigt ihr auch den Saal und die Schloßkapelle. Wenn man im Saal sehr still ist, hört man den Holzwurm klopfen und ein immerwährendes Rieseln im Getäfel. In der leeren, ernüchterten Kapelle zieht barockes Stuckgeranke über die Wände, Weihrauchduft hängt alt in der Luft, in der Nische liegt die alte Bibel mit dem silbernen Schloß.

Sie lesen die Bibel miteinander, oben bei den Birken, wo sie jeden Abend sitzen und der Dämmerung zusehen, wie sie aus dem Tal hügelaufwärts steigt und die Wiesen zusammenfaltet, wie der Himmel grünlich wird und das Gras sich feuchtet, und wie die Steinnelken ihre Kelche schließen, über die Grabsteine hingeneigt und sonnenmüde. Fernand liest von Jesus vor, dabei wird sein Gesicht fremd und durchsichtig, ein Vogel singt verschlafen dazu, und auch die Birkenblätter schweigen nicht ganz. Ina wandert im Land der Hirten und Seen umher, sie kennt nun Jesus ganz genau, er hat Fernands Augen unter schweren Lidern und Konradins dünnen Bart, er weiß nichts vom Ballett und vom Wirklichen. Wenn sie den tiefgeneigten Kopf vom Buch heben, steht schon der Abend im Land, eine einsame Föhre ist am fernen Hügelhang schwarz an die Unendlichkeit des Himmels gelehnt. Erster Stern zieht herauf, während im Dorf unten die Webstühle einschlafen.

Fernand zeigt Ina die Mohnfelder, die roten, es hängt ein seltsamer Duft über ihrem langsamen Wiegen, süß und bitter zugleich, und Ina, die ganz tief in eine Blüte hineingeschaut hat, schließt die Augen. Fernand pflückt Mohnblüten ab, und Ina muß sie ins Haar stecken. Da kommt sie sich unheimlich vor und ein bißchen wie auf dem Theater. »Du sollst nicht ans Theater denken!« sagt Fernand, der ein wenig Gedanken lesen kann. Wenn er will, dann kann er Gedanken hören wie einen Ruf, und auch seine Gedanken können so stark zu Ina kommen, daß sie sie hören muß, aufwacht bei Nacht, als hätte ein Fremder ihr an Türe und Hirn geklopft.

»Du sollst nicht ans Theater denken«, sagt er, denn er ist eifersüchtig. Er hat sich einmal von Ina das Theater ganz genau schildern lassen, hat es dann aufgemalt als ein Ungeheuer, das mit großem, schwarzem Maul viele zierliche kleine Inas verschlingt, während ein grotesker Herr Javelot mit einem Stock daneben steht, dann ist nicht mehr die Rede davon. Aber die roten Beerenketten, die er auf Inas Fenster legt, werden täglich kürzer, weil Fernand eigensinnig für jeden Tag, der vom Sommer abfällt, ein Glied weniger einfügt. Ina indessen streift die Mohnblumen ab und denkt noch nicht ans Theater. Sie trinkt nur alles in sich vom Morgen bis zum Abend und auch noch in den Träumen. Sie wirft sich manchmal mit ihrem ganzen Leib auf die Erde, umarmt Gras und Blüten und preßt das Gesicht tief durstig in herbe Kissen von Thymian. Sie schaut Bäumen zu, Vögeln, Ameisen, Fischen; sie liegt unter den Birken am Hügel und segelt sacht aus sich fort. Sie spürt alles leben und sich stark und selig dazugehören.

Im August steigt ein neuer Duft von den Talwiesen herauf. Auf den Wiesen schneiden sie das Grummet, die Sensen sind feucht vom grünen Blut der Gräser, und Dengelklang klopft durch alle Stunden.

»Noch vierzehn Tage«, sagt Fernand zu Türk; er hat seinen verfinsterten Tag und will mit Ina nicht reden. »Ich wollte, sie wäre nie hergekommen, ich wollte, sie wäre geblieben, wo sie war. Jetzt geht sie wieder zu ihren Hopsasaleuten, und ich bleibe hier.«

»Allein«, setzt er nach einer Weile hinzu, da Ina schweigt. »Herrgott, wie allein! Ich habe es früher nicht gewußt, wie allein ich bin.«

»Du hast es doch gut«, sagt Ina, »du bleibst doch hier. Ich aber?« In einem Augenblick sieht sie alles zugleich, was sie erwartet: Das Eßzimmer, die häßliche Tapete, die Petroleumlampe, Mama in Grau, Papa, der ein Fußbad nimmt; den Ballettsaal, die Garderobe, Marianne, die gewiß den ganzen Sommer wie wild ihre Exercisen gemacht hat, während Ina im Gras umherliegt. »Mignonne«, sagt jemand im Schatten und streichelt ihr Haar.

»Doktor Witram sagt, alles ist gleichgültig. Wenn es mir aber doch nicht gleichgültig ist!« sagt Fernand mit geschlossenen Lippen; er zieht einem Weidenzweig die Rinde ab, darunter kommt es fein und elfenbeinern hervor. Er zieht, wo er steht und geht, Zweigen die Haut ab. Doktor Witram kränkt sich darüber und sagt: »Junge, du fügst Lebendigem Schmerz zu, spürst du das denn nicht?« Fernand spürt es stärker als jener ahnt, er tut es dennoch mit zusammengebissenen Zähnen. Jede Gerte ist eine Frau, die schlank und glatt und weiß aus herabgerissenen Kleidern tritt.

»Sei nicht so zornig«, sagt Ina, »der arme Zweig! Glaubst du, ich gehe gerne fort? Ich werde an dich denken, ganz fest, du weißt, so, daß du es spüren kannst, aber du darfst mich auch nicht allein lassen, du.«

»Weißt du denn, du, in deiner Stadt, zwischen deinen Hopsassamenschen, wie es ist: Alleinsein?« fragt Fernand.

Besser als du, denkt Ina, aber sie gibt keine Antwort. Sie schiebt sich nur ein wenig näher an Fernand heran und legt ihren Kopf auf seine hohe Schulter, wie abends beim Bibellesen, und ihre Augen folgen ernsthaft und unkindlich einer kleinen, apfelgrünen Wolke.

Bald kommen die grauverhängten Tage. Das Korn ist geschnitten, über die Stoppelfelder kriecht Brombeergeranke; morgens beim Ritt schneidet kalte Luft entgegen, die Wiesen sind bereift, von Halm zu Halm hängen feine weißgraue Tüchlein ausgesponnen. Ina trägt die rote Beerenkette nicht um den Hals, sondern ums Handgelenk, so kurz ist sie nun. Dann geht sie im Wald umher und beginnt Abschied zu nehmen. Die verkrüppelte Föhre nimmt sie in die Arme, drückt sich an den Stamm und küßt zärtlich den vernarbten Rindenbuckel. »Guter alter Fernand«, sagt sie, »ich danke dir tausendmal; du warst so gut zu mir den ganzen Sommer, du lieber Kerl.«

Es ist Rührung dabei und schamhafte Dankbarkeit, Kindliches und ein wenig von der wächsernen Ballettmädchenkoketterie. Fernand steht dabei und kaut inbrünstig an einem Grashalm. »Ich wollte, ich wäre Doktor Witram«, sagt er. »Ich wollte, ich wäre schon ein ausgelernter fertiger Buddhist und läge zu Hause auf dem Sofa und hätte ein bißchen Fieber, und alles wäre mit gleich.«

Und dann hebt er einen Käfer, ein unscheinbares Nichts in Grau vom Waldboden und setzt es zärtlich auf ein Blatt. Dabei entspannt sich sein Gesicht und wird gut und gestillt. Der ganze Fernand ist in der kleinen Bewegung.

Nachmittag rumpelt die alte Kalesche zur Bahn mit Doktor Witram und den beiden Kindern. Herr Raffay erscheint, um Ina abzuholen. Er hat Großpapas Pepitahosen an, was Ina elegant, aber taktlos findet. Sie sieht ihn an, er ist ihr sehr fremd geworden mit seinen wachen Augen und dem gefärbten Schnurrbart. Fernand betrachtet seine angestrengte vorbildliche Grazie aufmerksam wie ein rührendes und komisches Wunder. Ina faßt nach Fernands Hand. »Wir gehen lieber zu Fuß über die Wiesen«, sagt sie, »nicht wahr, Fernand? Wir beide gehen lieber zu Fuß über die Wiesen.«

Vom Himmel fällt frühe Dämmerung, sie gehen Hand in Hand durch das nasse Gras, die Wiesennebel weben feucht um ihre Knie. Ina hat die Kehle eng und ganz voll Weinen. Fern auf der Dorfstraße ist Wagenrollen, und kleine Lichter stechen in die sinkende Dunkelheit, Fledermäuse wischen weich und zackig daher.

»Weißt du noch den Abend, als ich ankam? Das scheint mir, als wäre es ewig seit damals. Jetzt bin ich so zu Hause in Amrun.« Sie greift mit den Armen in die Luft, waagrecht über die Wiesen hin und umfaßt alles, den Wald am Horizont, den Schloßhügel, birkenüberwipfelt fern in den Abend gestellt, und die Stille aus dem Dorf. »Jetzt bin ich da angewachsen«, sagt sie unbeholfen. Fernand nimmt ihre Hand an sich, und sie gehen schweigend.

Zu Hause im blauen Zimmer macht Großmama Herrn Raffay die Honneurs; sie erzählt ihm von ihren Spaziergängen mit Großpapa und bringt alte Geschichten zutage. Herr Raffay seinerseits berichtet von den immer wachsenden Anstrengungen, die es kostet, das Institut auf der Höhe zu halten. Man muß amerikanische Reklame machen, sagt sein Freund Pratt. Herr Raffay hat die Absicht, am ersten September Sandwichmänner, Männer mit Plakaten auf Brust und Rücken, um die Korsozeit durch die Kärntnerstraße ziehen zu lassen. Großmama lächelt verständnislos. Herrn Raffays Sorgen sind so wirklich, daß sie für sie nicht existieren. Fernand horcht mit aufgeschlagenen Augen. In ihm ist eine sonderbare Neugierde nach Menschen. Menschen sind merkwürdig; was sie sprechen, ist ganz anders, als was sie denken, Fernand spannt seinen Willen an und spürt in ihre Gedanken hinein, und dann hat er Mitleid. Er bedauert Herrn Raffay, den mühsam aufgefärbten, er bedauert die Sandwichmänner und erblaßt ein wenig, so heftig stellt er sich vor, wie es sein muß, mit Plakaten auf Brust und Rükken umherzugehen. Doktor Witram späht in seine Augen; Ina aber spannt heimlich den Rist ihrer Füße und läßt sie im Gelenk kreisen. Etwas hat sie angerührt, da von der Kärntnerstraße und Herrn Pratt die Rede war, und nun ist sie schon dabei, aus Amrun fortzuwandern, hin zu Herrn Javelot, dem Saal, dem Theater. Zugleich denkt sie: So was Schönes wie Amrun wird's nie mehr geben für mich.

Nachts greift ein Ruf in ihren Schlaf und weckt sie. Mond strömt auf die Dielen. Sie horcht in die Stille. Sie hat Musik geträumt und einen Tanz in Grün, eine unerhörte, nie erlebte Leichtigkeit. Ihr ist, der Traum entfliege eben wie ein Zitronenfalter. Sie geht ans Fenster. Drunten steht Fernand unter den Tannen aus schwarzem Silber und flüstert: »Ina, ich habe dir noch nicht gezeigt, wie die Elfen tanzen. Heut scheint der Mond, willst du sie sehen? Komm, ich führe dich hin!«

Sie streift Kleid und Schuhe über, und sie hat Herzklopfen, indes sie sagt: »Elfen? Die gibt's doch gar nicht.«

Er hebt sie aus dem Fenster, und dann ist es traumhaft, durch die nassen Mondwiesen zu gehen, in den Nebel hinein, hinein in den atmenden Wald aus Schwarz und leuchtendem Blau. Es riecht bitter und berauschend herb nach Erde, Holz, Laub; Tiere rascheln, Zweige knacken, dunkle

Stimmen weben im Gewipfel, einsam und verschlafen spricht eine Quelle im Moos. Dann ist es gänzlich still. Und in die große Stille hinein fällt rätselhafter Klang, langer Ruf in der Nacht, an den Hügeln verklingend. Sie bleiben stehen, Fernand faßt Ina fester, sie spürt seine Nägel in ihrer Handfläche, und sie hört ihr Herz so laut schlagen wie auf der Bühne.

»Hast du es gehört, Ina? Kannst du das hören? Das ist gut.«

»Was ist es, du?«

»Nichts Wirkliches«, sagt Fernand. »Nichts Wirkliches.«

Die Waldwiese liegt in Mondlicht gebettet. Nebel verhüllt Gras und Blumen. Junge Birken wiegen ihre hellen Stämme, es kommt ein kühler Hauch vom Waldrand her.

»Siehst du etwas, Ina?«

»Nein, nichts, der Nebel ist zu dicht.«

»Warte.«

Ina wartet und starrt in das viele wogende Weiß. Fernand hält sie an der Hand. Dann kommen die Elfen unter den Birken hervor mit ihren weißen durchsichtigen Gliedern. Sie sind nicht höher als bis zu Inas Knien, ihre Füße wurzeln im Gras, manchmal strecken sie einen Arm über den Nebel hinaus, ihre Gesichter sind mit Schleiern verhängt, süß und geschlossenen Auges dem Mond hingegeben. Ina weiß nicht, wie lang sie versunken ihrem Tanzen zuschaut, bis Fernand sagt, und seine Stimme ist ein wenig heiser: »Jetzt tanze auch du, Ina.«

»Ja«, sagt Ina atemlos, denn ihre Glieder sind hungrig nach Tanz. »Ja, ich will.«

Sie hebt sich auf die Zehenspitzen und geht ein paar Schritte in die Wiese hinein, da sind die Elfen fort. »Es geht nicht in diesen Schuhen«, sagt Ina traurig, denn sie spürt sich schwer und plump.

»Du mußt mit bloßen Füßen tanzen«, sagt Fernand gespannt und herrisch.

Das Gras greift naß und prickelnd an Inas gewölbte Sohlen. Sie stellt sich auf die Spitzen und macht alles, was sie gelernt hat, Pas, Attitüden und Changements, sie stellt sich in die zweite Position, und dann beginnt sie ihre größte Kunst, die Tour auf der Spitze. Dabei ist sie plötzlich todunglücklich; es könnte sein, daß Elfen, Birken und Mond sie auslachen. Fernand macht schmale Lippen und ruft: »Ina, was machst du da? Pfui! Höre auf! Das bist ja nicht du! Kannst du denn nichts von dir selbst tanzen?«

Ina steht im Nebel und horcht versunken in sich hinein. Mama spielt Schubert. Es ist dunkel. Elfen tanzen. Man pflückt einen Stern vom Himmel.

Ina tanzt. Es ist der Tanz aus der Kindheit und der aus dem Traum. Es ist eine gewichtlose Seligkeit, ein Hinfliegen, Taumeln, Sinken und Aufwärtsstreben, ein Aufgelöstsein, traumhaftes Zergehen in Bewegung und Ausdruck. Der Mond wird kleiner und ferner am verblassenden Himmel. Fernand steht am Waldrand und sieht auf Ina hin, die jetzt den Elfen gleicht, kein Körper mehr ist, nur leichte, hinschwingende Unwirklichkeit. Ihm ist gut, weil sein Blut still und bezwungen in seinen Händen fließt. Er lächelt befreit, ohne es zu wissen. Neben ihm im mondhellen Grase liegt sein Schatten wie ein verkrüppeltes Stück Holz. Fernand spürt sich selbst wie ein Bild. »Zwerg und Elfe«, sagt er vergraben, aber er lächelt dabei.

Auf dem Heimweg ist Ina sehr müde, er trägt sie fast den Schloßhügel hinauf. Sie ist ganz in sich versponnen; was sie erlebt hat, begreift sie nicht, spürt nur dunkel Weg und Befreiung in sich. Fernand hebt sie zum Fenster hinauf. Er hat ihr keinen Kuß gegeben, den ganzen Sommer lang und auch heute nicht. Sie reibt sich die Augen wie ein verschlafenes Kind, das macht in lächeln. »Schlafe jetzt, kleine Ina. Gute Nacht.«

Am nächsten Morgen weiß Ina nicht, ob sie den Tanz auf der Mondwiese geträumt oder erlebt hat. Ihr Rocksaum ist feucht, an ihren Schuhen hängt das welke Gras, ihr Herz ist glücklich und voll neuen Reichtums. Man nimmt Abschied von Großmama. Fernand läßt sich nicht blicken. Ina sucht ihn überall, bei den Birken, in der Kapelle, auf den Mohnfeldern und im Stall; er ist unsichtbar. Hügelabwärts knarrt schon die Kalesche, die Pferde stemmen ihre Schenkel gegen ihr Gewicht, Ina fühlt die hemmende Bewegung mit in Fäusten, Knien und bis ins Herz hinein: Der Wagen soll nicht fahren, sie hat von Fernand keinen Abschied genommen. Aber Fernand bleibt verschwunden.

Es kommt die Ebereschenchaussee, das kleine Stationshaus, der stadtwärts rollende Zug, es kommt nach langer Fahrt die rußige Luft von Wien, die bekannten Laute der zufallenden Haustüre, der Schritte auf ausgetretener Treppe. Es kommt Mama in Grau, mit strengem Mund, verhängten Augen und mühsam verhehlter Zärtlichkeit in den Händen. Es kommt nach zwei traumverlorenen Monaten das Wirkliche. Abends sitzt Ina am Fenster und schaut in den roten entzündeten Stadthimmel.

Einmal noch möchte ich unter den Birken liegen, denkt sie und hat Sehnsucht wie noch nie.

Liebe Ina! Amrun liegt ganz in Schnee gewickelt, kannst Du Dir das vorstellen? Es ist alles so ohne Grenzen, so weit und weiß und lautlos still, wenn der Schnee fällt. Manchmal kracht es im Schloßwald, wenn ein Ast unter dem Schneegewicht abbricht, das ist alles. Zu den Birken hinauf kann man jetzt nicht.

Liebe Ina, Du hast mir versprochen, an mich zu denken und mich nicht allein zu lassen. Aber ich spüre, daß Du es nicht tust, und bin sehr allein. Kleine Ina, bist Du noch so kindlich wie im Sommer? Oder kennst auch Du es schon, zu spüren, daß man alt ist, ganz alt, und auch die Dinge sind alt und dagewesen. Du hast ja die Delares-Augen, hast Du auch das Delares-Blut? Manchmal warst Du mir so vertraut wie eine kleine Schwester und manchmal wieder ganz anders, ganz anders, aber das verstehst Du nicht. Spürst Du es denn, wenn ich Dich rufe? In Amrun, da hast Du es gespürt. Wenn ich die Augen schließe, kann ich Dich jederzeit sehen, manchmal bist Du dunkel angezogen, manchmal lachst Du so eigen oder es ist ganz schneidend helles Licht um Dich.

Du mußt mir auch schreiben, liebe Ina, darum wollte ich Dich bitten.

Doktor Witram ist ziemlich krank. Wenn er Fieber und Kopfschmerzen hat, dann lege ich ihm die Hände auf die Schläfen, da wird es besser. Da spüre ich dann, daß nicht nur Schwäche in mir ist, sondern auch Kraft.

Willst Du etwas, kleine Ina? Ich glaube, Wollen ist alles Geheimnis des Lebens.

Bräunl läßt Dich grüßen und Türk; mit ihnen kann ich viel von Dir reden, und wenn ich sage: Ina, oder: unsere kleine Frau, dann spitzen sie schon die Ohren.

Herzliche Grüße
Fernand Delares.

Bitte, Ina, schreibe mir.

Lieber Fernand!

Entschuldige, daß ich kein richtiges Briefpapier habe, es ist der erste Brief, den ich in meinem Leben schreibe, ich nehme darum Papier aus dem Schulheft, ohne Linien geht mir auch immer die Schrift in die Höhe, als wollte alles davonfliegen, das kommt vielleicht vom Tanzen.

Lieber Fernand, freilich denke ich an Dich, aber bei Tag ist nie Ruhe, die Schule, die Stunden und der Dienst, ich habe schrecklich viel Dienst, dazu Klavier und Französisch bei Konradin. Aber vor dem Einschlafen denke ich immer an die Birken und auch an Dich, spürst du denn nichts vor dem Einschlafen?

Alle sagen, ich bin ganz anders seit dem Sommer, und Konradin, der mich am besten kennt, sagt, ich werde jetzt eine Schönheit. Ich bin sehr gewachsen, und eine Schönheit muß ich ja werden, wenn ich Primaballerina sein will. Aber die Beine sind noch etwas dünn, und auch bei den Schultern fehlt etwas. Marianne Marschall nennt mich Stelze, aber nur aus Neid. Denke Dir nämlich, daß ich bei Herrn Javelot Privatstunde habe, jeden zweiten Tag, und es kostet gar nichts, er macht es aus Freude, weil ich den großen Zug habe und das Romantische, was Papa nicht leiden kann.

Wie Herr Javelot ist, so wundervoll, das kannst Du Dir gar nicht denken! Ich lerne wie wild bei ihm, er zeigt mir großartige Sachen, Attitüden und so, aber er läßt mich manchmal auch schon allein etwas machen, was mir einfällt, das dürfen sonst nicht einmal die Solotänzerinnen. Wenn ihm etwas recht ist, dann küßt er mich nach der Stunde auf die Stirne, das ist so lieb, als ob ein Schmetterling angestreift wäre. Dann darf ich mit ihm Kaffee trinken, und er füttert mich und Monsieur Frédéric mit Weißbrot, es ist eine große Auszeichnung. Aber im Theater tut er, als kennte er mich nicht, und das ist ganz besonders schön. Die anderen haben immer was zu tuscheln mit Geheimnissen und Liebschaften, aber mein Geheimnis ist viel mehr wert.

Die andern sind mir schrecklich fremd.

Einen richtigen Verehrer hat noch keine von uns, die Älteste in dieser Klasse war jetzt fünfzehn, aber verliebt sind sie alle. Ich bin in gar keinen verliebt, und die Verehrer von den Koryphäen, die ich bis jetzt gesehen habe, sind auch nicht mein Geschmack. Ich schwärme für Fräulein Javelot, sie ist wunderschön und so kalt wie ein Monument, sie hat auch immer kalte Hände, das gefällt mir, es ist etwas Besonderes.

Ich habe mir einen Tanz ausgedacht, er ist noch nicht ganz fertig, und man müßte ein grünes Kleid dazu haben, so zwischen gelblich und hellgrün wie die Zitronenfalter sind.

Lieber Fernand, kennst Du das, wenn man weinen muß,

man weiß nicht warum, man hat hungrige Hände, und daß man nicht fliegen kann? Lieber Fernand, aber schreiben läßt sich das nicht.

Ich schließe mit herzlichen Grüßen
Deine Ina.

Glaubst Du, daß ich später nach Amerika fahre? Herr Pratt glaubt es bestimmt.

Liebe Ina! Jetzt wohne ich nicht mehr allein im Zimmer, Doktor Witram ist sehr krank und wird bald sterben, und ich habe ihn zu mir heraufgelegt; da kann er den Turmgarten sehen, und den Himmel weit übers Land. Weißt Du noch, wie wir davon gesprochen haben, ob Sterben schrecklich ist? Aber es ist gar nicht schrecklich. Doktor Witram ist nur sehr müde, und wenn er lächelt, dann wird es ganz still im Zimmer; er sagt, er freut sich aufs Einschlafen. Wie er das sagt, Ina, das klingt so friedlich, daß man neidisch wird.

Ich möchte so still sein können wie er und dieses Lächeln haben. Ich habe wieder viel in unsrer Bibel gelesen und dann die Buddhalegenden, erinnerst Du Dich? Wenn Jesus am stärksten ist, dann hat er auch dieses Lächeln, es ist ein wenig bitter, sehr sanft und so allwissend; auch Buddha lächelt so, ich kann es sehen, wenn ich die Augen schließe.

Ich lerne viel von Doktor Witram in diesen letzten Tagen. Er zeigt mir den Weg, und ich bin bereit, ihn zu gehen.

Kleine Ina, was schreib ich Dir da? Das verstehst Du ja alles nicht. Oder vielleicht hast Du doch eine Ahnung, kleine Schwesterseele? Manchmal in der langen Nacht bei der Krankenwache rufe ich Dich und spüre Dich in der Nähe, träumst Du von mir, Ina? Kannst Du den runden Schein der Lampe sehen über der Bibel und meinen armen verkrüppelten Schatten auf den Dielen? Kannst Du es spüren, wie schwer ich es habe, und daß ich oft die Zähne zusammenbeißen muß?

Liebe, kleine Ina, Du Schöne, Gesunde, nein, das alles verstehst Du noch nicht.

Daß Du keinen Verehrer haben willst, freut mich sehr, ich wüßte auch keinen, der zu Dir paßt; aber Dein Brief war traurig für mich, Ina, denn wie weit bist Du von uns weggegangen, von mir und den Birken und allem in Amrun! Verlier Dich nicht, nein, kleine Schwester. Wenn Du den Tanz im grünen Kleid tanzest, dann will ich meinen Vater bitten, daß ich nach Wien reisen darf und Dir zusehen.

Liebe Ina, wirst Du mich auslachen, Du zwischen Deinen Hopsassamenschen, und wo Du den wundervollen Herrn Javelot hast und Herrn Konradin, daß ich Dir so dumm und traurig schreibe? Du darfst aber nicht glauben, daß ich vielleicht eifersüchtig bin, das würde auch nicht zu meiner Weltanschauung passen.

Es wird schon langsam grau im Zimmer, und im Turmgarten sagt der erste Vogel etwas. Jetzt will ich die Lampe auslöschen und zu den Birken hinaufgehen, nachsehen, ob noch Schnee da oben liegt. Es ist schon Frühling in der Luft, weißt Du. Kommst Du im Sommer wieder nach Amrun, Ina?

Viele Grüße von Deinem
Nando.

Lieber Fernand! Ich schreibe Dir in der Garderobe, denn wir haben eine halbe Stunde Zeit vor dem nächsten Auftritt. Sei nicht böse, wenn es konfus wird, es ist ein schreckliches Durcheinander um mich herum, und alle schreien, daß ich jetzt auch einen Verehrer habe, dem ich Liebesbriefe schreibe. Es ist eine verzweifelt dumme Gesellschaft, und man müßte sein wie Mila Merz; die hat's gut, die macht sich keine Gedanken, und jeder hat sie lieb. Aber ich wandere so fremd da umher und bin doch schon das fünfte Jahr in der Ballettschule. Noch eine Prüfung, und ich werde Corpstänzerin.

Denke Dir, daß es großen Krach gegeben hat, weil die

Galiena draufgekommen ist, daß ich Privatstunde bei Herrn Javelot kriege, sie hat eine unanständige Sache draus gemacht und ihn einen Kinderfresser genannt, und Fräulein Javelot hätte ihr in der Garderobe beinahe Ohrfeigen gegeben; denke Dir nur, wie großartig die Javelot ist, ich habe ihr nachher ihre kalten Monumenthände geküßt, was ich sonst bei niemanden tue. Aber eigentlich haben sie sich nicht meinethalben gezankt, und auch nicht darüber, ob Herr Javelot ein Kinderfresser ist – wie kann man nur so etwas sagen! –, sondern sie haben einen alten Zorn aufeinander des Baritons wegen, Herrn Roland, weißt Du? Der hat lange mit Fräulein Javelot gelebt, und sie hat ein Kind von ihm, einen süßen Buben, und dann ist die Galiena dahergekommen, das häßliche Weibsbild, und hat ihr ihn weggeschnappt. Jetzt weiß ich auch, warum die Javelot immer zittert, wenn wir statieren und Herr Roland singt. Sie liebt ihn noch immer, denke ich mir. Denkst Du nie über Liebe nach, Du kluger Buddhistennando? Ich muß viel daran denken, aber das kommt von dem ganzen Ballettleben, da hört man ja nichts anderes, und ich werde ja auch bald fünfzehn.

Herr Roland hat die schönste Stimme, die Du Dir denken kannst. Sie ist ganz aus Silber, der ganze Roland gehört zu den silbernen Menschen, weißt Du, zu denen, die sind wie Mila Merz und ganz anders als ich und Du. Wenn man ihm sagen würde: »Sehnsucht« oder so was, ich glaube, er hielte es für Chinesisch. Ich habe solche Leute sehr lieb, so neugierig und neidisch lieb, weißt Du; ich möchte sie sehen, wenn sie ganz mit sich allein sind, und möchte wissen, ob sie nie nachdenken, und ob sie ganz leicht sind, oder ob sie auch das eigene Gewicht spüren.

Herr Forli hat sich auch hinter die Sache gesteckt, er intrigiert immer gegen den Meister und will seine Stellung haben, es ist sogar bis an den Direktor gegangen, das ganze Theater war meinethalben in Aufregung, ich weiß es durch Herrn Pratt, der immer beim Portier sitzt und den Tratsch auf-

schreibt. Wenn ich schon Corpstänzerin wäre, dann hätte es mir vielleicht Reklame gemacht, aber bei einer Elevin ist es nur eine Schweinerei, wenn sie meinen: Herr Javelot fliegt auf mich.

Ich bin noch so aufgeregt über die Geschichte, daß ich nichts anderes schreiben kann.

Viele Grüße
Deine Ina.

Liebe Ina! Deinen letzten Brief kann ich nicht beantworten, wir schreiben aneinander vorbei. Zu Deinem fünfzehnten Geburtstag alles Gute. Ich schicke Dir auch etwas, aber ich weiß nicht, ob Du es erkennst, und ob es das Rechte ist.

Doktor Witram ist gestorben, ich war bei ihm, es war schön, Ina.

Lieber Fernand! Ich danke Dir für die Erde vom Birkenhügel. Ich habe sie gleich erkannt, und es war das Rechte. Ich bin nicht mehr so kindisch, wie Du glaubst, Nando, und ich merke es wohl selbst, wenn mich das Wirkliche auffressen will. Aber kennst Du es nicht, daß man manchmal solche Sehnsucht hat, zu den andern zu gehören? Dann spielt man ein bißchen Theater mit sich und tut, als wäre man Mila Merz. Machst Du Dich nie wichtig, Du? Ich mache mich oft wichtig vor mir oder vor dem Spiegel, das ist, weil ich innen jetzt so leer bin. In Amrun, da war ich angefüllt, und darum ist es gut, daß Du mir die Erde geschickt hast. Ich habe sie gleich erkannt an dem Geruch, süß und bitter, und als ob erste Regentropfen auf eine staubige Straße fallen, ich werde den Geruch nie vergessen. Sie steht in einer Zigarrenkiste auf meinem Fenster, es keimt in ihr, es kommen schon kleine Gräser hervor, das macht mich froh. So hab' ich meinen eigenen Frühling, das ist gut, Nando. Ich setze mich manch-

mal zu meiner Kiste und schließe die Augen, da spüre ich ganz Amrun; und wenn wir in der Schule schreiben: »Heimat«, dann weiß ich auch, was das ist.

Und so, mit geschlossenen Augen, sehe ich den Birkenhügel, die Zwillingsstämme, die Steinnelken und höre die kleinen Tiere summen. Ich liege da und werde ganz leicht und bin zugleich ich und eine kleine Wolke, die oben wandert.

Ich möchte Dich schon lange etwas fragen, Nando, aber Du darfst nicht darüber lachen: Waren wir wirklich im Wald bei den Elfen und haben sie tanzen gesehen, oder ist es nur geträumt? Es ist sehr wichtig für mich.

Deine Ina.

Lieber Nando, ich bin Dir so dankbar!

Habe ich Dir schon erzählt, daß mir Dein Vater Blumen geschickt hat? Aber nicht in die Garderobe, sondern nach Hause, wie einem richtigen Fräulein. Er sitzt immer in der Loge vom Jokeyklub und hat unsere Augen.

Liebe Ina! Ich kann Dir wenig schreiben, ich arbeite auf Tod und Leben fürs Examen, und das ist, so allein, ohne Doktor Witram, nicht leicht. Von meinem Vater habe ich die Erlaubnis, in Zürich Medizin zu studieren. Ich freue mich, ich habe auch Arzthände. Ich habe jetzt manchmal im Dorf geholfen, sie holen mich, wenn ein Kind sterben soll, oder zu Epileptikern, das gibt es ja bei unserm armen Webervolk so viel, es ist ein Aberglaube bei den Leuten, daß Bucklige ein bißchen zaubern können; und ein kleines bißchen zaubern kann ich ja wirklich, wenn ich fest will.

Ob Du die Elfen wirklich gesehen oder nur geträumt hast, das werde ich Dir niemals sagen, kleine Ina. Es ist auch nicht wichtig, und wenn Du eine echte Delares bist, dann fragst Du nicht danach. Mache keinen solchen Unterschied zwischen

Träumen und Leben, weißt Du. Träume sind solch ein Reichtum.

Und was sollten Leute anfangen, die nichts haben als ihr bißchen Träumen bei Nacht?

Lieber Nando! Dein Vater hat uns besucht und mich wieder nach Amrun eingeladen. Ich springe und tanze und schreie vor Freude. Hole mich Sonntag von der Bahn. Ich umarme Amrun und Bräunl und Türk und Dich und alles. Alles.

Deine verrückte Ina

Geliebte, Geliebte, Geliebte! Der Sommer ist zu Ende, Du bist fort. Ich habe Dir nichts gesagt, kein Wort, ich habe Dich nicht geküßt, ich will keine Schwesternlippen küssen. Ich habe Dich kaum angesehen, damit meine Augen nicht sprechen, liebe, wunderbare, ahnungslose Geliebte. Ich habe in meine Hände gebissen bei Nacht und bin im Gewitter gestanden und habe geröhrt, wie nachts die Tiere im Schloßwald schreien. Bin ich nicht stark, Ina, mein Du, geliebte Seele? Es gibt so viele Wunder, täglich sehe ich Wunderbares, und nur das eine geschieht nicht: daß Du mich lieben könntest, wie ich Dich liebe. Einmal, Ina, nur einmal decke Dein Haar wie eine Decke von schwarzer Seide über uns, daß es finster wird, daß ich nicht häßlich bin, verkrüppelt, ausgestoßen, und daß ich dieses kranke, brennende Delaresblut vergesse, das immer in sich selbst zurück sucht: Schwester, Schwester, einzige, die ich lieben kann. Einmal leg Deine Hände in mein Haar, nicht fest und freundschaftlich, wie Du es tust und dem Hund und den Pferden auch: Ich möchte sie zittern spüren, einmal, Deine Hände, und daß Blut aus ihnen rinnt. Ich möchte sehen, daß Deine Lider zufallen und Dein Mund sich öffnet und mir zu trinken gibt. Einmal möchte ich nachts neben Dir liegen und Dich atmen hören und Dich schlafen sehen und wissen, daß Du mir gehörst; und daß ich nicht den schweren Weg gehen muß, fort von mir und meinem eigenen Herzen und in das Leid der andern hinein.

Aber das Wunder geschieht nicht. Niemals, Ina, niemals. Niemals. Niemals.

Dies war einer von den hundert Briefen, die Fernand Delares nicht abschickte.

An einem späten Oktobertag geht Fernand Delares in der inneren Stadt langsam seines Weges. Er ist ohne Mantel und Hut, denn er findet die Wiener Luft erstaunlich warm und sanft, er vergräbt die Hände behaglich in den Taschen seines Reiseanzuges und scheint das Sonderbare seiner verwachsenen Erscheinung nicht zu ahnen. Blicke voll Sympathie treffen ihn, man liebt in Wien das Originale, und überdies trägt er in seinem Herrengesicht ständig ein verstecktes, stilles Lächeln, das zur Erwiderung einlädt.

Herr Pratt, in der Nachmittagsstille des Theaters hinter einer Zeitung duselnd, erwacht, als er einen kleinen, buckligen Menschen bei dem Portier nach Fräulein Raffay fragen hört. Der Portier behauptet, nicht alle Ballettfratzen beim Namen kennen zu können, aber Herr Pratt schnellt empor, verbeugt sich und sagt voll Eifer: »Sie interessieren sich für die Raffay? Sie interessieren sich? Sie haben Urteil. Ein Star, der kommende Star! Eine neue Ära der Tanzkunst, wie mein berühmter Freund Javelot sagt. Und ich bin es, der diese Begabung entdeckte, ich habe ihre ersten Schritte auf den Brettern geleitet. Die ersten Schritte der Raffay«, sagt er nochmals, und sein Kopf glänzt vor Aufregung. Fernand deponiert schweigsam seine Pakete, drückt Herrn Pratt die Hand, und noch als er wieder draußen steht unter den Arkaden, hört er ihn erregt sagen: »Eine Karriere, die Karriere des Jahrhunderts wird die Raffay, und ich habe sie gemacht!«

Unter den Arkaden sitzt ein Geschöpf, das Fernand in hohem Maße interessiert; es besteht aus einem schmalen intelligenten Gesicht, einem Rumpf, der beinlos und unbeweglich auf einem kleinen, beräderten Schemel befestigt ist und aus zwei Armen mit mageren Händen, die von Zeit zu Zeit beflissen nach Bürste und Wichse greifen, um Vorübergehenden die Stiefel zu reinigen. Fällt eine Münze in seinen Hut, dann dankt der Mund des Krüppels, aber seine Augen schweifen seitwärts. Fernand sieht eine Weile zu, dann tritt er näher, verbeugt sich, nennt seinen Namen und sagt: »Darf ich mich Ihnen bekannt machen, Sie gefallen mir so gut. Sie haben da so einen hübschen Beruf; es gehört eine besondere Freundlichkeit und Güte dazu, denke ich mir, ganz fremden Menschen etwas Ungenehmes zu erweisen.«

Der Krüppel schaut mißtrauisch auf, und sein weißes Gesicht wird langsam rot; aber in Fernands Augen, die fest und gut auf ihn gerichtet sind, findet er etwas, das macht, daß er tief aufatmet und den verstümmelten Rumpf höher aufrichtet und leise sagt: »Sie machen keinen Spaß mit mir, nein?«

»Nein. Gewiß nicht, Herr –?«

»Adolf heiße ich.«

»Nein, Herr Adolf, ich sehe Ihnen schon seit Tagen zu, ich habe öfters hier auf eine junge Dame gewartet, ich habe Zeit und dachte mir, an diesem Mann kann man sich ein Beispiel nehmen. Er ist immer freundlich, immer hilfsbereit, er dient den Menschen, jedem, der es verlangt, man kann nichts Besseres tun, glaube ich, ich will es jetzt auch lernen, wissen Sie.«

»Wollen Sie auch Stiefelputzer werden?« fragte Herr Adolf mit einem Schimmer von gutmütigem Spott und lachte; er war aufgeregt, das sah Fernand an seinen Fingern, die die Bürste drehten.

»Jedenfalls etwas Ähnliches. Auf die Methode kommt es auch nicht so sehr an, nur auf die Wirkung. Haben Sie noch nicht bemerkt, daß jeder, der von Ihnen fortgeht, ein vergnügtes und zufriedenes Gesicht macht, so: Jetzt bin ich doch ein feiner Kerl.«

»Ja. Sie sind alle vergnügt über die reinen Stiefel; haben Sie das auch beobachtet? So ein Stiefel, wenn er glänzt, ist auch was Hübsches. Ich war früher Schustergeselle, wissen Sie, und da sind mir die Stiefel interessant, ich kann den ganzen Menschen dran erkennen. Natürlich, es ist viel Fabrikware dabei, aber durch den Gang kriegt jeder Stiefel sein besonderes Aussehen.«

»Das ist wahr, Herr Adolf. Ich kenne ein Mädchen, das würde ich am Gang unter Tausenden herausfinden. Sie geht wie eine Kaiserin.«

»Ja, die kenne ich auch, die Große, Dunkle vom Ballett, auf die Sie gestern gewartet haben, nicht wahr? Sie trägt nie Absätze, das macht es, aber trotzdem ist die Sohle ganz geschwungen, eine Maus könnte drunter durchlaufen. Sie ist auch die einzige vom Ballett, die keine zu kleinen Schuhe trägt; ich putze ihr sie manchmal, nur so aus Bewunderung, verstehen Sie? Ich lasse nichts bezahlen dafür. Aber möchten Sie glauben, einmal hat sie mir Blumen geschenkt. Sie müssen aber nicht glauben, daß ich lüge.«

»Nein, sie hat Ihnen gewiß Blumen geschenkt; das ist Ina, daran kenne ich sie.«

»Nun, Herr Adolf«, setzt er hinzu, »würden Sie mir wohl im Hinblick auf dieses Mädchen gleichfalls die Freundlichkeit erweisen, mich ein bißchen hübscher zu machen? Das heißt, na ja, eine Schönheit wird eben nicht aus mir, nicht wahr? Aber es kann ja nicht nur schöne Menschen geben, wie? Und unsereiner hat wieder andere Vorzüge. Sie wissen doch, daß Krüppel Glück bringen sollen? Da muß man nun sein Möglichstes tun. Ich soll um fünf Uhr Fräulein Ina in Hietzing abholen, wo sie Stunde hat. Ich bin überzeugt, wenn sie mich mit diesen glänzenden Stiefeln antreten sieht, wird sie sich freuen und uns loben. Die ganze Stimmung ist besser, dank Ihrer Freundlichkeit, Herr Adolf. Nein, nein, von mir müssen sie ein Honorar annehmen, ich bin ja kein schönes Mädchen, Sie würden mich beschämen! Vielen Dank auch nochmals.« Und Fernand steckt ein Goldstück in den Hut und zieht davon mit gewichsten Stiefeln, die er scheußlich findet. Herr Adolf aber hat etwas erlebt, und er lacht noch bezaubert in sich hinein, als Fernand schon in der Straßenbahn fährt.

Die Bäume vor dem Haus des Herrn Javelot sind schon kahl, der Fuß raschelt durch verwehte Blätter. Von einer kleinen Kirche schlägt es fünf, bald wird es dämmern. Fernand setzt sich wartend auf eine Bank und schließt die Augen. Heute abend um elf ist es vorbei, denkt er; ich werde im Zug sitzen und schlafen; ich werde müde sein, wie nach einer Operation. Unter dem Herzen tut es schneidend weh: Er *will* nicht, daß es weh tut, und da läßt es auch nach.

Dann kommt ein Mann, der ein schwächliches Laternenlicht entzündet, obwohl noch ein wenig Sonne auf den Dächern spielt, und dann taucht im Nebel, der aus dem Flüßchen steigt, ein Schattenmensch auf, der sich in regelmäßigen Abständen an Fernand vorbeischiebt, das Gesicht unverwandt auf Herrn Javelots Haus gerichtet. Er ist im Radmantel, und graue Strähnen fallen unter dem Hut hervor.

»Herr Konradin?« fragt Fernand behutsam und hält ihn mit den Augen fest. »Wollen Sie nicht Platz nehmen? Sollte meine Anwesenheit Ihnen diese Bank unsympathisch gemacht haben? Man sieht das Fenster von hier am besten; früher kam sogar ein Hauch Musik heraus.«

»Was haben wir denn da wieder für einen Toggenburg?« sagt Konradin und zieht heiser und mühselig die Worte aus sich heraus. »Aha. Aha. Dem Format nach Fernand Delares, Inas Vielgepriesener, Unvergleichlichster. Der Freundlichste der Freunde, wie Wagner sagt. Ich gratuliere Ihnen zu der sublimen Idee, Principessa mit der nötigen Quantität Friedhofserde zu versehen. Vorläufig genügt eine Zigarrenschachtel voll. Wenn Sie mich beliefern wollten, müßten Sie mehr nehmen, Baron.«

»Es freut mich so sehr, Sie noch vor meiner Abreise kennenzulernen. Ina erzählt von Ihnen; ich glaube, Sie wissen gar nicht, wie lieb sie ihr sind«, sagt Fernand und faßt Konradins Hand.

Konradin steht still mit hängender Lippe und horcht auf Unhörbares. »Sie haben merkwürdige Hände, Baron«, sagt er leise. »Wenn ich einen Freund hätte mit solchen Händen: Ich wüßte einen sentimentalen Wunsch. In Ihren Händen ist dieselbe schmerzstillende Kraft wie in Inas Haaren, wissen Sie das?«

»Ich will Arzt werden; ich reise heute abend nach Zürich.«

»Ich beneide Sie, Baron, um die Selbstverständlichkeit, mit der Sie über sich verfügen. ›Ich reise heute abend nach Zürich‹, Punktum. So etwas imponiert mir. Angenommen nun, ich würde mit derselben Sicherheit disponieren wollen, was käme dabei heraus: ›Ich werde mich heute abend in viehischer Weise besaufen.‹ Oder: ›Ich werde mich heute abend aufhängen.‹ Im unvergleichlich besten Fall werde ich mit nassen Füßen vor der Oper auf Principessa warten, werde sie heimbegleiten, mit nassen Füßen, aber im übrigen voll verbrennender Trockenheit, und werde um Mitternacht wieder vor der lieblichen Alternative stehen: würdelos besaufen oder aufhängen.«

Fernand greift auch mit der zweiten Hand nach Konradin und sagt: »Ich bin gewiß nicht der Mensch, Sie davon abzuhalten, nicht vom einen, nicht vom andern; es sind Wege, wir sind ja alle am Weg. Aber für Ina tut es mir leid, sie braucht Sie, Herr Konradin.«

»Principessa? Mich? Da irren Sie außerordentlich. Sie hat ihre Kinder- und Traumschuhe ausgezogen und ist gänzlich auf die Ballettschuhe konzentriert; sie braucht Herrn Javelot mit seinen Attitüden, Fräulein Javelot wegen der schmachtenden Mimik, die zu erlernen ist, ferner braucht sie Ihren Vater, den alten Baron Delares, weil er sie bewundert, weil er unermüdlich den gesunkenen Raffayschen Finanzen nachhilft, weil sie von ihm lernt, wie man in einen Wagen steigt, wie man Austern ißt, wie man ein mondänes Gesicht macht; er ist von unvergleichlichem Wert für sie als ein Verehrer mit allen Qualitäten, aber ganz ohne Ansprüche. Auch Herrn Roland, bestehend aus einer Stimme und zwei höchst bewundernswerten Beinen, braucht Principessa; er ist der Kleiderstock, an den alles gehängt werden kann, was ihre sechzehn Jahre an Gärendem, Leidenschaftlichem, Unaussprechlichem umfassen. Man sollte nicht glauben, welche Süßigkeit ihre Gedanken an ihn enthalten. Sie lutscht daran wie an einer Zuckerstange. Selbst Herrn Pratt braucht sie schließlich, denn er wird ihr Hausjournalist werden und vor keiner Reklame zurückschrecken, sobald sie erst Solotänzerin ist. Aber wir beide, Sie und ich, sind ihr höchst überflüssig, das können Sie mir glauben; man kann ihr keine Luftballons mehr schenken, und auch ihr Interesse für gedankenvolle Zigarrenschachteln ist mäßig. Ihr Bedarf an geistigen Hintergründen ist gegenwärtig gering. Sie lebt jetzt mit der Raffayschen Hälfte, wissen Sie.«

»Ja, ich weiß es. Ich nehme heute Abschied von ihr.«

»Sie nehmen Abschied. Ein wunderschönes deutsches Wort: Abschied. Können Sie hören, wie die Melodie eines ganzen Liedes drinsteckt? Aber ein übertriebenes Wort. Sie nehmen also Abschied und reisen nach Zürich. Und wann kommen Sie wieder?«

Einen Augenblick ist es still, man hört einen Schimmer von Musik aus dem Haus.

»Niemals«, sagt Fernand Delares. Dann schweigen sie.

Etwas später sagt Konradin: »›Niemals‹ ist auch so ein Wort, das man mit zwanzig Jahren ausspricht. Später weiß man, daß es zwei Dinge nicht gibt: ›Niemals‹, das gibt es nicht. Und: ›Immer‹, das gibt es auch nicht.«

»Da ist Ina«, sagt Fernand. Sie steht an der Gittertüre. Herr Javelot, einen Mantel über die Schulter geworfen, spricht mit ihr, er hält ihre Hand fest, und es sieht aus, als könnte er sie nicht loslassen. Monsieur Frédéric schmiegt sich schmeichlerisch in ihre Kniekehlen.

»Hören Sie«, sagt Konradin eilig, »ich gehe jetzt, ich verschwinde. Ina liebt es nicht, mich allerwegen aufgepflanzt zu finden. Bei Ihnen ist es etwas anderes: Sie wollen Abschied nehmen, dazu sollen Sie Ina allein haben. Obwohl es noch die Frage ist, wer von uns beiden Ina niemals wiedersieht. Es wird ein schlimmer Abend heute.«

»Das wird es, Konradin. Können wir uns nicht zusammentun? Können Sie mir nicht helfen? Wir setzen uns in das Musikzimmer meines Vaters, er ist verreist, und Sie spielen mir vor. Ich bin ein leidenschaftlicher Musikfreund, und Ina schwärmt von Ihren Kompositionen. Sie würden mir eine Wohltat erweisen.«

»Sie brauchen mich? Sie können mich brauchen?« fragt Konradin und beugt sich vor, um Fernands Augen zu sehen. »Gut. Ja. Ich komme, ich warte bei der Oper auf Sie«, und ist im Nebel zergangen, als Ina über die Straße kommt. Fernand atmet sehr tief und ballt einen Augenblick die Hände, um lächeln zu können. »Da bist du ja, Nando«, sagt Ina, »wir müssen uns eilen. Herr Javelot fährt gleich ins Theater, ich möchte auch zu Anfang da sein; ich habe zwar erst nachher im Ballett zu tun, aber ich möchte ›Susannes Geheimnis‹ sehen. Herr Javelot spielt eine stumme Rolle, entzückend. Und Herr Roland singt.«

Fernand sieht von der Seite in ihr Gesicht, das schöne herrische Delares-Gesicht mit dem Mund, der immer aussieht, als wolle er trinken. Sie geht so schwingend hin, und ihre Nasenflügel kommen nie zur Ruhe.

»Heute ist ein großer Tag, Nando«, sagt sie. »Ein besonderer Tag. Ich habe dem Meister meinen grünen Tanz vorgetanzt, meinen ersten eigenen Tanz. Und der Meister hat mir die Hand geküßt, nicht die Stirne, du, die Hand. Es läßt sich nicht sagen, wie er war, so weich, so besonders. Ich hätte weinen mögen, jetzt, wie ich von ihm fortging. Kannst du leicht weinen? Ich kann es so schwer. Ich bin ganz feierlich, merkst du es? Ich glaube, jetzt fängt die Karriere an. Herr Javelot sagt, überspringen kann er mich nichts lassen, aber ich werde jedes Jahr avancieren, die Galiena wird alt, mit zwanzig könnte ich Primaballerina sein. Aber was fange ich dann an? Wenn man mit zwanzig sein Ziel erreicht, was fängt man mit dem übrigen Leben an? Ich kann es nur aushalten, wenn ich spüre, es kommt noch etwas und immer noch etwas. Freilich, ich kann umherreisen und berühmt werden, Herr Pratt glaubt es sicher.«

»Ina höre«, sagt Fernand mittenhinein. »Ich habe mir's überlegt, ich kann nicht in Wien bleiben, wie du dachtest. Ich reise heute nacht nach Zürich.«

»Du? Heute? Verrückt, Nando. Du hast dich zu einem richtigen Sonderling ausgewachsen. Übrigens, reise, ich halte dich nicht. Gehört es zu dem geheimnisvollen ›Weg‹ von Doktor Witram?«

»Ja. Vielleicht auch.«

»Willst du denn wirklich dein ganzes Leben dasitzen und deinen Nabel ansehen? Das tun doch die richtigen Buddhisten, nein? Glaubst du, es ist das Richtige für dich?«

»Nein, das glaube ich nicht. Ich will es auch anders anpakken. Ich will, es gibt so viel zu tun, Ina, es gibt so viel, das einem leid tut.«

»Für mich ist es schade, wenn du weggehst, Fernand, ich brauche manchmal wen, der mich am Schopf packt, das weiß ich.«

»Ich werde dich anrufen, Ina, wenn es nötig ist, und auch du kannst mich rufen; ich werde immer an dich denken und dich immer hören.«

»Glaubst du das wirklich?«

»Warum sollte ich es nicht glauben? Ich glaube doch auch

an Telephon und Telegraph, an das Wunder, daß man aufs Postamt geht und eine undefinierbare Kraft dazu zwingt, ›Herzliche Glückwünsche‹ zu übermitteln. Die Mönche auf der Hochebene von Tibet wieder bauen keine Telegraphenämter, sondern schicken einander ihre Botschaften telepathisch. Der Unterschied in der Methode macht nichts aus, wenn man das Wunderbare im allgemeinen anerkennt.«

»Ach Nando, ich glaube, du machst Witze, und ich bin doch traurig. Warum kannst du nicht hierbleiben?«

»Ich kann es eben nicht.«

»Fernand«, sagt Ina vorsichtig, »ist es, weil du in mich verliebt bist, ist es das? Hast du geglaubt, ich weiß es nicht? Aber Nando! Und das macht doch nichts. Verliebt ist fast jeder Mensch in diesem Alter. Ich bin auch in wen verliebt, wenn es dich interessiert. Das geht vorüber.«

»Du bist das richtige eingebildete kleine Ballettmädchen, Ina«, sagt Fernand angestrengt, aber sehr ruhig, »wenn ich dich ein bißchen angeschwärmt habe, so ist das nicht so wichtig. Es gehört zur Tradition, du weißt doch. Die vielen Inas und Fernands am Birkenhügel, die alle miteinander verheiratet waren und denen ich meine hübsche Figur verdanke. Notabene: Es scheint mir, als würde sich mein Vater auch mit Inzuchtgedanken tragen. Ina, ich warne dich!«

»Ich glaube, du haßt deinen Vater, du?«

»Hassen ist ein Theaterwort, Ina; ich höre geradezu Herrn Roland singen, Haaaß – Haaaß! Aber ich glaube, es gibt keinen Menschen zwischen achtzehn und zwanzig, der seinen Vater nicht haßt, wenn du es so nennen willst. Davon wollen wir nicht mehr sprechen. Ich habe dir noch etwas zu geben von deiner Großmama.«

Fernand zieht aus der Hosentasche Perlen hervor, die großen, grauschimmernden Perlen, die Ina bei ihren Kindertänzen im Haar trug.

»Ja«, sagt sie leiser. »Die kenne ich. Also ist Großmama wirklich tot, du schriebst es mir, aber ich konnte mir nichts dabei vorstellen. Für mich geht Großmama noch immer in Blumenkrinolinen umher und erzählt alte Geschichten. Die Perlen sind wundervoll, nicht? Mila Merz wird staunen; ich habe sie von einem Verehrer, werde ich sagen, und werde sie immer tragen. Perlen muß man tragen, sonst werden sie krank; darum mag ich Perlen so sehr, man spürt das Lebendige in ihnen. Einmal werde ich einen Tanz von Perlen tanzen mit grauen und rosa Schleiern; darüber muß man nachdenken.«

»Ina, wir sind gleich bei der Oper«, sagt Fernand etwas heiser.

»Es ist auch Zeit; um sieben will ich geschminkt und angezogen sein. Herr Friedrichs läßt mich in der Kulisse stehen und ›Susannes Geheimnis‹ zuhören; es ist streng verboten, aber ich habe einen Stein im Brett bei ihm.«

Die Oper liegt im Nebel, das Pflaster ist feucht und spiegelt Wagenlichter. Unter den Arkaden brennen schon die Laternen. Fernand spürt sich in zwei Teile gespalten, es geht ein stiller kluger Fernand Delares neben einem verzweifelten, dessen Herz schneidet, dessen Kehle sich zusammenzieht, und der atemlos sagt: »Jetzt sage ich dir Adieu, Ina. Adieu, verlier dich nicht. Vergiß die Elfen nicht, Adieu.«

»Leb wohl«, sagt Ina, sie ist ein wenig traurig und sehr zerstreut, weil vor der Bühnentüre schon Herr Javelot aus dem Wagen steigt. »Wirst du mir schreiben? Wann kommst du wieder?«

»Adieu«, sagt Fernand und hält ihre Hand noch fest, ohne es zu wissen.

»Adieu, Nando, gute Reise. Aber jetzt habe ich Eile. Was ist denn los mit dir? Ich glaube, du weinst?«

Aber Fernand weint nicht; er hat nur kalte Lippen, und es sieht seltsam aus, daß sein braunes Gesicht plötzlich weiß wird. Ina dreht sich noch einmal nach ihm zurück, seine verwachsenen Schultern sind noch höher gezogen und zittern wie bei einem geschlagenen Tier. Es ist eine Bewegung voll von Ausdruck, die man sich merken wird und die in Jahren aufwachen kann, in einem Tanz des Schmerzes und der Verzweiflung.

Fernand sieht Ina fortgehen. Er hat verzichtet. Alles geht mir ihr fort. Alles. Die kleine Bühnentüre fällt hinter ihr ins Schloß. Dann ist einen Augenblick eine sausende Dunkelheit da, eine schwarze Unendlichkeit, in der weiße Welten tanzen. Etwas klirrt. Er erwacht. Auf seinen Rädern rollt Herr Adolf seinen Körperstumpf durch den Nebel und hat ein friedliches Feierabendlächeln im Gesicht.

»Herr?« sagt er und hält an. »Herr? Sind Sie krank? Sie schauen schlecht aus.«

»Guten Abend, Herr Kollege«, sagt Fernand und bewegt mit Anstrengung seine erstarrten Lippen. »Nein, krank bin ich nicht, nur etwas müde. Ich habe heute den Weg über den Ölberg gemacht, den hohen Berg, wissen Sie, wo man alles eigene abtun muß und sich bereit erklärt, das Kreuz zu tragen. Jetzt ist es vorbei. Es ist eine schwere Tour – ich denke mir, auch Sie haben sie einmal gemacht, Herr Kollege«, sagt Fernand und weiß nicht, daß er schon wieder lächelt.

»Es geht vorbei. Alles geht vorbei«, antwortet Herr Adolf still und rollt neben Fernand seines Weges.

An der Ecke wartet schon Konradin, und dann nimmt der Nebel die drei wunderlichen Gestalten auf.

Im Bühnengang ist es immer halbdunkel; die kleinen nackten elektrischen Birnen werfen ein kraftloses gelbliches Licht herunter, an der Ecke brennt hinter rotgestreiftem Glas eine Notlampe, dahinter wird es noch dämmeriger, und der Gang biegt zu den Herrengarderoben. Requisiten und Bühnenmöbel stehen erwartungsvoll und werfen formlose Schatten. Eine Garnitur von Thyrsosstäben liegt neben ägyptisch ornamentierten Stühlen, die im Winkel kauern.

Weintraubengirlanden rascheln trocken und riechen nach Staub und Leim: Das ist für das Ballett nachher. Auf einem Lager sitzt Ina: Sie hat ihr Tarlatankleidchen an und friert ein wenig. Um das Herz herum hat sie ein ängstliches luftleeres Gefühl, das immer da ist, wenn sie erwartet, Herrn Roland zu sehen, und auch vor ihrem Auftritt. Die Geräusche und Zeremonien, die Herrn Rolands Erscheinen einleiten, haben eben begonnen. Die Glocke trillert durchs Haus. Im Gang klappt dumpf die Garderobentür, ein Lachen fliegt auf, der feste schwingende Klang von Schritten: Und er taucht an der Ecke unter der Notlampe auf. Er spuckt dreimal hinter sich, streicht sein gebranntes blondes Haar zurecht, räuspert sich und singt drei Töne durch die Nase, er zieht ein Taschentuch hervor und schneuzt sich, fachgemäß und mit viel Ernst. Jetzt kann's in Gottes Namen losgehen, sagt er zu sich und scheint befriedigt. Ina ist selig. Sie schaut ihm so gerne zu wie einer spielenden kleinen Katze; er bewegt sich so hübsch und selbstverständlich; sie spürt jede seiner Bewegungen bis mitten in ihr Herz. Wenn er allein ist, sieht er genau so aus wie zwischen Menschen, das haben sonst nur Tiere, dieses Unbefangene, Maskenlose; man wird einmal einen Tanz tanzen, mit einer Maske in jeder Hand, einer heiteren, einer traurigen, die wechselnd vors Gesicht gelegt werden.

»Servus, Peter!« sagt Herr Roland; bei ihm heißen weibliche Theatermitglieder ein für allemal Peter. »Na, da sitzt du ja wieder, wie geht's dir denn?«

»Danke, gut, Herr Roland.«

»Willst du wieder zuhören, Peter? Wird dir denn das nicht langweilig?«

»O nein!«

»Na, du, und wann bekomme ich meinen ersten Kuß von dir? Jetzt gleich?«

»Nein, Herr Roland, wenn Sie geschminkt sind, mag ich keinen Kuß von Ihnen; und ich bin auch geschminkt.«

»Aber nachher? Wenn wir beide abgeschminkt sind? Ich glaube, du bist ein ganz raffinierter Peter, der schon weiß, was gut ist. Sag' doch einmal: Bist du in mich verliebt, ja?«

»O nein, Herr Roland.«

»Hör mal, Peter, wo willst du eigentlich hinaus? Wenn du so fortmachst, bist du nächstens das schönste Mädel vom Ballett. Verehrer hast du keinen. Verliebt bist du nicht. Den Kuß versprichst du mir nun schon zwei Monate und gibst ihn nie. Ich glaube, du bist temperamentlos!«

»Ja, das ist möglich«, sagt Ina.

»Dich möcht' ich haben«, sagt Herr Roland, »du siehst wem ähnlich, den ich sehr gern habe, einem kleinen Buben. Und kalte Frauen mag ich. Es ist herrlich, wenn eine kalte Frau aufwacht und es Funken gibt; man vergißt so was sein Leben nicht. Und die andern, die einem immer nachrennen und immer kleben, die kriegt man gleich über.«

Ina hört ganz still zu, und es ist ein großer Hunger in ihr, aufzuwachen und Funken zu geben; sie kann sich's nur nicht vorstellen.

»Kann man dich nachher nie allein sehen?« fragt Herr Roland. »Wartet denn der alte Obereunuche mit dem Havelok jeden geschlagenen Abend auf dich? Höre doch, Peter: Möchtest du nicht die Liebe kennenlernen?«

»Ja, die Liebe möchte ich kennenlernen«, sagt Ina langsam, »aber es dürfte keine Spielerei dabei sein. Halbes dürfte es nicht sein. Ich möchte gleich alles. Gleich die richtige Liebe.«

»Gleich alles, Donnerwetter!« sagt Herr Roland, aber er wird ein wenig ernst dabei und läßt unwillkürlich ihre Hand los. Zugleich kommt Poltern den Gang herab, Herr Friedrichs erscheint, schwingt den Klavierauszug und ruft: »Roland! Raus! Himmelherrgott, es hat schon angefangen!«

»Na, dann spuck noch dreimal«, sagt Herr Roland und verschwindet seufzend in der Bühnentüre, die hart hinter ihm zufällt.

Ina horcht noch vor sich hin und denkt, wie es wäre, Herrn Roland den Kuß zu geben, und ob eine richtige Liebe draus werden könnte, ob es richtige Liebe überhaupt gibt. Manchmal hat sie den Verdacht, Liebe sei nur eine Theaterangelegenheit, ein Wort, ein Thema für Arien oder *Pas de deux*.

In der Kulisse erzeugt ein Scheinwerfer leise zischend grelle Bündel von Nachmittagssonne. Herr Javelot steht an einer Glastüre aus grüner Gaze und harrt seines Auftritts. Er ist in schwarzseidener Dienertracht, unter den Seidenstrümpfen spielen die Muskeln, das weiße Haar riecht fein nach Puder. Im gelbroten, grellen Schein ist es Ina, als wäre sein leichtgeschminktes, schönes Gesicht sonderbar starr und angestrengt.

»Ein merkwürdiges Gefühl, Doktor, ein merkwürdiges Gefühl: Schwindel«, sagt er zu dem Theaterarzt, der ihm den Puls fühlt und ein Wasserglas schwenkt. *»C'est ça: vertige.* Es wird plötzlich dunkel; ich habe es nie gekannt. Ein Tänzer wie ich und Schwindel. Es wird dunkel. Merkwürdig.«

»Etwas Brom, Herr Ballettmeister! Es ist gleich vorüber. Es ist vielleicht eine kleine Indigestion vom Magen her. Oder haben Sie sich aufgeregt?«

»Ja, Doktor, ich habe mich aufgeregt. Ich habe heute den neuen Tanz gesehen, verstehen Sie: *La danse future.* Ein Tanz ohne Pirouetten, ohne Battissement, ohne alles, und dennoch war Form darin, Kunst, Stil. Ein Tanz, der mich aufregt, weil er mir unbegreiflich ist. Er sagt mir: Jetzt ist es soweit. Sie können sich begraben lassen, alter Herr Javelot.«

»Raus! Santo! Raus!« zischt Herr Friedrichs in die Kulisse, und Herr Javelot öffnet die Tür und betritt die Bühne.

»Hoffentlich schafft es der alte Herr«, sagt der Theaterarzt und entfernt sich mitsamt seinem Brom.

Herr Javelot schafft es. Ina sieht ihm bezaubert zu, seiner

Grazie, der federnden Kultur seiner Bewegungen; es sieht alles so leicht aus, aber Ina weiß nun genau, wie es gemacht wird, und daß es schwer ist.

»Mignonne?« sagt Herr Javelot, er kommt etwas atemlos von der Bühne und hascht unsicher nach ihrer Hand; das erschreckt sie nach all den zierlichen, maßvollen Bewegungen, die sonst seine Sache sind. Seine Hände, von den gelblichen Spitzenmanschetten bedeckt, sind kalt und pressen ihre Hand fest an seine Brust. »Fühle, Mignonne«, flüstert er, »mein Herz klopft, es klopft so unheimlich, immer drei Schläge. Man weiß nicht, daß man ein Herz hat; plötzlich klopft es, plötzlich wird es dunkel.«

»Ja, es klopft«, sagt Ina leise und legt ihre Hand noch fester in das Spitzengeriesel seines Jabots. Da ist es warm, sein Herz schlägt, es ist ihr, sie hielte einen kleinen Vogel fest, der auffliegen will. Ein Gefühl unendlicher Zärtlichkeit überströmt sie. Von draußen kommt zarte, beschwingte Musik: Jetzt raucht das schöne, rothaarige Fräulein Dannot draußen als Susanne ihre Zigarette, und der feine, bittere Duft zieht daher. In einer Ecke räuspert sich Herr Roland. Der Scheinwerfer geht von rotem in grünes Licht über, das kleine Funken aus Inas Perlen reißt.

»Mignonne? Perlen?« sagt Herr Javelot. »Ist es mit dir nun auch schon soweit? Ich hätte es nicht gedacht? Schon die Liebe?«

»Nein, Meister«, sagt Ina und horcht hinaus, wo Herr Roland singt.

»Höre, Mignonne, verliere dich nicht an die Liebe, du hast dein Eigenes, halte dich fest, versprich mir, Mignonne. Du darfst alles tun, du wirst eine große Tänzerin, dir ist alles erlaubt; aber verlier' dein Eigenes nicht, Mignonne: Das, was Sehnsucht hat, das, was fliegen will. Du darfst dir alles nehmen. Aber du darfst niemals satt sein.«

»Raus! Herr Javelot, raus!« sagt Herr Friedrichs und taucht mit dem Klavierauszug hinter dem Scheinwerfer auf.

Herr Javelot betritt die Bühne und spielt die stumme Schlußszene der Oper. Er spielt sie entzückend, voll Humor, Grazie, Meisterschaft. »Achtung!« sagt Herr Friedrichs zu dem Menschen am Vorhang.

»Vorhang!« ruft Herr Friedrichs. Draußen fällt Applaus herab wie Platzregen. »Auf!« ruft Herr Friedrichs. Herr Roland reicht Fräulein Dannot die Hand, sie macht muntere Augen, sie schwitzen und lächeln und verbeugen sich.

»Vorhang!«

»Wo ist Javelot? Javelot muß mit!«

»Auf!«

Herr Javelot verbeugt sich auch, er hat ein sonderbares Lächeln mit tiefen Schminkfalten. Der Vorhang fällt. In der Kulisse taucht Fräulein Javelot auf, sie ist schon fürs Ballett angekleidet, und ihr unbewegtes Statuengesicht sieht unverwandt auf Herrn Roland.

»Auf!« sagt Herr Friedrichs. Applaus, Lächeln. Verbeugung. Der Vorhang kommt wieder herab.

»Nochmal! Auf!« schreit Herr Friedrichs, und Fräulein Dannot faßt nach ihren Partnern.

Als der Vorhang auf halber Höhe ist, begibt sich etwas. Herr Javelot hebt die Hände bis vor den Mund und fällt in sich hinein. Ganz plötzlich liegt er an der Rampe, wie ein leeres Bündel schwarzseidener Kleider. In einem Schnallenschuh blitzt ein Reflex.

»Vorhang!« brüllt Herr Friedrichs. »Vorhang! Vorhang!«

Der Vorhang fällt. Aber der Applaus draußen geht weiter. Inmitten einer Verwirrung nehmen zwei Arbeiter Herrn Javelot auf und tragen ihn fort. »Bühne frei!« schreit Herr Friedrichs. »Bühne frei! Umbau!« Dann bricht Gepolter herein, Arbeiter stürzen sich auf die Möbel, Staub wirbelt hoch, Wände wandern in die Höhe, ein Marmortempel kommt vom Schnürboden herab und aus der Versenkung steigt ein Lager.

Ina steht im Bühnengang und fragt bewußtlos ins Leere hin: »Was war denn los?« Mila Merz taucht an der Ecke unter der Notlampe auf, sie hält die Hände vors Gesicht und weint ganz laut. Hinter ihr dringt Murmeln von den Herrengarderoben her und Schritte, eilig, wie auf der Flucht.

»Was ist denn los?« fragt Ina. »Was ist denn los?«

»Der Schlag hat ihn getroffen«, schluchzt Mila Merz und schaut hilflos in ihre Hände, auf denen weißer Puder, rote Schminkflecke und Tränen liegen.

Daß Ina sich zu den Garderoben durchdrängt, weiß sie nicht und auch nicht, daß sie als einzige ganz still ist zwischen all den Aufgeregten. Man läßt sie durch, und dann steht sie in dem Raum, auf dem eine unheimliche Ruhe liegt, obwohl viele Menschen drinnen schattenhaft wimmeln. Zuerst sieht sie ihn im Spiegel, über dem eine grelle Lampe in Drahtschlingen hängt, dann erst, vom Spiegelbild der schlafenden, schönen Maske fortgleitend, findet ihr Blick den Meister selbst.

Er ist mit einer schwarzen spanischen Capa zugedeckt, einen runden Mantel, und noch während ein Schluchzen in ihr aufsteigt, prägt sich der seidige und seltsam steife Wurf der Falten über dem Körper ihrem Gedächtnis ein. Sie kniet neben seiner kalten, herabhängenden Hand hin und küßt sie.

Ich habe dein Herz in meinen Händen schlagen gefühlt, wie ein Vogel mit den Flügeln schlägt. Jetzt schläft es. Ist das alles? denkt Ina, und im Spiegel sieht es aus, als lächle Herr Javelot, zufrieden über das schöne Arrangement. Es ist ein wenig Pose darin, wie er nun daliegt, in den schwarzen Mantel gehüllt und tot, und auch die Bewegung, mit der Ina seine gelbliche Hand küßt und losläßt, ist schön, aber nicht ganz echt. Dann aber springt die Tür auf, fliegt knallend gegen die Wand und läßt Fräulein Javelot ins Zimmer, die über den Vater hinstürzt, die seinen Kopf in ihre Arme preßt, die französische Schmeichelworte hervorweint und seine toten Füße in den Schnallenschuhen küßt. Fräulein Javelot, die Statue, die ganz aufgebrochen ist in einem Schmerz, der Ina erschreckt und bezaubert. Hinter ihr, an der Wand, steht Herr Roland und bohrt die gespreizten Finger in die Kostüme, die da hängen. »Eugénie«, flüstert er immerfort, »Eugénie!«

»Raus«, sagt Herr Friedrichs, der in der Tür erscheint, schattenhaft geballte Köpfe hinter sich zurückdrängend. »Roland! Raffay! Raus. Alles raus! Alles in die Garderoben.«

Dann ist der halbdunkle Gang wieder still und leer. Ina verkriecht sich in dem Schattenwinkel hinter den ägyptischen Stühlen. So sieht der Tod aus, denkt sie, so wie Herr Javelot. Einmal wird es einen Tanz geben mit dem schwarzen Mantel, man wird das Schwindlige tanzen, und die Angst, und das klopfende Herz, und nachher die Ruhe, den Schlaf unter den Falten der Capa. Konradin muß einen Trauermarsch schreiben.

Auf dem Lager stöhnt Herr Roland, der sich allein glaubt. Sein blondes Haar fällt ihm über die Hände, er kauert da, den Kopf tief zwischen die Knie vergraben, und flüstert immerfort: »Das ist entsetzlich, das ist entsetzlich, sterben ist entsetzlich, ich will es nicht, ich will nicht sterben«, und sein klares Gesicht ist aufgerissen von Angst und Entsetzen.

Also haben auch diese Leute Masken, denkt Ina, diese Silbernen? Es ist Verwunderung in dem Gedanken und eine saugende Verlockung, hinzugehen, seinen Kopf in die Arme zu nehmen und ihn zu trösten. Ina richtet sich auf, aber als sie den ersten Schritt tut, erblickt sie Fräulein Javelot, die den Gang herabkommt, in die dünnen Falten ihres Feenkleides schluchzend.

»Eugénie, du«, flüstert Herr Roland, und obwohl er flüstert, ist es wie ein Schrei. »Komm zu mir, Eugénie, komm zu mir, verzeih mir, bleib bei mir, Eugénie, geliebtes Leben!«

Er streckt die Arme greifend aus, und Fräulein Javelot die Statue, lebt, sie sinkt an ihn in einer Bewegung, die Ina nie gesehen hat, nie im Ballett, nie auf der Bühne, nicht einmal im Traum. Die beiden Menschen vergraben sich ineinander, sie küssen einander, sie stammeln, weinen, schluchzen, sie pressen einander die Hände ins Haar, sie sehen sich an und versinken neu, sie trinken einander aus wie Verdurstende in einem Taumel von Todesangst und Lebensleidenschaft.

Ina steht in ihrem Winkel und atmet schwer; sie ist schneeweiß, und ihre Lippen beben unaufhaltsam. Türen tun sich auf. Sie hat den Tod gesehen und auch die Liebe.

»Alles auf die Bühne!« ruft Herr Friedrichs, schattenhaft im Gang erscheinend. »Alles auf die Bühne! Es wird weitergespielt.«

Tanz der kleinen Seejungfrau

Daß Ina Raffay Thomas Brandt, den Komponisten, kennenlernte, geschah im März auf dem Fest der Presse, wo sie tanzte. Er stand an der kleinen Treppe, über die Ina zum Podium hinaufging, und schaute sie an. Sie trug das grüne Gewand, und ihr offenes schwarzes Haar wehte schwer an ihm vorbei und streifte seine Knie. Er schloß einen Augenblick lang die Augen, und in diesem Augenblick ging er tief in den herben Duft hinein und sah Bergwiesen, seidig dem Wind hingeneigt und von schwankenden Arnikablüten überwachsen.

Als Ina ihren Tanz beendigt hatte und mit schüchternem und erschöpftem Lächeln die Treppe hinabstieg in den Applaus hinein wie in ein Bad, das ein wenig frösteln macht, stand Thomas Brandt noch immer da und sah sie an. Er war groß und schmal, hatte sehr dunkles Haar, steil aus einer sehr hellen Stirn wachsend, und seine Augen sahen aus, als brenne hinter der dunklen Pupille ein bronzerotes Licht. Unter einem kurzen dunklen Bart verbarg sich ein sinnlicher und willensschwacher Mund; aber dies sah Ina Raffay damals nicht. Sie spürte nur seinen Blick als ein Lebendiges, Anderes, zwischen Schablonengleichen, Verlarvten. Ein Komiteeherr zog beflissen weiße Handschuhe über schwitzende Hände und stellte Thomas Brandt vor.

Herr Pratt kreiselte im dunstverhangenen Saal umher und verbreitete Stimmung, er wirkte im Schweiß von Angesicht und Glatze für Inas Erfolg. Das rote Seidentaschentuch wehte wie ein Wimpel durchs Gedränge. Er hatte Inas Auftreten hier bewirkt. Viele fühlten sich durch Inas Tanz, diesen gänzlich neuen und befremdenden Tanz, wie vor den Kopf geschlagen. Andere tobten begeistert und leerten im orientalischen Sektzelt Gläser auf die Zukunft des kommenden Sterns. Junge Kavaliere schleppten Sträuße aus dem Blumenzelt, luden sie vor Ina ab und klebten schmunzelnde Blicke auf ihre nackten Beine, die sich zart unter der grünen Seide abzeichneten. In einem Nebenraum spielte Papa erbittert Tarock; er schämte sich Inas, ihrer trikotlosen Beine, ihres offenen Haares, ihres traditionsfremden Tanzes, und daß sie unaufhaltsam die Wege der Romantik wandelte. Irgendwo saß Mama in schwarzer Seide und kränkte sich, weil ihr Mädchen vor den Leuten, mitten im Wirklichen, Träume auffaltete, die man kaum in Dämmerstunden, über ein Chopinsches Notturno geneigt, zu denken wagte.

Ina saß auf der Galerie im Schatten einer unechten Palme und sah in den Saal hinunter, der ihr in Dunst und Tanzmusik entgegenschwankte. Die Füße hatte sie gekreuzt und die Zehen lagen müde in den Seidenschuhen.

»Sie dürften keine Schuhe tragen bei Ihrem Tanz«, sagte Thomas Brandt über sie geneigt. »Schuhe sind zu irdisch, zu tatsächlich, es ist ein Tanz für nackte Füße.«

»Woher wissen Sie das? Ja, es ist für nackte Füße gedacht; aber Herr Pratt erlaubte es nicht, er hat meine Mitwirkung durchgesetzt, und daß ich ohne Trikot tanze, ist schlimm genug. Papa schimpft, Mama weint, es hätte einen Skandal gegeben; man kann doch nicht mit nackten Füßen tanzen.«

»Doch, doch. Das kann man. Ich sah in London die Duncan, etwas ganz Neues. Sie haben noch nicht davon gehört? Die tanzt mit nackten Füßen.«

»Geht das?« fragte Ina und öffnete die Augen weit. »Gibt es das? Ich dachte, es ist nur von mir.«

»Wie Sie tanzen, ist es nur von Ihnen. Sie müssen es

immer so machen, wie Sie sich's denken, es muß ganz Ihr Eigenes sein, dann wird es wundervoll. Hören Sie: Ich möchte Ihren Fuß sehen. Ich denke mir, er ist gelblich wie alte Spitze, klug wie eine Hand, jede Zehe ist lang, hat ein eigenes Gesicht und einen Namen für sich.«

»Beinahe, Herr Brandt«, sagte Ina und lächelte.

»Ich habe noch nie eine Frau mit einem schönen Fuß gesehen«, sagte er, und da keine Antwort kam, leiser: »Und ich kenne viele Frauen.«

Ina schwieg, ihr war fiebrig, und ein Schauer streifte sie.

»Ihr Haar«, sagte Thomas Brandt, »wissen Sie, daß es am Boden hinschleift, wenn Sie mit zurückgeneigtem Kopf tanzen?«

»Nein, das wußte ich nicht. Ja, es ist lang, es macht mir viel Kummer. Herr Forli verlangt Modefrisuren, der neue Ballettmeister, und das läßt es sich nicht gefallen, es rebelliert.«

»Es rebelliert?«

»Ja, es seufzt, wenn es toupiert werden soll, es gibt Funken, es macht Lärm, daß alles in der Garderobe lacht. Nachher windet sich jedes einzelne Haar vor Verzweiflung und reißt mich am Kopf.«

»Ja, so sieht es aus, so lebendig, so pflanzenhaft lebendig. Darf man es einmal angreifen, dieses Rebellenhaar?«

»So können Sie es auch spüren, wenn ein Ding lebendig ist? Wie gut. Ja, man darf es angreifen.«

Er griff an ihr Haar, und eine blaue Ader schnellte striemengleich in seiner weißen Stirn auf. In seine Augen kam etwas Düsteres, Bewußtloses, das Ina den Atem nahm; und plötzlich riß er mit beiden Händen die Last ihres Haares an sich, an seinen Mund, vergrub sein erblaßtes Gesicht darin, und es war ihm, er ertrinke.

In diesem Augenblick geschah es, daß in Ina zum erstenmal eine Flamme hochschlug, daß ihre Haut sich zusammenzog und ihre Kniekehlen sich mit süßer Schwere füllten.

»Was ist das? Was tun Sie mir?« flüsterte sie hilflos.

»Weißt du das nicht? Wie alt bist du? Sechzehn Jahre? Ich glaube, du weißt noch gar nichts von dir, wie du bist und dein Tanz, so neu, so unerhört, so anders.«

Er ließ ihr Haar mit einer plötzlichen Bewegung fallen. Ina sah ihn an und zitterte.

Da aber tauchte Konradin neben der Palme auf, Konradin in Papas altem Frack, mit haltlos bebenden Lippen und gesenkten Augen, und sagte mühsam: »Durchlaucht, der Wagen wartet.«

Ina gab Thomas Brandt die Hand, sie spürte seinen Puls gegen ihre Haut klopfen, sie ging sehr gerade durch den Saal, alle Menschen sahen grau aus und standen hinter Glaswänden. Als sie zu Hause in ihrem Bett lag, spürte sie zum erstenmal sich selbst, und die Welt war wie verwandelt.

Eine von den tausend Türen hatte sich geöffnet.

Das zweite Mal sah Ina Thomas Brandt bei einem musikalischen Tee im Hause des Barons Delares, wo Fräulein Dannot seine Lieder sang. Das Haus stand inmitten des Gartens, und die Blüten des spanischen Flieders schlugen in Wellen bis an die hohen Fenster. Ina war sehr müde in diesem Frühling, und Baron Delares, der ihr die Hand küßte, fragte: »Haben Sie Fieber, Ines? Seit einiger Zeit sind Ihre Hände immer heißer als bei normalen Menschen.«

Die alte Gräfin Amadei, vorne in rotem Lehnstuhl thronend, ließ sich Ina vorstellen und strich ihr über die Stirne. Sie fand sie entzückend mit ihrem glatten, weißen Kleid und den grauen Perlen. Der französische Botschafter blieb sprachlos, als er Ina erblickte, und das wollte viel besagen. Fürstin Hatzfeldt sagte mit ihrer tiefen Stimme: »Der Delares hat Glück mit seiner Nichte; sehen Sie meine Nichten daneben an, liebe Gräfin, die kleinen Wedenbrucks, ja, von der böhmischen Linie: Saure Milch mit Schnittlauch.« Die Damen rückten näher an Ina heran; die kleine Komtesse Morstin legte mit einer hingerissenen und spontanen Bewegung den Arm um Ina. Am Klavier blätterte das hübsche rothaarige Fräulein Dannot in Noten, während ihre munteren Augen sonderbar prüfend über Inas Gestalt hinliefen. Rückwärts an der Türe des Wintergartens drängten sich Uniformen und Smokings; man sprach von dem Verhältnis, das die Dannot mit ihrem Komponisten haben sollte, und flüsterte Bemerkungen über Ina. »Eine Donquichotterie vom alten Delares!« sagte Herr von Sellmayr. »Er macht ihr ein Entree wie einer Erzherzogin; am Abend kann man sie hopsen sehen, wenn man sechzig Kreuzer fürs Stehparterre bezahlt.«

»Kinder, seid nicht vorlaut.«

»Ich könnte noch andere Donquichotterien begreifen für so ein Geschöpf, noch ganz andere. Und paßt auf, was ich prophezeie: Er wird sie machen, die andern Dummheiten.«

»Wie alt ist der alte Delares eigentlich?«

»Sie soll ja eine neue Art von Tanz erfunden haben, mit beinahe nichts an; die Juden haben in allen Zeitungen Fanfaren geblasen.«

»Wird sie hier tanzen?« fragte der junge Prinz von Birkenfeldt; er stand in seiner Kadettenuniform unter der Türe, und sein Gesicht hatte einen sonderbar gepreßten Ausdruck angenommen, während er Ina anschaute. Man lächelte. »O Gott, wie ist dieses Baby naiv. Sehen Sie doch den Baron Delares an, ob der seine Nichte hier tanzen lassen würde! Er wünscht, daß Fräulein Raffay eine Dame ist: Sie ist eine Dame. Man weiß einfach nicht, daß sie tanzt. Wenn der alte Delares sie heiratet, wird keiner mit der Wimper zucken; nicht wahr, Baby?«

»Es muß schön sein, wenn sie tanzt«, sagte der junge Prinz Birkenfeldt, und sein Knabengesicht hatte einen verschüchterten und gepeinigten Ausdruck.

»Ja, Baby, ja, rege dich nicht auf: Es muß schön sein, wenn sie tanzt. Jetzt still, die Dannot fängt an zu singen.«

Ina saß vorne bei den jungen Damen, seitwärts vom

Flügel. Die Hände lagen ihr geöffnet im Schoß, sie wußte nicht, wie sehnsüchtig das aussah. Ihr Herz klopfte, sie hörte es in die Lieder hineinschlagen. Seit einem Monat sah sie immerfort Thomas Brandt, sein Bild war in die Luft gezeichnet, auf der Bühne, im Probensaal, in der Garderobe stand er, saß im dunklen Parkett, ging auf der Straße, noch im wachen Traum neigte er sich über sie, eine dünne Bildsäule aus Elfenbein. Tausendmal hatte er ihr Haar genommen, es an sich gerissen, sich darin vergraben mit jenem schmerzlich erlöschenden Ausdruck, der sie zittern gemacht hatte. Nun war er wirklich da, sie sah sein Profil und seine Hände, sie war nun sehr müde und ein wenig ernüchtert. Fräulein Dannot sang Lieder von Hugo Wolf und dann die seinen. Sie sang klug, mit einer süßen, aber geheimnislosen Stimme, und das rote Ringelhaar bebte wirksam um das wache Gesicht. Ina öffnete den Mund und horchte in Thomas Brandts Musik hinein. Es waren Lieder auf japanische Texte, und sie kamen eigentümlich schillernd und zart daher, irgendwie schmetterlingshaft und entschwebend. Man applaudierte stark, denn seit dem Erfolg einer Symphonie war Thomas Brandt in Mode; die Gräfin Amadei nickte mit ihrem freundlichen Papageiengesicht und nannte ihn Meister. Ina ergriff es sehr, zu sehen, wie seine Augen auslöschten, als er sich vom Klavier erhob, und daß seine Brust sich noch unter der Spannung der Lieder heftig hob und senkte, indes sein Blick schon mit leerer und zielloser Höflichkeit durch die Menschen ging. Aber als seine Augen Ina erblickten, wurden sie gleich wieder durchsichtig, und das Bronzelicht hinter den Pupillen begann zu scheinen.

Später fand er Ina im Wintergarten, der leer und still war, vom Rieseln eines kleinen Brunnens durchplaudert, wie sie einen Blumenstrauß zerpflückte, der in ihrem Schoße lag.

»Immer Tuberosen«, sagte sie, befangen aufblickend, »täglich Tuberosen; ich mag sie nicht; sie sehen aus wie Leichen von Blumen, die man einbalsamiert hat. Aber wie sie riechen! Onkel schenkt sie mir, um zuzusehen, wie ich daran rieche.«

»Wie sieht das aus, Mignon?«

Ina hob schnell den Kopf: »Nennen Sie mich Mignon?«

»Man kann Sie nicht gut anders nennen; verzeihen Sie, wenn es kitschig klingt, es ist ein Provisorium. Ich werde Ihren Namen finden, Ihren eigenen, später, noch kenne ich Sie nicht. Aber jetzt das Schauspiel mit den Tuberosen, bitte.«

»Ihr alle macht euch ein Bild aus mir; aber ich *lebe* doch!« sagte Ina; trotzdem senkte sie den Kopf in die Blumen. Sie erblaßte ganz wenig, und Durst und Hingegebenheit zogen über das Gesicht mit den geschlossenen Augen. Sie wußte davon, aber sie verstand sich nur halb.

»Und wer ist dieser Onkel mit dem sublimen Geschmack?« fragte Thomas Brandt nach einer Stille.

»Baron Delares; wußten Sie das nicht?«

»Nein, ich dachte, ich habe eine andere Fassung gehört. Ihr Onkel also. Verzeihen Sie, gnädiges Fräulein. Ein gefährlicher Onkel, scheint mir.«

»Was heißt das: Gefährlich?«

»Sie wollen ihn heiraten?«

»O nein, vielleicht will er mich heiraten; aber Nando erlaubt es nicht.«

»Nando also. Wer ist das wieder?«

»Sie sind sehr neugierig, Herr Brandt.«

»Ich bin schrecklich neugierig auf Sie, Mignon, Sie können sich das vielleicht noch nicht vorstellen, welche Neugier ich auf Sie habe. Ich habe über Sie nachgedacht, Tag und Nacht.«

»Ja?« sagte Ina mit einem sonderbar schwebenden Lächeln, und die Tuberosen glitten zu Erde. »Nando also: Wer das ist? Das sagt sich nicht so leicht. Ein junger Mensch, sehr häßlich, sehr gut. Mein guter Kamerad, aber wissen Sie, auch richtig, wie's im Lied heißt: Als wär's ein Stück von mir. Wir sind zusammengewachsen. Er sitzt irgendwo in der Welt und gibt acht, damit ich das Richtige tue und daß ich nicht ins Wirkliche falle. Mein besseres Ich, wie es in Büchern heißt. Übrigens ist er auch der Sohn meines Onkels«, fügte sie hinzu und war selbst verwundert, da ihr dies zum erstenmal zu Bewußtsein kam.

»Das also ist Nando. Und wer hat Ihnen Perlen geschenkt? Es ist schade, daß Sie so kostbaren Schmuck tragen, es tut mir weh. Schmuck tragen alle Ballettdamen. Sie sehen so verkauft damit aus, Mignon.«

»Ach nein; es sind die alten Delaresperlen meiner Großmama. Und ich muß sie tragen, sonst werden sie krank. Ich habe sie sehr lieb. Ich möchte so etwas tanzen, wie Perlen sind. So etwas Schimmerndes, das ganz in sich abgeschlossen ist und doch lebt; ach nein, wenn man davon spricht, ist es nur Unsinn.«

»Erzählen Sie mehr, Mignon, davon. Ich möchte die Musik für Ihren nächsten Tanz schreiben. Es ist mir so viel eingefallen, seit ich sie unlängst sah.«

Ina saß vorgeneigt mit den gefalteten Händen im Schoß. »Kennen Sie das Märchen von der kleinen Seejungfrau?« fragte sie.

»Ja«, sagte er, und eine sonderbare atemlose Erwartung war in seinem Gesicht.

»Das möchte ich tanzen. So etwas sollte es sein. Aber es ist noch zu unklar in mir.«

Seine helle Stirne wurde noch etwas weißer, fast als erschrecke er. »Die kleine Seejungfrau. Wie selbstverständlich doch die Wunder sind«, sagte er ganz in Bewegung. »Mein Stoff. Meine Idee seit langem. Zu Hause liegt die Oper angefangen und beiseitegetan. Ich bin über das Problem der Stummheit nicht weggekommen. Eine Opernheldin, die stumm ist. Jetzt sehe ich, wie es sein könnte. Es ist ein neuer Weg, es ist etwas ganz anderes. Jetzt weiß ich auch deinen Namen: Irin. Wie meine Seejungfrau. Willst du es sein? Wirst du es tanzen? Wirst du mir schaffen helfen, Irin?«

»Ja«, sagte Ina sehr still und wußte nicht, wie glücklich sie lächelte. Er schaute sie an, ihre Hände, ihre zartgedrechselten Mädchenschultern unter der weißen Seide, eine Ader, die blau am bräunlichen Halse schlug, und die sehnsüchtige Linie, die vom gehobenen Kinn zum Mund lief. »Irin«, sagte er ganz leise, »ich habe dich so gesucht, ich habe so gewartet; ich habe unaussprechliche Sehnsucht nach dir gehabt, noch bevor ich dich kannte; ich habe unaussprechliche Sehnsucht nach dir, jetzt, wo du da bist.«

Ina saß reglos; ihr Herz war groß, es füllte sie ganz an mit seinem tobenden Schlag. Sie konnte nicht rot werden wie andere Mädchen, nur ihre Hände glühten, und langsam wich das Blut unter der Bernsteinhaut, und ihr Gesicht überzog sich mit opal schimmernder Blässe. Die Tuberosen dufteten laut in die Stille, der Brunnen sprach verschlafen; Thomas Brandt senkte seinen Kopf tiefer, und als er seine Lippen in ihre geöffnete Handfläche drückte, war es ihr, er stoße ein Glühendes ihr tief und mitten ins Herz.

Dann kam Fräulein Dannot und holte ihn ans Klavier. Dann brachte Baron Delares den kleinen Prinzen Birkenfeldt daher und zeigte seine Miniaturensammlung.

Als Ina in den Klosterfrieden des Heiligenkreuzerhofes eintrat, atmete sie tief auf. Von abgetretenen Treppenstufen schlug Kühle ihr entgegen. Oben stand sie wartend und horchte der jammernden Klingel nach, eine mürrische Person öffnete, eine Tür tat sich auf, im Zimmer mit den tiefen Fensternischen lag gelbe Nachmittagssonne hingestreut, an den Wänden hingen dunkle Bilder. Eine Dame mit sonderbar verdrücktem Gesicht unter ergrauendem Haar drehte Inas Visitenkarte in den Händen, streifte mit einem schnellen Blick ihren Kopf und die feierlichen weißen Handschuhe und sagte: »Herr Brandt läßt bitten, er ist in seinem Arbeitszimmer.« Eine grüngepolsterte Tür schloß sich wie beim Arzt geräuschlos hinter Ina, die schwindlig lächelte. An der Wand, ihr gegenüber, stand Thomas Brandt vor einem Notenregal, er stand so seltsam dort, weit vorgebeugt, und mit den Händen griff er hinter sich und hielt sich fest am dunklen Holz des Schrankes. Er schwieg eine lange Sekunde, und die Ader stand blau und angespannt in seiner Stirne.

»Da bist du«, flüsterte er. »Gott sei Dank, da bist du; du bist wirklich da. Ich habe es ja nicht mehr ausgehalten, ich habe mir ja nicht mehr zu helfen gewußt.«

Ina schlug eine heiße Welle entgegen. »Ich war im Konzert. Ich habe Sie dirigieren gehört«, sagte sie in ein Rauschen hinein, das aus ihr selbst kam. »Es war schön.«

»Setzen Sie sich, Rautendelein, Mignon, Irin. Dort auf dem Tisch steht Tee.«

»Und Sie? Setzen Sie sich nicht?« fragte Ina, stand hilflos und schaute ihn an, der noch immer die Nägel ins Holz grub.

»Ich habe Angst, zu Ihnen zu kommen. Sie haben so oft dort gesessen, immer wenn ich gearbeitet habe, Tag und Nacht, und Sie waren nie wirklich, und wenn ich jetzt dir nahe komme, du, und du bist wirklich da, dann habe ich noch mehr Angst.«

»Vor mir?«

»Vor mir. Ich habe so auf dich gewartet.«

»Seit unlängst?«

»Seit unlängst. Ja. Nein. Mein ganzes Leben.«

Ina bewegte sich nicht, es war sehr still im Zimmer. Irgendwo begann Glockenton; eine Uhr tickte laut und atemlos. Ina hob nur ihre Hand ihm entgegen, ohne es zu wissen, dann fühlte sie ihn an sich hinuntersinken und seinen Kopf und seinen heißen Atem an ihre Knie gewühlt. Sie stand noch immer aufrecht und streichelte die Luft über seinem Nacken, an dem es rüttelte. Er hob den Kopf zu ihr auf und seine Augen brannten wie in einem Schmerz.

»Küß mich«, flüsterte er. »Küß mich.«

Sie schüttelte leise lächelnd den Kopf, sie stand da, ganz in steile Flammen gehüllt, mit ausgelöschtem Gesicht, und hielt sich fest wie in einem Krampf.

»Küß mich, nur einmal küß mich. Ich hab dich lieb«, flüsterte er, umfaßte kniend ihre Schultern mit den Händen.

Da ließ sie sich los. Da schnellte sie ab und nahm seinen Kopf, sein Haar, seinen Mund, da trank sie sich fest an ihm, da sank sie in ein Uferloses, das schmerzte und beseligte. Da erwachte sie und erschrak. Die Glocke läutete noch. Die Uhr tickte noch.

»Nein, nicht«, sagte er, »nicht diese Angstaugen, ich tue dir nichts, ich werde dir nie etwas tun.« Er war sehr blaß, als er Ina losließ, aber er schien ruhig. Er streichelte Inas Hände und ihre Schultern, die zitterten. »Arme Hände«, flüsterte er, »seid ihr erschrocken? Habt ihr geschlafen bis heute und seid aufgewacht, liebe Durstlippen, liebe Mädchenschultern, liebe, schmale Knie?« Er sank ganz zur Erde und preßte seine Stirn an ihre Fußgelenke. »Ich möchte schlafen«, flüsterte er, »ich möchte wieder schlafen können, ich habe nicht geschlafen, seit deinem Tanz, glaube ich. Nur immer gearbeitet, Sehnsucht gehabt und gearbeitet. Du weißt es nicht, Irin, was du mir bist. Du hast mich überschüttet mit Gedanken, überall ist Musik, seit du da bist. Ich habe viele Frauen gehabt, viele, viele, immer hat es mich zu Frauen gerissen, immer war Gewöhnlichkeit dabei, und sie haben mich arm gelassen. Du, Irin, du weißt nicht, wie du schenkst. Mein Du, mein Anderes, meine Sehnsucht. Holdes, Unwirkliches. Hab keine Angst vor mir, ich rühre dich nicht an. Schau meine Hände an, es sind Beterhände, aufgehoben zu dir, und sie warten, was du hineinlegst.«

»Deine Hände«, sagte Ina und legte ihre Wange hinein, zärtlich und wie eine Frucht, »deine Hände! Ich habe ihnen zugesehen am Klavier und wenn du dirigierst. Es sind so starke Hände. Schlafen sie jetzt? Ich habe deine Hände lieb.

Ich habe dich lieb. Deine Augen, du«, sagte sie und hatte ein neues tiefes Lachen. »Eine Lampe brennt innen, nein, laß sehen, sie sind mit Goldmosaik gesprenkelt, das leuchtet so. Kannst du nie mehr schlafen? Und hast du Sehnsucht? Das ist so schön, es ist das Schönste. Ich liege nachts und denke an dich; jetzt weiß ich dich ganz, zeig mir jetzt deine Musik.«

»Meine Hände zittern noch«, sagte er lächelnd, aber er öffnete schon den Flügel und legte Partiturblätter hin, über die sich das Spitzengewebe einer dünnen Notenschrift ausspannte. Er schlug ein paar lang hinzitternde, einsame, sehnsuchtsvolle Töne an. »Streicher, Harfe, Englisch-Horn«, begann er, »das Motiv der ›kleinen Seejungfrau‹.«

Ina legte den Kopf in die Hände und hörte dem Märchen zu, wie es perlenglänzend aufwuchs. Die Zeit verschwand und der Raum. Die Wände rückten weit fort, und vor ihren geschlossenen Augen wuchs Bild auf Bild aus der Musik. Als Brandt endete, war die Sonne schon aus dem Zimmer fortgeglitten, und in der ersten Dämmerung sah er ganz durchsichtig aus, seine Brust ging stark. Ina schwieg eine Weile, sie hob den Kopf dem Fenster zu, vor dem Schwalbenflug hinzackte, und sie sprach es sehr leise aus: »Ich habe dich über alles lieb.«

Er kniete hin und brachte sein Gesicht dicht an das ihre, da sah er ihre Augen schimmern in einem tiefen Ernst, und sie wiederholte: »Ich habe dich über alles lieb.«

»Irin, wir werden so glücklich sein, wie nie zwei Menschen waren. Wir lassen die Welt nicht zu uns herein, nur das Große, Wunderbare. Das Werk soll deines werden, es wird unser Kind sein.« Er legte den Kopf in ihren Schoß und flüsterte: »Du meine Erlösung.« Sie schaute wie schlafend über ihn weg ins Zimmer; am Schreibtisch standen Bilder, geneigte, horchende Musikerköpfe und Frauen. Eine kannte sie, es war Fräulein Dannot. »Tom vom Füchschen«, las Ina, es kam ihr kaum zu Bewußtsein und brannte dennoch ganz fein.

»Die Frauen verwöhnen dich sehr?« fragte sie abwesend und dachte dabei, wie fest und federnd seine Schultern waren bei aller Schmalheit.

»Ja. Sie spüren einen, der auf der Suche ist; sie drängen sich danach, Erlöserin zu sein. Ein unheimliches Volk sind Frauen, jede will glücklich machen und sich aufopfern. Nachher wird es immer das Gewöhnliche mit dem bösen Nachgeschmack.«

»Glücklich machen will ich dich auch. Ist es das Gewöhnliche?«

»Ach du, Irin, du kommst aus Traumland, dein Rocksaum ist noch ohne Staub, deine Füße gehen nicht im Alltag.« Deine Füße gehen nicht im Alltag, Irin, klang es in ihm, es war eine Melodie in *As*.

»Auch Opfer bringen will ich, du«, sagte Ina still. »Ich will die ganze Liebe, die große, die auch Schmerzen hat. Ich will sie segnen, wenn sie von dir kommen. Und sonst kann ich ja auch die Seejungfrau nicht tanzen.«

»Schmerzen willst du, du Kind? Sie kommen. Bald. Laß mich dann nicht allein, Irin. Bist du denn auch stark, du Zartes?«

»Ja, stark bin ich«, sagte Ina und spannte ihren Körper, den sie fühlte wie einen neuen Besitz.

»Küß mich noch einmal. Du mußt jetzt gehen. Gib noch einen Kuß für die lange Nacht. Morgen muß ich dich wiedersehen; küß mich heute noch einmal«, flüsterte er heiß.

Ist es immer derselbe Taumel? dachte Ina, indes sie neu an ihm versank. Er ließ sie plötzlich los, er stieß sie fast von sich. »Geh jetzt«, sagte er verhalten. »Geh, leb wohl, leb wohl, süße Irin.«

Draußen im anderen Zimmer erhob sich die graue Dame aus einer der tiefen Fensternischen. Was für ein verschobenes Gesicht, dachte Ina flüchtig, und gestorbene Hände.

»Willst du mich bekanntmachen, Thomas?« sagte eine klanglose Stimme.

»Verzeih! Fräulein Raffay, darf ich Sie meiner Frau vorstellen?« sagte irgendwo in taumelnden Schleiern ein fremder Herr Brandt.

»Ich freue mich sehr, gnädige Frau«, erwiderte ein höfliches Fräulein Raffay, das weiße Glacéhandschuhe über ohnmächtige, eisige Finger zu ziehen versuchte.

Niemals ist Liebe für zwei Menschen dasselbe, und darum ist es wohl auch, daß sie so bittersüßen Geschmack hat. Auch das, was Ina Raffay und Thomas Brandt ihre große Liebe nannten, war etwas gänzlich Verschiedenes.

Ina liebte ihn und liebte auch die Liebe als etwas, das ihr Hände, Herz und Kehle anfüllte, randvoll mit Jubel und Verzweiflung. Alles versank für sie, nachtwandlerisch ging sie hin, lebte ein traumhaftes Leben. Sie wurde ganz Irin, das Geschöpf aus einem perlendurchschimmerten Sehnsuchtsland, wie Brandt sie sehen wollte. Irgendwo hinter Glaswänden rollte die Welt sich ab mit einem schikanierenden Herrn Forli, einer feindselig dummen, geschwätzigen Garderobe, einem mißtrauisch knurrenden Papa, einer Mama, die manchmal verweinte Augen hatte, einem reklamesüchtig lauernden Herrn Pratt. Der Schatten eines unaufhaltsam verkommenden Konradin, abends an den Bühnenausgang gelehnt, wurde oft übersehen, manchmal geduldet, wie ein Hund, der schweigend um Stimmungen weiß.

Für Ina war alles traumhaftes, zusammenhangloses Gewimmel, und nur in den Stunden mit Brandt lebte sie ihr eigenes Leben.

Bei Brandt war es umgekehrt.

Er lebte wie immer die tätige, wache Existenz eines berühmten Mannes, er schaffte, hielt Proben ab, empfing Besuche, machte Reklame, leitete Konzerte, und seine Beziehungen zu Dingen, Menschen, Frauen erlitten keine Änderung. Nur, daß manche den Vierzigjährigen verjüngt fanden, daß Kritiken einen neuen Aufschwung und Glanz seiner Leistungen notierten und daß er wenig schlief und viel komponierte. Er lebte sein wirkliches Leben stark und erhöht, und für ihn waren die Stunden mit Ina ein abseitiger Traum, den er seinem Herzen vergönnte, damit es heißen Schlag behalte und nicht müde werde, Musik zu schenken.

Eines aber machte ihnen beiden ihre Liebe so stark, so durchdringend, so verklärt und jede Minute des Beisammenseins kostbar verdichtet: Das war das Gefühl des Hoffnungslosen, Tragischen, des Unerfüllbaren. Ewige Sehnsucht hielt sie beide gespannt, hoch über das Alltägliche. Die Sehnsucht zueinander, die Sehnsucht zu allen Dingen und über die Dinge hinaus.

Ina erhielt einmal von Brandt ein Buch mit dem Motto: »Liebe ist unglückliche Liebe«. Sie schrieb ihm: »Das Buch ist schön, aber die Menschen darin sind schwach. Wir sind stark, du und ich. Wir werden uns immer lieben, aber wir werden einander nie gehören. Du weißt es.«

Brandt wußte es. Ina kam nie in sein Haus. Sie sprach niemals mehr darüber, daß er eine Frau hatte. Sie sagte nur einmal: »Habe keine Angst, daß ich kleinlich bin oder furchtsam. Aber Halbes will ich nicht, und teilen kann ich nicht. Ich werde immer bei dir bleiben, aber ich werde niemals dir gehören.« Und er sah in ihren Augen einen unwiderruflichen Ernst.

Sie wußte nicht, wie schön und einzig es sie machte, daß sie nicht zu haben war, und daß er ihr langsam dankbar dafür wurde. Sich unerfüllt und stark zu sehnen, war ihm neues Gefühl, etwas Unbegreifliches, beglückend Heftiges, das er Liebe, zum erstenmal die richtige Liebe, nannte. Ihr war es das Selbstverständliche.

Jede Liebe hat einen bekränzten Tag, ein paar Stunden von solcher Leuchtkraft, daß sie noch nach Jahren, wenn Liebe längst gestorben ist, ihren Schimmer haben, wie tote Sterne, die noch lange Licht geben. Der von Ina und Brandt begann an einem durchsonnten Sommermorgen, auf einem kleinen Bahnhof im Gebirge, wo Brandt sich viel zu früh einfand, um Ina abzuholen. Sie kam, sie sprang über alle Stufen weg in seine Arme, sie brachte ihre kühlen, jungen Morgenwangen, den herben Duft ihres Haares, sie trug ein Kleid aus ungebleichtem Leinen und am Kopf eine verwegene Mütze, so violett wie ihre Augen. »Einen ganzen Tag, du!« sagte sie. »Einen ganzen Tag mir dir, es ist kaum auszudenken. Wenn wir im Wald sind, werde ich schreien müssen vor Freude!«

Er legte seinen Arm unter den ihren, daß er sie ganz nah und warm an sich fühlte, und sie gingen los. Die kleine, alte Stadt lag sonntäglich verstummt, Giebelhäuser blinzelten schläfrig in durchsonnte Luft, nur Schritte von Wandermenschen schlugen das Klinkerpflaster. Von der Kirche am Hügel stießen Turmfalken ins Blaue empor und hingen dann lange reglos. Am Waldsaum lag Heckenrosenduft wie eine Erinnerung. Aus heißer Lichtung schlug Harzgeruch, und hinter dem Busch tropften rote Erdbeeren süß in hohes Gras. In der Schloßruine am Berg saßen sie lange in tiefen Fensternischen, schauten auf das stetig hinwallende grüne Gewipfel hinunter, sprachen von leisen Dingen oder schwiegen oder lächelten. Dann gingen sie den Bergkamm entlang. Brandt hatte seinen Arm um ihre Schultern gelegt, Wärme floß süß und zart in ihn über, und dann durfte sie auch schreien vor Glück. »Wir sind ganz allein auf der Welt, du und ich«, sagte Brandt, der durch alles Frohe hindurch sonderbar weich und verträumt war.

»Ganz allein auf der Welt und einen ganzen Tag lang! Ich glaube, er hat nie ein Ende. Wenn man mir jetzt sagen würde: ›Fräulein Raffay, seien Sie vorläufig recht froh, heute abend, wenn der letzte Zug geht, um zehn, werden Sie umgebracht‹: ›Bitte! Es soll mir ein Vergnügen sein. Einmal muß man sterben, und bis dahin ist es ja noch so lange.‹ Oder nein«, setzte sie etwas später hinzu und lächelte sehr hell, »vielleicht wäre es mir gerade recht, wenn ich heute abend totgemacht würde.«

Er sah sie von der Seite an: Du Kindisches, dachte er.

»Du hast es nicht leicht, kleine Seejungfrau«, sagte er behutsam und sah von der Seite in ihr zusammengeschlossenes Gesicht, das zu lächeln versuchte.

»Nein, nicht immer«, antwortete sie verhalten, und ein Zug durchweinter, durchkämpfter, durchsehnter Nächte ging an ihr vorbei. »Hast du es denn leicht?«

Darauf schwieg er. Erst viel später, scheinbar ohne Zusammenhang, fragte er: »Eines möchte ich wissen: Bist du eigentlich eifersüchtig?«

Aber Ina gab keine Antwort. Brandt schritt hinter ihr her, die einen Zweig quer über die Schultern trug, wie die Schnitterinnen in Amrun ihre Rechen trugen. Ihre Gestalt stand fein und fest in die Luft gezeichnet, von schmalen Gelenken gefedert, und unter der Haut der Arme leuchtete das Blut. »Irin«, sagte Brandt, und einen Augenblick lang überkam ihn sein Gefühl zu ihr so stark und beglückend und blendend, daß er die Augen schloß und die Arme ausstreckte. Sie drehte sich um, und an seine Brust geworfen hörte sie ihr Blut singen und sah vor ihren geschlossenen Lidern Sonnenkringel spielen und huschenden Blätterschatten. Er spürte sie ganz und spürte zugleich schon die Sehnsucht, mit der er sich in Jahren an den Heckenrosenduft dieser Stunde erinnern würde; und traumhaft hörte er auch schon die Melodie eines Liedes, eine feine Sommermelodie im Sechsachteltakt.

Später tat sich ein Wald von dunklen Föhren auf, lila auf den Goldgrund von tausend Goldregenbüschen gestickt, die süßen Akazienduft atmeten. Eine Bergwiese öffnete sich, seidig zu Tal geneigt. Das Gras stand hoch, üppige Blumen schlugen auf, Türkenbund, Wiesenschaumkraut und rosige Malven. »Jetzt möchte ich mich fallen lassen, tief ins Gras«, sagt Ina und breitet die Arme aus.

»Tu es doch«, sagt Brandt, und eine Atemlosigkeit ist in ihm. Ina läßt sich sinken mit gebreiteten Armen und geschlossenen Augen. »Komm«, flüstert sie; sie weiß nicht, wie durstig sie aussieht, und als sie die Raserei spürt, die ihn über sie hinwirft, erschrickt sie. Sie nimmt ihn ganz fest an sich, in ihre Arme, an ihr Herz, an ihren Mund; er tut ihr so leid, sie kann ihm nicht helfen, sie flüstert Tröstendes wie zu einem Kind und streichelt sein Haar. »Sei still«, flüstert sie, »sei ganz still. Oben gehen Wolken hin. Ich hab' dich lieb, sei still. Da leg' deine Hand auf mein Herz, du wilder Brandt.«

Oben gehen Wolken. Bienen summen, Schmetterlingsflug weht über blühende Gräser. Inas Herz ist warm und pochend, er fühlt es an seine Hand klopfen, auch die Erde ist warm und von atmendem Pulsschlag durchlebt. Er fühlt Irins Wimpern an seiner Schläfe, es ist ihm das Zarteste und Innigste, das er erlebt hat. Er liegt gestillt an ihrer Seite. »Wunderbare«, flüstert er. »Du Wunderbare, daß ein Kuß von dir mehr ist als alle Hingabe und Umarmung von anderen.«

Ina zeichnet mit zärtlichen Fingerspitzen die blaue Ader auf seiner Stirne nach, die langsam verebbt. Dann schläft er plötzlich ermüdet ein wie ein Kind.

Als er erwacht, liegt schieferblaue Dämmerung tief über die Wiese gespannt, am Talrand brennt schwefliges Licht, Murren fällt aus den Wolken und erster Regen. Am Waldrand biegt Sturm stoßweise die Wipfel. Inas Augen schimmern sehr dunkel, und ihr Haar knistert. »Komm schnell, wir müssen heim, es gibt Gewitter«, sagt sie.

»Hast du geweint? Ich träumte, du hast geweint.«

»Warum soll ich weinen?« fragt Ina verschlossen und schaut ihre Hände an.

»Auch deine Schläfen sind naß.«

»Das macht der Regen. Komm jetzt, es wird böse, ich spüre es in den Fingerspitzen.«

Sie laufen zu Tal, einen steilen Holzfällerweg, der feucht und dampfend im Regenrauschen hügelabwärts sinkt. Sie halten sich an den Händen, sie lachen, ihre Wangen sind heiß, Blitze funken hin, und aus ihren Haaren rinnt Wasser. Thomas Brandt fühlt sich unbegreiflich jung und glücklich. Ina sagt: »Wenn doch ein Erdbeben käme; wenn es doch in den Bahnhof eingeschlagen hätte; wenn doch niemals, niemals Abend würde.«

Dennoch wird es Abend. Die kleinen Häuser schlafen zusammengedrängt in die verregnete Dämmerung hinein; vom alten Turm wandern ganz langsame Glockentöne. Aus dem verschleierten Haus kommt schmaler Lampenschein den Weg entgegen, und nasse Jasminbüsche schicken ihren übertriebenen Duft.

»Gleich sind wir daheim«, sagt Brandt.

Darf ich denn in dein Haus? denkt Ina. »Darf ich denn in dein Haus?« fragt sie und weiß es nicht.

»Wir sind ganz allein. Ich will dir zeigen, was ich geschafft habe inzwischen, ich war fleißig; es fällt mir so viel ein. Zwei Akte sind fast fertig.«

Auf den Stufen zur Veranda küßt er sie; viele Abenteuer ziehen an seinen gesenkten Augen vorbei; viele Frauen hat er in das kleine Sommerhaus geführt. Er kann nicht begreifen, was den heutigen Tag so einzig macht, so verzaubert, so über alle Maßen beglückt. Eine dumme Weichheit sitzt ihm in der Kehle, und er möchte Ina viel Liebes tun. Er trägt sie über die Schwelle, er setzt sie in den tiefen, alten Stuhl, er zieht ihr die nassen Schuhe und Strümpfe aus und legt ihre Füße an sein Herz, um sie zu erwärmen. Wenn man vierzig Jahre vorbei ist, dann hat man alles schon einmal erlebt, denkt er dabei. Die Gefühlsrequisiten sind angebraucht, man bringt nur Wiederholungen. Daß Liebe so stark sein kann, ist neu. Alles andere ist dagewesen – schade.

»Du sollst nicht an andere denken, nur heute nicht«, bittet Ina, die von Fernand Gedankenlesen gelernt hat.

Andere: Das ist die Frau mit dem verdrückten Gesicht, mit der Ina in vielen Nächten Auseinandersetzungen hat, die höchst verschieden ausgehen und große Mengen von Edelmut bei beiden Teilen voraussetzen. Andere: Das sind aber auch die Vielen, Unbekannten, es ist ein Knäuel von Frauen, von Nackten, von Eleganten, von Frechen, von Hingebenden, die manchmal erscheinen, wenn man Brandts Hände ansieht oder seine Lippen, oder wenn man Fräulein Dannots, des zutraulichen Füchschens, spöttische Bemerkungen über sein weites Herz zu hören bekommt.

Inzwischen spielt Brandt schon und erklärt manchmal leise in ein paar Worten die dramatische Absicht; wenn Ina die Augen schließt, kann sie schon alles sehen.

»Jetzt weiß ich es«, sagt sie, als er mittendrinnen endet, mit einem fragenden Tongebilde, dort, wo der Prinz der stummen kleinen Jungfrau gute Nacht sagt, am Vorabend seiner Hochzeit. »Jetzt weiß ich, was mit dem ersten Tanz sein soll. Jetzt fange auch ich an zu arbeiten.«

Das Regenrauschen hat aufgehört, vor dem Fenster stehen die Jasminbüsche still im Dunklen, als horchten sie. Auch vom Turm kommt wieder Glockenschlagen herunter. Plötzlich fängt Ina an zu sprechen.

»Ich bin so glücklich«, sagte sie, »unbeschreiblich glücklich, den ganzen Tag. Es war zu schön heute, glaube ich. Vielleicht müßten wir heute Abschied nehmen und uns nie mehr sehen. Oder vielleicht müßten wir heute sterben.«

Da sagt Thomas Brandt das, woran er den ganzen Tag denkt, und das macht, daß Ina schnell den Kopf hebt und weiße Lippen bekommt. »Du müßtest ganz bei mir bleiben; du müßtest mir gehören; du müßtest meine Frau sein«, sagt er.

»Ja. Das müßte ich«, sagt Ina schwindlig.

»Ein ganzes Leben, Ina, ein ganzes Leben. Alle Stunden so wie heute, alle Tage wie heute, alle Nächte, du, alle Nächte. Ich könnte dich heute bitten, würdest du bei mir bleiben diese Nacht, ja, Ina? Sieh, ich tue es nicht, so lieb habe ich dich, so lieb. Ich will nicht eine Nacht, ich will nicht ein Stück von dir, ich will dich ganz. Du wirst bei mir sein, willst du es? Glaubst du mir? Du wirst bei mir sein. Wir werden die Fenster offen haben und im Morgengrauen die Vögel singen hören. Und keine Sehnsucht mehr haben.«

Ina segelte in irgendeiner drehenden, saugenden Bewußtlosigkeit hin; aber da öffnete sie die Augen, es waren richtige Delares-Augen, und sagte: »Nein. Sehnsucht will ich immer haben. Noch während ich dir gehöre.«

»Noch während du mir gehörst. Kleines, kleine Jungfrau, wirst du jetzt daran denken, daß du später mir gehören sollst?«

»Wirst *du* daran denken?« fragte Ina und schaute seine Augen an. Wie sie die goldenen Sprenkel liebte.

»Ja, Irin, ich werde immer daran denken. Aber jetzt, jetzt mußt du fort; wir müssen zur Bahn. Der Mond scheint hell. Wir gehen ganz langsam am Friedhof vorbei.«

»Wir gehen ganz langsam am Friedhof vorbei«, wiederholte er horchend.

Ina lächelte. »Gibt das Musik? Gibt das ein Lied?«

»Vielleicht.«

»Vielleicht gibt es auch einen Tanz: Wir gehen ganz langsam am Friedhof vorbei«, sagte sie, als sie in all das schwimmende Silber hinaustraten.

Als Thomas vom Bahnhof heimging, weinte er und sang den Mond an, wie er es seit seiner Konservatoriumszeit nicht getan hatte. Um Mitternacht notierte er ein Thema, das ihm gekommen war, das Hochzeitsmotiv, aus dem der ganze dritte Akt entkeimen sollte. Später im Bett dachte er inbrünstig an Ina, bis er ihr Bild in seine Arme zwang, bis er sie an sich spürte, warm und bebend, wie er sie heute auf der Wiese gespürt hatte. Sein Einschlafen war ein Untergehen in einem erdachten Kuß, zugleich mit dem traumhaften Einfall, eine *Viola d'amour* im Orchester zu verwenden.

Im November, als die Straßen regenüberschauert und häßlich wurden, als die Wagenfahrten, durch Nebel hinholpernd, nach Trübsinn schmeckten und die Kaffeehäuser überfüllt waren, mietete Thomas Brandt ein winziges altes Haus in einer entlegenen Gasse Grinzings. Es hatte drei kleine Stuben, mit geradlinigen Biedermeiermöbeln angefüllt, und wenn man den perlen- und rosengestickten Glokkenzug zog, tauchte eine gutmütig zwinkernde Person auf, die sich die Lippen leckte und deren Gehabe besagte: »Man ist ja nicht so! Diskretion zugesichert!« Sie wurde enttäuscht, als Brandt das Bett aus der Wohnung schaffen ließ und statt dessen ein Klavier hineinplazierte; er füllte den Sekretär mit Notenpapier, schleppte seine liebsten Bücher heran, seine liebsten Bilder für die Wände, seidene Decken, eine breite, niedrige Ottomane, Blumen, Blumen und überall Blumen. Dann brachte er Ina her und überreichte ihr unter zärtlichen Zeremonien einen enormen Hausschlüssel. Und dann begann ihre gute Zeit.

Je tiefer Thomas Brandt in seine Arbeit hineinschritt, um so stärker überkam ihn irgendeine Sattheit, ein Widerwille gegen sein tägliches Leben, seine Nerven lagen bloß und zuckten schmerzhaft zurück, wenn Nüchternes und Gewöhnliches sie streifte. Er brauchte Gipfelluft, Ekstase. Um Ina schien ihm alles zu sein, was er suchte. Wenn er arbeitete in dem kleinen Haus, das abgeschlossen und verzaubert in den Winter hineinträumte und ganz erfüllt von Inas Wesen war, bebte Schwingung um ihn, und alle Klänge bekamen tiefere Farben. Die Oper wuchs. Er lebte keusch in dieser Zeit, und das machte ihn, den Frauensüchtigen, sonderbar hellhörig, durchsichtig und überreizt zugleich; und daß er sich so unerfüllt nach Ina sehnen mußte, goß Tristansche Leidenschaft in seine Musik.

Nachmittags kam Ina, immer brachte sie dieselbe Berauschtheit mit, die erst verebbte, wenn er zum Klavier ging, ihr sein Geschaffenes zu zeigen; sie liebte zärtlich den dünnen Klang des Mietinstrumentes, der kahle Kastanienbaum vorm kleinen Fenster, windbewegt, wurde Freund für alle Zeiten. Aus dem glühenden Ofenauge sprangen Märchen in die sinkende Dämmerung. Es war so still, wenn dann der Teekessel sang und Brandt seine liebsten Bücher hervorholte und vorlas. Immer dufteten Rosen schwärmerisch durchs Haus. Manchmal löschte er die Lampe und ließ Dunkelheit herabsinken; dann saßen sie schweigend, zitternd aneinandergepreßt und fühlten sich aufgehoben, schwindlig fortgeführt im Strömen ihres Blutes.

Thomas Brandt war immer draußen in dem kleinen Haus, wenn Ina kam, und wenn sie, nach endlosem Abschied in dem gewölbten Torgang, ging, stand er noch lang im Kalten und sah ihren Schritten über den Schnee nach. Während sie in einer lächerlich hellen und wachen Straßenbahn zum Theater fuhr, saß er schon wieder tief verstrickt in den Taumel seiner Arbeit. Mila Merz in der Garderobe warf einen Blick auf Inas abwesende, umränderte Augen und pfiff eine spitzbübische Melodie. Frau Brandt, in zwölfjähriger Ehe mit einem Genie abgehärtet, horchte nachts, bis sein Schritt über die ausgetretenen Treppenstufen heimtappte, und dachte: Was mag er jetzt wieder ausgefressen haben? Sie kochte besonders gut in dieser Zeit, er fand ein Glas Limonade auf seinem Nachtschrank und in kalten Nächten eine Wärmflasche im Bett, die er halb mit Erbitterung und halb mit Wohlbehagen akzeptierte.

In einer Februarnacht beendete er die Partitur. Sein Herz klopfte fieberhft, als er die Feder weglegte, und dann war es ihm, als fließe alles Blut aus ihm fort, Hände und Lippen wurden ihm kalt und leer. Er schaute noch eine Weile erschöpft ins Licht der Lampe, dann trat er ans Fenster. Draußen die Nacht war nicht ganz dunkel. Die Erde, von wässerigem Schnee bedeckt, warf blassen Widerschein ins Zimmer. Thomas Brandt kannte das Gefühl eines bodenlosen Absturzes nach vollendeter Arbeit gut. Fader Geschmack füllte ihm Mund und Kehle; er schlug die ersten Töne des Vorspiels an; sie klangen unerträglich süß und gemacht. Er fror, in einem plötzlichen Schüttelfrost klapperten seine Zähne, das Feuer im Ofen war ausgegangen. Er fiel auf die Ottomane, zog Decken über sich und schlief fast augenblicklich ein. Im Traum erlebte er den Absturz noch einmal. Er sank durch eine große, graue Kälte, eine Zeitlang schwebte er unbeweglich auf gleicher Höhe, während sein Herz fortfuhr zu fallen: Da glaubte er zu sterben. Dann stürzte er weiter, seinem Herzen nach. Sonne schien, er ruhte warm umhüllt auf einer Wiese, es war sehr still und selig da, sein Herz schlug wieder gleichen Schlag, ein Schmetterling strich über seine Lider; da öffnete er die Augen.

Er begriff es nicht gleich, daß Inas Gesicht dicht vor dem seinen war, sie strich ihm das Haar aus der Stirn und fragte: »Liebes, hast du Angst im Schlaf?«

Es war Tag, Nachmittag? Das Zimmer war geheizt, aus dem Ofen sprang Knistern, auf dem Tisch standen frische Teerosen in einer Schale. »Was ist mit deinen Augen?« sagte Ina. »Sind meine lieben Lichter ganz ausgelöscht? Und deine Hände sehen krank aus, ich habe ihnen zugesehen, während du schliefst; es sind ganz müde Kinder, man muß sie auf den Schoß nehmen.«

Sie legte seine Hände auf ihren Schoß, er spürte ihre Wärme zart in sich überfließen und wurde wach. »Wo kommst du her? Ist jetzt schon morgen?« fragte er kindlich.

»Morgen? Ja. Du hast mir geschrieben: ›Komme morgen, wir müssen ein Fest feiern.‹ Jetzt ist morgen. Da bin ich. Ich will mein Fest.«

Er spürte wieder den faden Geschmack im Munde und zeigte nur wortlos auf die vollendete Partitur auf dem Klavier; ihn ekelte davor, und er sagte ungewiß: »Aber ich bin sehr müde.«

Daß Ina dazu ein so feierliches Gesicht machte und etwas wie Tränenglanz in die Augen bekam, schien ihm rührend und komisch zugleich, doch straffte er sich und sagte: »Ja, ein Fest muß heute sein. Ich brauche einen Rausch nach diesem Kater; man ist ja nur ein Gespenst. Man weiß plötzlich, wie leeren Kartoffelsäcken zumute sein mag.«

Im Nebenzimmer stand er mit ausgehöhltem Gefühl und goß unmäßige Mengen kalten Wassers über sich. Heftig erwog er den Gedanken, mit Ina in die Stadt zu fahren und im Trubel unterzutauchen, wo er am lautesten tobte. Aber als er zu ihr zurückkam, waren die Jalousien zugezogen, Kerzen brannten mit stillem, gelbem Schein im künstlichen Abend, die Rosen dufteten stark wie Wein. Und in der Ecke stand Ina scheu und trug ein silbernes Kleid aus ägyptischen Schleiern über den nackten Gliedern. Sie hielt die schweren Augenlider tief gesenkt, und die Arme, die sie ihm zaghaft entgegenstreckte, bebten unmerklich. Sie war so schön, daß er erschrak, dann riß ein atemloses Brennen ihn aus seiner Ernüchterung und zu ihr hin. Wie liebte er sie, wie liebte er sie!

Sie flüsterte: »Es ist mein Irinkleid, mein Festkleid; und ich kann heute bei dir bleiben, wie lange du willst; ich tue heute, was du willst.«

Es machte ihn schwindlig, daß sie das sagte; sie sah so kindlich aus dabei mit ihren siebzehn Jahren und der klaren Kaiserinnenstirn; sie verstand nicht, was sie sprach. Er *wollte* es nicht verstehen. Sie mußte Irin bleiben, die Unerreichbare. Aber er nahm ihren Mund, ihr Haar, er wühlte sich in sie ein, er gab ihr Wein zu trinken, der machte, daß sie sich nicht mehr schämte, sich losließ und ihn unersättlich küßte. Er hielt sie auf dem Schoß, und während er ihre Schultern liebkoste, baute sie Luftschlösser, phantasierte von der kleinen Seejungfrau. Aber davon konnte er noch nicht hören.

Die Stunden brannten festlich hin; manchmal flackerte eine Kerze knisternd auf und verlosch dann. Im Spiegel sah Ina sich schattenhaft auftauchen, und als Brandt sie aufhob und auf das Lager trug, hatte sie stark das Gefühl von etwas traumhaft Schönem und Reichem. Er nahm ihr das Gewand weg, sie schämte sich nicht. Er schüttete Rosenblätter und Küsse über sie hin, und seine Lippen waren kälter als die kühlen Blumen. Sie hörte seine Stimme, eine fremde, betrunkene Stimme, Heißes, Sinnloses stammeln, dann löschte er die letzten Lichter. Das ganze Zimmer war erfüllt von ihrem tobenden Herzschlag. Komm, schrie alles in ihr. Ihre Arme, wie im Krampf gestreckt, empfingen ihn, da er sich im Dunklen an sie drängte und seinen Mund in ihren grub. »Komm«, flüsterte sie, ohne es zu wissen. Aber er lag reglos. Eisige Flammen hüllten sie beide ein, in der Luft war Sausen und purpurnes Wogen. Thomas Brandt rührte sich nicht. Eine Ewigkeit lag er so an ihr. Daß er Ina, die geliebte, nackte Ina in den Armen hielt und sie nicht nahm, war letzter, unerhörtester Genuß. Er kannte die Raserei einer Minute, die ihn bei der ersten Bewegung über sie hinwerfen würde, und er kannte die satte, deprimierte Müdigkeit nachher. Darum hielt er sich fest wie in einem Krampf, und was er empfand, war von solcher Stärke, wie er es ähnlich nur aus Träumen kannte. So lagen sie ewig.

Manchmal knisterte das zusammensinkende Feuer im Ofen. Draußen zog Wagenrollen vorbei, und die Laternen rissen ein Stück aus der Dunkelheit. Manchmal lockerte sich für Minuten der Krampf, und sie versanken, sie wußten nicht, ob in Schlaf oder Ohnmacht. Dann wieder auftauchend, spürten sie neu Glied an Glied gepreßt, und eisig überschauert von unerhörtem Sturm; aber sie bewegten sich nicht. Die Nacht ging hin. Einmal spürte er sie zittern und zog mit einer kurzen Bewegung eine Decke über sie beide. Auch er fror, er fühlte seine Zähne gegen die ihren schlagen; dann kam wieder eine lange Strecke der Bewußtlosigkeit.

Es mußte bald Morgen sein, als Thomas Brandt sich taumelnd erhob und eine Kerze entzündete. Zwischen den Spalten der Jalousien glitt fahles Schneelicht ins Zimmer. Ina lag mit geschlossenen Augen; ob sie schlief, wußte er nicht, aber sie sah erschreckend blaß aus. Er selbst sah sich im Spiegel, schwankend wie einen Betrunkenen, zwischen schattenhaften Möbeln, die gleichfalls schwankten. Er war so müde, wie noch nie im Leben; er griff nach seinem Herzen, das ganz selten und schwach schlug. Schwarzen Kaffee, dachte er zuerst.

»Es wird Zeit, Ina; du mußt dich anziehen und heimfahren. Ich höre schon die ersten Straßenbahnen«, sagte er mit abgewendetem Gesicht. Sie hatte ihn schon lange mit den Augen verfolgt; er sah so zerstört und verwüstet aus, um die Augen waren sonderbare, fahle Flecken. »Mein Liebster«, sagte sie sehr still und zärtlich; es war ihr, als finge sie erst in diesem Augenblick an, Liebe zu verstehen.

»Bin ich nicht stark, Irin? Bist du mit mir zufrieden?« fragte er schlaff.

Sie sah an ihm vorbei. »Ja, ja«, sagte sie wie zu einem Kind; und etwas später nochmals: »Ja, ja.«

Und dann, im Torgang, als er ihr das schwere Tor aufsperrte, sagte er plötzlich: »Jetzt kann ich nicht mehr. Jetzt werde ich mit meiner Frau sprechen, Ina. Jetzt werde ich mich freimachen. Jetzt kann ich nicht mehr ohne dich sein.«

Dies war das Letzte von ihrer guten Zeit.

Nachher wurde alles unbegreiflich anders. Nachher verloschen die Lichter in Thomas Brandts Augen. Nachher war in Ina etwas unheilbar zerbrochen. Das Durchsichtige, Libellenzarte dieser Liebe war weg, eine zu hoch gespannte Saite war gerissen, und es gab nie mehr reinen Klang.

Konradin äußerte: »Darf ich darauf hinweisen, daß in deinen Reden bemerkenswert oft das Wort ›früher‹ auftaucht, Principessa? Es klingt wie ›vor Christi Geburt‹ oder ›vor der Entdeckung Amerikas‹. Früher, da war meine Musik dir gut genug; früher, da hattest du nicht dieses Flackernde, das so schlecht zu dir paßt. Früher, da war noch ein ersichtlicher Zweck dabei, wenn du in der Schönlaterngasse wartetest. Vielleicht weißt du nicht, daß der Heiligenkreuzerhof zwei Ausgänge hat; und steht bei dem einen eine junge Dame, die man nicht so oft sehen möchte, so kann man dieses vortreffliche Gebäude ganz still auf der anderen Seite verlassen. Mach' nicht so entsetzte Augen, ich will dir nicht weher tun, als ich muß.«

»Du lauerst mir auf!« sagte Ina heftig.

»Gewissermaßen, ja. Es kommt auf den Blickpunkt an. Man steht in Haustoren umher, in dunklen Winkeln, zitternd vor Demütigung, man hat einen Menschen, gerade *einen,* so sinnlos lieb, Angst treibt einen hinter ihm her und das Gefühl, daß die Luft nur in seiner Nähe zu atmen ist; nun ja. Man lauert. Ich hätte gedacht, du kennst das jetzt auch, Principessa.«

»Ich weiß nicht, wovon du sprichst«, schloß Ina das Gespräch, und sie war ganz wächsern.

Baron Delares brachte nachmittags, wenn Ina den Tee bei ihm getrunken hatte, eine Kassette zum Vorschein und begann zu kramen. »Sie sollen jetzt den Stirnreif tragen, der zu dem alten Medaillon gehört, Ines«, sagte er, »er paßt jetzt gut zu Ihnen, Sie sind in der Epoche der Romantik, ein bißchen verstiegen, ein bißchen weltschmerzlich, wie? Es steht Ihnen entzückend. Sie erleben, Sie sehen so vertieft aus, ich bin sehr einverstanden damit. Ich mag Dressiertes nicht, nichts, das in Käfigen gehalten wird. Wenn ich meinen Garten der Öffentlichkeit übergeben würde, stünden große Tafeln da: ›Es wird ersucht, den Rasen zu betreten und Blumen abzupflücken. Hunde dürfen nicht an der Leine geführt werden.‹ Warum lächeln Sie, Ines?«

»Weil das Fernand gesagt haben könnte.«

»O nein. Fernand sagt so etwas nicht, der tut es. Ich aber behalte meinen Garten für mich, und die Öffentlichkeit hat nichts drin zu suchen«, erwiderte der Baron nachlässig; nur ein kleiner Muskel spannte sich an den Schläfen.

Ina schwieg und dachte schon wieder den ewigen Kreis: Warum Thomas Brandt anders geworden war und sie selbst anders, und auch die Liebe anders.

Der Baron hob einen grauen Perlentropfen an zarter Platinkette ins Licht. »Später sollen Sie dies auf der Stirne tragen, Ines; später, wenn Sie Frau sein werden. Die Perle ist indisch, sie hat denselben Ton wie die Kette, es war ziemlich schwer, diese graue Perle zu finden. Jetzt sind Sie noch ein Kind, nicht wahr, Ines? Und was Sie erleben, ist Kinderei«, sagte er und spähte vorgebeugt in ihre Augen. »Nehmen Sie es nicht zu ernst, und, wenn ich Sie bitten darf, seien Sie etwas vorsichtiger. Übrigens sieht Ihre Mama in letzter Zeit etwas schlecht aus.«

Das tat Mama. Zu Hause war die Hölle los. Im Kaffeehaus hatte Herr Raffay merkwürdige Dinge über Ina und den Komponisten Brandt reden hören. Es gab stürmische Szenen, und Ina dachte nicht daran, etwas abzuleugnen; sie fand sich ja so im Recht mit ihrer Liebe. Mama legte ihre hilflosen Hände in den Schoß und weinte ohne Hemmung; ganz deutlich sah sie die einzige Tür zufallen, die aus ihrem deklassierten Dasein wieder in eine würdige Delares-Existenz hätte führen können. Das war schlimm zuzusehen. Papa schrie und fluchte unmäßig, er sagte auf ungarisch Dinge, die niemand verstand als Joszika, das neue Mädchen, das schreckensbleich an der Tür horchte. Nachher weinte auch er, und sein Schnurrbart sah trostlos ins Leben. Nachher hatte er Nierenkoliken, daß er eine ganze Nacht tierisch schreien mußte. Nachher schrieb er jenen unseligen Brief im Stil der Versicherungsgesellschaft »Danubia« an Thomas Brandt, der aus Irin, dem Märchenwesen, eine zwar unschuldig Verführte, aber durch Heirat zu Rehabilitierende mit Ausstattung, Möbeln und bescheidener Mitgift machte und viele Wege verschüttete.

Ina saß lange, verwartete Nachmittage draußen in Grinzing, es war kellerig kalt im ungeheizten Haus, aber der

Kastanienbaum vorm Fenster griff schon mit weichen, kleinen Blatthänden ins erste Frühlingsblau. Auf der Fahrt zum Theater zitterte sie, vergebliches Warten macht so müde, und schluckte ungeweinte Tränen, die in der Kehle schmerzten. Brandt hatte nun bestimmte Tage für sie eingerichtet, dann kam er spät zum Rendezvous und war etwas zerstreut. Sie fuhren spazieren, er hielt gewohnheitsmäßig ihre Hand unter der Wagendecke, aber es war kein Geheimnis dabei. Unausgesprochene Fragen lagen klüftend zwischen ihnen. Es war halb Verzweiflung, halb kindliche Hoffnung, daß Ina dachte: Wenn er erst frei ist, wenn ich erst ganz bei ihm bin. Sie spürte einen Himmel von Zärtlichkeit und Leidenschaft unerlöst in sich aufgespeichert für jene Zukunft.

Er dachte an die Turmfalken in dem alten Gebirgsstädtchen. Sie hingen so lange und ohne Flügelschlag hoch oben im Blauen; es mußte unglaublich anstrengend sein, dieses Schweben und Angespanntsein. Er spürte tief die Müdigkeit, mit der nachher der Nestrand aufgesucht wurde. An die Möglichkeit eines ständigen Zusammenlebens mit Ina dachte er mit Angst und Schrecken. Das Mädchen heiraten kann man nicht, dachte er; es wird Farce oder Tragödie. Laß Irin in silbernen Schleiern tanzen und versuchen, ob man immer fliegen kann. Ich danke. Ich bin vierzig Jahre alt.

Indessen kochte Frau Brandt auserlesene Speisen, massierte ihn mit Kölnischem Wasser, korrespondierte mit Verlagen, kopierte mit unsäglicher Geduld das unleserliche Manuskript der »Kleinen Seejungfrau«. Indessen lud Fräulein Dannot, das kluge Füchschen, ihn manchmal zum Tee, war heiter, offen, kameradschaftlich und vermied jede Erinnerung an gemeinsam Erlebtes. Er spürte kennerhaft den Reiz, der darin lag, Distanz zu halten zu einer Frau, die ihm vertraut war in jedem Detail. Indessen lernte er auf der Straße eine Frau kennen, eine anonyme Witwe aus Schottenfeld, eine schöne, breite und üppige Person, in deren Armen der Absturz aus den keuschen und ekstatischen Regionen des Schaffens einen warmen, erdwüchsigen Abschluß fand.

Selbst Herr Forli merkte, daß mit Ina etwas vorging. Und wenn er ihr nicht ohnedies aus alter Eifersucht gegen den toten Javelot und das zuchtlose Produkt seiner romantischen Unterrichtsmethode den schlechtesten Platz in der letzten Quadrille zugewiesen haben würde, jetzt hätte ihn alles dazu berechtigt. Ina war fast unbrauchbar; sie zerriß jede Linie, immer war sie voraus oder zurück, mit ihren heftigen Bewegungen fiel sie stets aus der Reihe; dann wieder tanzte sie tief apathisch. »Wie ein abgestochenes Kalb«, äußerte Herr Forli unzart. Sie versäumte die Stunden am Morgen mit durchsichtigen Ausreden und war vom seufzenden Herrn Friedrichs schon dreimal wegen Verspätung im Dienst gemeldet worden. Doch gab es Nachmittage, wo sie im leeren Theater erschien, wo sie mit innengewandtem Gesicht an Herrn Adolf, dem Krüppel, am Portier und dem hinter einer Zeitung lungernden Herrn Pratt vorbeiging, die schlafenden Treppen hinauf, und wo ein Fieberschauer von Einfällen und Schaffenszwang sie über die geneigte Fläche des Ballettsaales hinjagte. Die Tänze der »Kleinen Seejungfrau« wurden geboren.

Ina war sehr unglücklich, und alle Welt schien unzufrieden mit ihr in dieser Zeit. Nur Herr Pratt glänzte, und das »Journal« gab seinen Lesern zu verstehen:

Thomas Brandt, der gefeierte heimische Meister, verhandelt mit der Hofoper wegen der Uraufführung seines neuesten Werkes: »Die kleine Seejungfrau«. Wie wir aus bester Quelle erfahren, besteht die Eigenart dieser Oper darin, daß die Titelrolle stumm ist und besondere Ansprüche an eine tänzerische und mimische Leistung der Darstellerin stellt. Wie es heißt, hat der Autor bereits eine Wahl für die Besetzung dieser Rolle getroffen, die große Überraschungen bieten dürfte und beweisen wird, welch Scharfblick und Bühneninstinkt den Meister auszeichnet.

Es war Doktor Bertram, der Oberregisseur, der mit Herrn Forli den großen Krach in der Regiesitzung bekam. Er war es, der Thomas Brandt die Besetzung der Irin mit der Raffay zugesichert hatte, und er zwang diese unerhörte Besetzung einer Titelrolle mit einer Corpstänzerin durch, indem er Herrn Forli durch eisige Ironie in Stücke zerschnitt. Doktor Bertram war ein kleiner, kalter Herr, der hinter einem Kneifer, den er oft abnahm und wieder aufsetzte, zwei blaue, kindliche Augen verbarg. Auf der Bühne liebte er Fortschrittliches, violette Dekorationen, fliederfarben bis purpurn, die er aus Kuppelhöhen mit unwahrscheinlich orangegelben Lichtbündeln beleuchtete. Er führte den Krach in starken Ausdrücken, aber mit vollendeter Ruhe durch; nachher zitterten seine Hände ein wenig, als er die Besetzungsliste ausschrieb. Herr Forli hingegen tobte sinnlos, er entledigte sich aller angeschminkten Italianismen und gab seiner Meinung in unverhohlenem Münchner Dialekt einen Ausdruck, der keine Zweifel zuließ. Die Galiena sagte ab, und Marianne Marschall, die Streberin, tanzte abends das *Pas de deux* in der »Jüdin«. Aber sie war unter der Schminke grüngelb vor Neid auf die Raffay. Um Ina war in der Garderobe ein stummer, leerer Kreis von Feindseligkeit.

Im Oktober begannen die Proben. Ina war meistens schwindlig in dieser Zeit; ein schlechter Sommer lag hinter ihr, in dem Thomas Brandt verschwunden gewesen war, auf irgendein Landgut zu Gast geladen, von wo er wenige und gequälte Briefe schickte. Er kam sonnenbraun von dort zurück, verwandelt, fremd geworden; eine Befangenheit lag zwischen ihnen und viele ungesprochene Worte. Brandt redete entschuldigend, ziellos und zerstreut von der Aufführung der Oper, die ihm in den Nerven lag. Ina nahm ihr Herz in beide Hände und verkroch sich in die Arbeit. Es galt aufzuwachen, die silbernen Irinträume und die Tänze in das nüchterne Zimmer zu verpflanzen, in dem die Soloproben stattfanden. In dem ein mißgelaunter Korrepetitor aus der vertrauten Musik etwas Fremdes, Gleichgültiges machte, in dem Doktor Bertrams Augen, schwer zu befriedigen hinter dem Kneifer, jede Bewegung und jeden Antrieb klug zerpflückten; in dem Herr Roland mit den Händen in den Hosentaschen gelangweilt den Prinzen markierte und bemerkte: »Peter, Peter, spar dein Temperament für die Aufführung und hau nicht so herum. Wart nur, bis meine Stimme und Schauspielkunst dazukommen.« Er war etwas dick geworden, er hatte die Javelot geheiratet, die ihr zweites Kind erwartete und, der Bühnenluft entrückt, schnell alterte.

Wirklich bei der Sache und dem Werk zugetan schien nur Fräulein Dannot, die die Braut des Prinzen sang und starkes Interesse an Ina zeigte. Manchmal fühlte Ina ihre forschenden Blicke wie etwas Körperliches an ihrem Körper, an ihren Schultern, Schenkeln, Hüften, die sich entkleidet vorkamen.

Brandt, der kaum noch ein anderes Gesprächsthema hatte als seine Oper, sagte: »Die Dannot lobt dich sehr«, oder: »Die Dannot findet, du wirst ausgezeichnet.« Ina, von einem kleinen Schauer überkältet, erwidert lächelnd: »Thomas, es ist doch *meine* Oper, du hast sie für *mich* geschrieben; ich selbst bin darin; wie soll ich es da nicht gut machen?«

»Ja. Ich habe sie für dich geschrieben«, sagte Brandt. »Wahrhaftig, für dich.«

Ina lächelte bitter; es klang so verwundert. Sie hielt ihr Herz fest und erwartete alles von der Aufführung. Jetzt war Brandt nervös, abgelenkt. Nachher mußte die Herrlichkeit kommen, das Glück, endliche, grenzenlose Vereinigung.

Aus dem Solozimmer wanderte die Oper auf die Probebühne, der strenge, erste Kapellmeister nahm den Platz am Klavier ein, hinter einem ernsthaften Vollbart heisere Stichworte krähend. Die Oper bekam Form und Gliederung. Ina wuchs in die Rolle hinein; nun war Irin eine Rolle geworden, ein Kostüm. Manchmal fühlte sie sich wirklich stumm zwischen all den singenden Menschen, und sie quälte ihren Körper um Ausdruck, daß er sprechen lerne wie eine Stimme. Doktor Bertram war nicht ganz zufrieden. »Zu blumenhaft«, sagte er, »zu passiv, zu schön. Bissel kitschig. Die Jungfrau glaubt man dir und das Stummsein; aber die brennenden Füße, die wie auf Messern tanzen, die sehe ich nicht. Der große Schmerz fehlt.«

Ina ging heim vor den Spiegel in ihrem Zimmer und schaute sich zu; der große Schmerz fehlte. Sehnsucht wußte sie, Traurigkeit, Liebe, auch Qual und dumpfe Angst. Sie suchte, tastete Bewegungen in die Luft. Plötzlich, mit geschlossenen Augen sah sie den großen Schmerz. Fernand stand da, sehr weiß im Gesicht, die Schultern hochgezogen und zitternd, wie gepeitscht, die Hände nach ihr gestreckt und unaussprechlich lächelnd, wie er von ihr Abschied nahm.

Und erst in diesem Augenblick begriff sie, warum er fortgegangen war, niemals schrieb, nur manchmal in ihre Träume rief.

Doktor Bertram pfiff ein wenig, als er in der nächsten Probe den Tanz im zweiten Akt mit einem neuen Ausdruck versehen fand.

An einem sonnigblauen Novembertag begannen die Proben auf der großen Bühne. Herr Roland nahm nun die Hände aus den Taschen und gebrauchte sie eifrig zu großen raumfüllenden und nichtssagenden Operngesten. Premierenfieber hatte den ganzen Betrieb ergriffen. Ina fror ein wenig in ihrem ärmellosen Probenkleid der Ballettmädchen, unter der halben Probenbeleuchtung, aus der Reihe der andern gerissen und allein in den Mittelpunkt gestellt, zwischen unfertige Kulissen, Treppen und Podeste. Die Musik, die aus dem Orchester kam, war schön, aber unkenntlich geworden; daß man sie schon gehört hatte, damals, in dem kleinen Haus in Grinzing, schien unwahr.

Einmal traf Ina im Konversationszimmer auf Fräulein Dannot, die an den Wänden umherwanderte und zerstreut die Bilder verstorbener Bühnengrößen besichtigte. Sie sah sehr hübsch aus in einem dunklen, kurzen Rock und einer weiten Bluse, die ihre weiße Kehle freiließ; an den Händen trug sie Wildlederhandschuhe, denn ihre ordentliche Person liebte es nicht, den Bühnenstaub zu berühren. Ina kam sich sonderbar herabgewürdigt vor in ihrem kleinen, wippenden Studierkleidchen. Fräulein Dannot sah sie gar nicht an, als sie sagte: »Heute ist Tom in der Probe.«

»Wer?« fragte Ina.

»Nun, Thomas. Unser Thomas«, sagte Fräulein Dannot; darauf schwieg Ina.

»Er hat Ihnen nicht gesagt, daß er heute hereinkommt?«

»Nein«, sagte Ina leise; sie räusperte sich und setzte hinzu: »Ich habe ihn länger nicht gesehen.«

Fräulein Dannot nahm eine Zeitung, die auf dem Tisch lag, und fragte: »Hat er Ihnen schon einmal gesagt, daß er sich scheiden lassen möchte?«

»Ja«, sagte Ina mechanisch.

»Ja. Ich dachte mir's. Es ist der Anfang vom Ende. Es ist das siebente Mal, seit ich ihn kenne. Zweimal wollte er sich meinethalber scheiden lassen, viermal wegen anderer Frauen, einmal wegen Ihnen. Aber tun wird er es nie, oder es müßten ganz besondere Dinge passieren. Ganz besondere Dinge«, wiederholte sie wie für sich und schaute ihre Lederhandschuhe an. »Kennen Sie seine Frau?«

»Flüchtig«, erwiderte Ina mit trockenen Lippen. »Sie ist ein edles Wesen, sagt Brandt.«

»Edel. Ja, nun. Wie Frauen eben edel sind. Sie gibt ihm alle Freiheit. Die muß er haben, darin kann man von ihr lernen, liebe Raffay. Ist aber Gefahr im Verzug, dann hat sie einen unheimlichen Trick: Sie verlangt die Scheidung, sie, nicht er; das rührt ihn, er bringt es nicht übers Herz. Sie kocht auch glänzend, und unser Tom hält viel davon, sie sorgt überhaupt prächtig für ihn. Dann schiebt sie ihm unmerklich ein neues weibliches Geschöpf unter die Feinschmeckernase, etwas, das durch Kontraste wirkt. Ach Gott, sie kennt unsern Kindskopf so gut, die arme Frau. Er fällt herein; er fällt jedesmal herein. Ich vergesse nicht, wie es war, als Sie kamen. Auf einmal war ich zu nüchtern, zu praktisch, zu ordentlich, nicht jung genug. Viel zu bewußt. Nun ja: Rote Haare sieht man sich leicht über, und Sie waren wirklich entzückend mit Ihren siebzehn Jahren. Sie waren etwas ganz Besonderes, und kein Wunder, daß es so lang gehalten hat. Aber daß er wieder von Scheidung spricht, ist ein schlimmes Zeichen. Und jetzt haben wir da diese unmögliche Person aus Schottenfeld. Natürlich: Nach dem Besonderen muß ja das Gewöhnliche kommen. Nun, was ist los? Wußten Sie das nicht? Besser für Sie, wenn Sie es wissen. Es läßt sich nur von der komischen Seite nehmen. Sie können ja versuchen, ihn festzuhalten. Ich empfehle das Rezept der Frau Brandt: Geben Sie ihm viel Freiheit. Geben Sie ihm den Abschied. Ja, schwer ist es, ich kenne es. Ich kenne das Gefühl, wenn man Tom festhalten möchte. Sand rinnt einem zwischen den Fingern weg, es wird weniger, weniger, man kann nichts dagegen machen.«

»Ich will das nicht hören«, sagte Ina. »Das ist häßlich; das ist alles nicht wahr. Sie wollen ihn schlechtmachen.« Es klang ganz kindlich, was sie sagte, und sie spürte das selbst. »Was haben *Sie* für ein Interesse daran, daß ich ihn festhalte?« setzte sie unbeholfen hinzu.

»Dummes kleines Mädel«, sagte Fräulein Dannot und strich flüchtig über Inas Haar. »Ich bin aufrichtig. Ich habe nur ein Interesse, ihn wiederzuhaben. Aber ich fürchte, meine Zeit ist es noch nicht. Und sonst? Es ist so etwas wie Kollegialität. Ich kann Sie gut leiden, kleine Raffay. Ich sehe, wie Sie sich quälen. Ich war auch einmal achtzehn und habe ihn schon damals liebgehabt. Jetzt bin ich dreißig und habe ihn noch immer lieb, durch dick und dünn. Und von allen, die dazwischen waren, sind Sie die Beste, und die Oper hat er von Ihnen. Er hat noch nichts so Gutes geschrieben. Darum tut es mir fast leid. wenn er von Ihnen weggeht.«

»Er geht doch nicht von mir weg«, flüsterte Ina.

»Da klingelt es«, sagte Fräulein Dannot, »ich muß auf die Bühne. Nun? Geben Sie mir doch die Hand. Ich glaube, Sie haben nichts von allem verstanden.«

Nein. Ina hatte nichts verstanden. Sie saß noch lange allein im Konversationszimmer, mit einem vergrübelten Ausdruck in den Augen, und ihre Schultern und die nackten Arme zitterten leise.

Die Generalprobe hatte angefangen. Herr Friedrichs stand vor seinem Pult mit dem aufgeschlagenen Klavierauszug und tastete eilfertig Klingelzeichen herunter. Gleich darauf begannen die ersten Geigen draußen dünn und einsam ihr Sehnsuchtsthema.

Ina verließ die Garderobe, auf der Treppe spuckte Mila Merz ihr dreimal nach; Mila Merz war rasend aufgeregt für sie, aber Ina war erstaunlich ruhig. Auf der kleinen Stiege zur Versenkung stand Doktor Bertram, schaute Inas Kostüm prüfend an und nickte zufrieden. Von der anderen Seite kam eben Herr Roland in die Versenkung, er schneuzte sich umständlich und mit tiefem Ernst, sagte: »Na, Peter, nun wollen wir mal ein bißchen berühmt werden«, und stellte sich auf das Brett, mit dem sie auffahren sollten. Im Orchester tobten steil aufgetürmte Blechmassen, das Vorspiel malte Sturm und Schiffbruch, ebbte ab, die Stimmen der Meermädchen sangen; dann begannen knarrend die großen Walzen mit den zackigen Blechrändern sich zu drehen, die Meereswogen darstellten. Der Vorhang ging auf. Die Arbeiter schoben Ina auf dem Brett zurecht, sie nahm den dicken Herrn Roland in die Arme, unter der Schminke fühlte sie ihre Lippen kalt und weiß werden, als sie aus dem Halbdunkel der Versenkung ins rötliche Sonnenaufgangslicht der Bühne hinaufgeschraubt wurde. Aber ihr Thema, das einsam-süße, sehnsüchtige Irinthema, empfing sie und gab ihr Wärme und Antrieb. Sie legte den Prinzen an den Strand, sah ihn lange an, befühlte sein Herz, küßte ihn. »Runter«, sagte Herr Friedrichs in die Versenkung, und die unangenehme Abfahrt zwischen den drehenden Rollen begann.

Ina hatte nun lange Zeit bis zum zweiten Akt; sie schlüpfte eilig durch dunkle Gänge in den Zuschauerraum und setzte sich in den Schatten einer Loge. Vorne im Parkett beugte sich Brandts Elfenbeingesicht, von einer Taschenlampe bestrahlt, über Noten. Neben ihm telefonierte Doktor Bertram halblaute Weisungen auf die Bühne. Weiter rückwärts saßen schwarz und wichtig die Kritiker.

Singende Mädchen zogen den Strand herauf, Fräulein Dannot fand den bewußtlosen Prinzen und begann ihr Rezitativ. Sie sah unvergleichlich schön aus, üppig und blühend in einem orientalisch stilisierten Gewand. Eine sinnlich hinschwingende Melodie begleitete sie wo sie ging, und das schimmernde Klingeln seiner Metallplättchen an ihren Brustschildern. Unter ihrem Kuß erwachte der Prinz, streckte die Arme nach ihr, aber sie entschwand singend mit ihren singenden Mädchen. Herrn Roland blieb der Platz überlassen für einen Monolog, der den kopfnickenden Beifall der Kritik fand. Eine dunkle Zwischenmusik führte, indes Schleier die Bühne verhüllten, zur Höhle der Wasserhexe. Hier, im zweiten Bild, hatte die Oper und Irins Rolle einen Sprung; hier mußte die kleine Seejungfrau singen, ihre Liebe klagen, ihre Sehnsucht zu den Menschen, und erst nach grausigen Vorbereitungen dazu schreiten, ihre Stimme und Zunge zu opfern, um auf die Oberwelt zu gelangen. Diese Szene spielte sich in phantastischem Halbdunkel ab, eine junge Sängerin, mit dem Fischschwanz einer Rheintochter ausgestattet, das Gesicht verschleiert, schwamm umher und sang. Irin war unzufrieden; jeder Ausdruck, den diese zweite Irin da oben sang, war ihr zu schwach, zu wenig erfüllt von Liebe und Hingabe, es war eine andere Irin als die, die sie selbst später tanzte. Es tat ihr weh, daß sie wirklich stumm war, nicht auch singen konnte, und sie ballte Zehen und Fäuste in innerer Anspannung.

Dann aber kam der zweite Akt, der gehörte ihr.

Es waren etwa hundert Menschen im Theater, und einige klatschten ein wenig, als der Vorhang fiel. Die Kritiker taten sich in Gruppen zusammen und sprachen mit Köpfen und Händen. Eine achtungsvoll flaue Stimmung lag in der Luft.

Ina ging zur Bühne zurück, und in dem halbdunklen Raum hinter den Proszeniumslogen traf sie auf Thomas Brandt. Er stand da, mit sehr blassem Gesicht an die Wand gelehnt, seine Hand war kalt und schlaff, und er sprach kopflose Sätze. »Die ganze Oper ist ein Dreck«, sagte er. »Es gibt einen Durchfall, da ist nichts Dramatisches, das ist schlechte Kammermusik, die Trompeten haben geschmissen, der Kapellmeister ist mir aufsässig, der Kerl vom ›Tagblatt‹ schneidet Gesichter, wenn's durchfällt, kann ich mich aufhängen.« Ina nahm mitleidig seine Hand und schmiegte in einer alten Gebärde der Zärtlichkeit ihre Wangen hinein; dabei unterdrückte sie ein Lächeln. Dem Theaterkind war solches Lampenfieber rührend komisch. »Ja ja, wir beide – du und ich«, sagte Brandt noch sinnlos und lief auf ein Klingelzeichen hin verwirrt davon.

Drei Tänze hatte Ina in diesem Akt zu tanzen. Den ersten, wenn sie, aus dem Meer aufgetaucht, vor den Prinzen gebracht wurde und ihm ihre Stummheit, ihre Sehnsucht, ihre demütige Liebe erklären wollte. Den zweiten, der vom Meer, von Perlen, Muscheln, Korallen und wehendem Tang erzählte, um die Schwermut des Prinzen zu verjagen, der seiner schönen Entschwundenen nachtrauert. Den dritten, müde schon, mit wunden Füßen, halb hoffend, halb verzweifelnd, da er ihr von der ungekannten, ungeliebten Braut erzählt, die ihm bestimmt ist, während er nur die eine lieben kann, die ihn gerettet und aus der Bewußtlosigkeit geküßt hat.

Eine atemlose Gespanntheit lag im Parkett. Ina fühlte es wie Hitze zu sich heraufschlagen, die Musik war eins mit ihr, Licht umkleidete sie, aus Fackeln, Scheinwerfern, Rampen in vielen Farben auf sie geworfen. Die Tänze, in monatelanger Arbeit erdacht, zusammengesetzt, hundertmal geübt, in jeder Bewegung logisch verkettet, hatten nun, wo das Technische überwunden war, das Schwebende, Hinschwingende, Losgelöste einer Improvisation. Als Ina nach dem dritten Tanz auf die Treppen sank, wußte sie, daß es gut gewesen war. Dann hob sich rauschend das Finale. Die verschleierte Braut wurde in festlichem Einzug hereingeleitet, der Prinz entschleierte, erkannte sie, ein kurzes, jubelndes Duett schwang sich auf; Farben, Fackeln, Trompeten, Becken, die weiß emporgereckten Arme der schönen Dannot, ihr hohes H, glanzvoll über dem Ensemble liegend, ein Fest von harfenumspürten Es-Dur-Akkorden. Irgendwo in einer Ekke weint die stumme kleine Seejungfrau; der Prinz geht an ihr vorbei. Ein buckliger Hofnarr beugt sich mitleidig zu ihr nieder. Der Vorhang fällt schnell.

Die hundert Menschen im Parkett klatschten laut. Der Erfolg für die Premiere war sicher, wenn diese hundert Wählerischen die Oper gut fanden. Man lobte die Raffay; ein paar Maler, die eingeladen waren, standen überwältigt, malten mit den Daumen Linien in die Luft und verständigten sich in den schmissigen Worten ihres Jargons über das Wunder, das hier wurde. Der dumpfe Drang nach Stilisierung, Einfachheit, Ausdruck, nach Loslösung vom Realistischen und Genrehaften, der in den jungen Künstlern der Zeit tobte, hatte hier eine unbewußte und erstaunliche Form gefunden. Irin war das Neue, das Besondere an der Oper, auch die Musik ihrer Tänze griff über das hinaus, was sonst Thomas Brandts Art war. »Eine Neugeburt der Romantik«, sagte der Herr vom ›Tagblatt‹ schlagwortbereit, und Herr Pratt trug es beglückt in die rückwärtigen Parkettreihen: »Eine Neugeburt der Romantik.«

Auf der Bühne war schon der Umbau im Werk, Ina ging benommen im Strom dahin, der von der Bühne zu den Garderoben lief. Hände streckten sich ihr entgegen, geschminkte Gesichter lächelten. Jemand küßte ihr im Vorbeistreifen die Schulter, ein Gefühl von warmem Samt blieb zurück: Die Dannot nickte ihrem erstaunten Blick zu. In der Ballettgarderobe schwieg man, tat, als sähe man sie nicht. Ina schminkte sich nach und stand dann lange im Gang an ein Fenster gelehnt, vor dem Regen niederstreifte. Sie war ganz in sich vergraben. Vor dem dritten Akt hatte sie eine leise Angst, sie war nicht ganz zufrieden mit sich, und auch Doktor Bertram hatte mehr von ihr verlangt, immer noch mehr. Die Klingel ging. Stimmengewirr, und viele weiche Ballettschuhtritte liefen die Treppe hinab. Bei den Chorgarderoben klirrten Rüstungen. Eine Bühnentür klappte dumpf.

Ina ballte ihren Willen zusammen, sie atmete tief auf, und dann ging auch sie hinunter.

Als sie in den geleerten Bühnengang einbog, schrak sie auf. Am anderen Ende unter der rotgestreiften Notlampe standen zwei, die sich küßten. Schon einmal hatte Ina dieses verdurstende Aneinandersinken gesehen, dieses besinnungslose Sichwiederfinden, diesen betrunkenen Taumel der Gebärden. Gespenster, denkt sie und steht ganz still an der Wand. Das Blut rinnt ihr vom Herzen fort, unaufhaltsam wie aus einer Wunde. Die beiden lösen sich voneinander los. Die Frau ist Fräulein Dannot. Der Mann ist Thomas Brandt.

»Heil!« singt der Chor auf der Bühne. »Heil! Heil der Braut!« Die Dannot preßt die Hände vor die Augen und läuft zur Bühnentüre. »Nachher, Tom, nachher«, flüstert sie.

Ina steht und greift mit beiden Händen nach der schwankenden Wand hinter sich. Thomas Brandt sieht sie jetzt, er tut ein paar fassungslose Schritte, er sieht in ihren Augen etwas, er versucht zu sprechen, er sagt etwas ganz Sinnloses.

»So ist das Leben«, sagt er; »sei gut, du; so ist eben das Leben.« Aber Ina gibt gar keine Antwort; sie geht auf die Bühne. Ein Feuerwehrmann weicht ihr erschrocken aus, so sonderbar starr ist ihr Gesicht. Das Herz tut wütend weh, als wären ihm Striemen eingeschlagen. Es ist ein Rausch von Schmerz; sie tritt in Rotes. Sie preßt die Fingerknöchel zwischen die Zähne, da ist Metallgeschmack, da laufen Blutstropfen die Hände entlang. Die Knie zittern und sind schwach und schwer. Ich kann jetzt nicht tanzen, denkt Ina; ich kann nie mehr tanzen; da stößt die Musik in ihr Bewußtsein, ihre Auftrittsmusik. Ich kann jetzt nicht tanzen, denkt Ina und betritt schon die Bühne, von der verkehrten Seite zwar, aber beim richtigen Takt. Gegenüber in der Kulisse winkt Herr Friedrichs verzweifelt mit dem Klavierauszug.

Ina tanzt den Tanz zur Hochzeit des Geliebten, und dann den letzten vor dem verstummten Brautzelt, und sie macht es so, daß Doktor Bertram Schweißtropfen auf der Nase stehen und er hingerissen sagt: »Ich glaube, das Luder hat bis heute nur markiert; in der steckt noch ganz was anderes.«

Ina stürzt sich vom Schiffsrand ins Meer, in das Gewoge aus blauer Leinwand. Vor ihren Ohren saust es, Geigen verklären sich in schwebende Höhen. Sie liegt eine Minute mit geschlossenen Augen auf der Matratze, die sie auffing, und denkt dumpf: Nie mehr aufstehen müssen.

Draußen wird von den hundert Wählerischen applaudiert. Der Erfolg der Oper heißt nicht Brandt, sondern Raffay, notiert Herr Pratt in Gedanken.

Am Morgen nach der Premiere erschien Konradin mit den Kritiken in der Raffayschen Wohnung. »Dir geht es wie

Byron, Principessa«, sagte er, »du wachst auf und bist berühmt.« Er sah ziemlich übel aus, aber er war nicht eigentlich betrunken, er sprach nur Vieles und Unwahrscheinliches.

Ina las, und sie kam sich vor wie ein kunstvoll tranchiertes Huhn auf einer Schüssel; doch schmeckte sie die Süßigkeit von Erfolg und gestilltem Ehrgeiz. Man war restlos entzückt von ihr. Nur der Herr vom ›Volksblatt‹, rückständig bis in die Knochen und dem beleidigten Herrn Forli persönlich befreundet, machte sie herunter. Er nannte sie sezessionistisch und meinte damit etwas sehr Schlimmes.

Auch die Oper wurde gelobt, mit Einschränkungen und kleinen Bedenken. Sie war vielleicht etwas undramatisch, etwas zerrissen im Stil. Musikalisch jedoch zeigten die Tänze außerordentliche Schönheit und Eigenart.

Ina schob die Blätter weg und sagte: »Nun ja. Wenn man keine Kritiken hat, dann hängt die Seligkeit dran. Aber wenn sie da sind, dann sind sie so unwichtig, nicht, Konradin?«

»Eine tiefe Wahrheit, Durchlaucht, und auf sämtliche Dinge des Lebens passend. Aber nicht neu, keineswegs, Principessa«, erwiderte er und packte aus Zeitungspapier eine Blume aus. Es war das Wunder einer Blume, teichrosenähnlich, auf körperhaft gewundenem Stengel hingebeugt, in der Kelchtiefe rosig überhaucht, von irgendeinem tropischen Zauber überschimmert. »Wunderbar«, sagte Ina und wurde ganz still. »Wo hast du sie her?«

»Ach, eine Kleinigkeit! Die Rana von Raipur, meine alte Freundin, schickte sie durch zwölf indische Knaben.«

»Höre«, sagte Ina und lächelte gerührt, »höre, ich glaube du mußtest dafür der Rana von Raipur deinen Überzieher als Gegengeschenk lassen; nein?«

»Du hast keine Phantasie mehr, Principessa. Nein, du kannst doch sehen, daß eine solche Blume nur durch einen Roman in meine Hände gekommen sein kann; und wenn ich diesen Roman erzählen könnte, aber ich kann es nicht; ich bin zu Diskretion verpflichtet.«

Der Roman bestand darin, daß Konradin nach Schönbrunn ins Treibhaus gegangen war und in einem fieberhaften Anfall von Tollkühnheit die Blume gestohlen hatte; denn es mußte zu Inas Ehren etwas Besonderes geschehen.

»Sie ist schön, Konradin. Ich könnte sie stundenlang ansehen und ganz zufrieden und still sein. Wie heißt sie? Sie hat einen eigenen Duft.«

»Genau weiß ich das nicht. Wir wollen annehmen, daß es Lotos ist; Lotos, die Blume des Schweigens und des Vergessens.«

»Ja, des Vergessens«, sagte Ina und atmete tief. »Ich danke dir, Konradin. Du weißt immer das Rechte für mich.«

Ja, nun wollte Ina hingehen und Brandt vergessen. Sie spürte, daß sie von ihm loskommen mußte, wenn ihrer Seele nicht schlimme Dinge geschehen sollten. Sie biß die Zähne zusammen und ballte die Hände. Noch im Schlaf lag sie mit Fäusten, bis Träume kamen und sie ihr lösten. Zuerst ging es; zuerst konnte man Brandt noch öfters in den Aufführungen seiner Oper sehen. Man gab ihm die Hand, schlimm, daß noch immer solche Süßigkeit von seinem Händedruck ausging. Man sprach ein paar Worte, wenn Leute dabei waren, man schwieg beklommen, wenn man allein gelassen wurde. Zuerst machte er ein paar schlaffe Versuche, sich ihr zu nähern, aufzuklären, dann ließ er die Dinge halb erleichtert und halb betrübt laufen. Eigentlich war es gut, so auseinanderzukommen. Innerlich war Irin zugleich mit der vollendeten Oper seinem Gefühl entschwunden. Sein Tag war von neuem ausgefüllt. Ein Zyklus chinesischer Liebeslieder mußte geschrieben werden. Füchschen hielt ihn in Atem. Irgendwo saß auch ein Tropfen Bitterkeit, daß Inas Erfolg in der Oper größer war als sein eigener.

Auch Inas Tage waren nicht leer, nein, nicht im mindesten. Sie war gejagt von hundert Geschäften. Da war der

Dienst, nun, er bestand nicht nur aus Annehmlichkeiten, denn Herr Forli nahm glühende Rache; aber er füllte die Zeit. Da waren die Anforderungen ihrer jungen Berühmtheit: Sitzungen bei Photographen, Einladungen zu Festen, Bällen, Kunstausstellungen der neuen Richtung. Korrespondenz mit Agenten, die vom Auftreten in Varietés sprachen. Nachmittags konnte man im leeren Ballettsaal üben, technische Exercisen zumeist, denn, sonderbar, neue Ideen für Tänze wollten nicht kommen. Es lag eine Müdigkeit über allen Dingen. Manchmal wäre es gut gewesen zu weinen. Aber Ina weinte nicht.

Ein anderer Kummer trat dazu, der sie sehr ernsthaft beschäftigte: Die Fesseln ihrer Füße verloren das gazellenhaft Schlanke. Ein neuer Muskel war da, der stärker wurde, je mehr sie übte. Sie maß und maß, oberhalb der Fessel nahm das Bein in Tagen um Millimeter zu. Sie dachte und grübelte. Ihre Technik war jetzt in glänzendster Form, die klassischen zweiunddreißig Touren auf der Spitze machten ihr keine Schwierigkeiten. Sie war der Galiena über. Aber deshalb brauchte sie nicht gleich Elefantenbeine zu kriegen wie diese. Sie massierte und ließ den Fuß im Gelenk kreisen. Etwas mußte faul sein an dem ganzen System.

Nun zog sie Herrn Pratt zu Rate, diesen fulminanten Kenner der Technik und aller berühmten Tänzerinnen. Er lächelte nur. »Das haben alle«, sagte er, »es ist ein Zeichen von Muskelkraft und ausgebildetem Können. Ich habe zu Hause Abgüsse von Füßen: Die Tosti, die Almedas, alle haben dieses starke Bein.« Und er erklärte ihr die anatomische Funktion des Muskels.

»Dann tanzen wir alle falsch«, sagte Ina finster. »Dann geben wir der falschen Muskelgruppe die ganze Schwere des Körpers zu tragen. Baron Delares zeigte mir Schuhe von Chinesinnen, die machen es so, die gehen auf den großen Zehen daher. Dann will ich überhaupt nicht mehr Spitze tanzen.«

»Nicht mehr Spitze tanzen? Das ist ja Wahnsinn!« schrie Herr Pratt. »Der Spitzentanz ist mehr als Technik, er ist ein Symbol! Nur durch ihn bekommen wir die Impression, die Tänzerin könnte wegfliegen; eine Tänzerin, bei der man nicht Angst hat, sie könnte im nächsten Augenblick entschweben, ist nicht groß.«

»Möchte sehen«, sagte Ina verstockt, »möchte sehen, ob ich nicht anderes finde, Tieferes, Glaubwürdigeres, um diese Impression zu geben.« Ach, aber in Wirklichkeit war ihr nicht sehr nach Fliegen zumute.

Auch mit Mila Merz sprach sie darüber; auch Mila Merz lachte nur. »Sei froh, wenn du dicke Wadeln kriegst, das ist schön, das haben wir alle. Und sonst schaust du ohnedies schlecht genug aus. Ist was los? Oder sekkiert dich der Alte zu sehr?«

»Ja, schön ist es nicht, wie er's mit mir macht. Weiter zurück kann er mich ja nicht mehr stellen. Aber ich glaube, er läßt mich nächstens wieder Studierhoserln anziehen und steckt mich zwischen die Elevinnen; oder er läßt mich Stokkerl tragen für die Galiena wie als Fratz. Am liebsten möcht' ich weg.«

»Weg? Weg vom Ballett?«

Inas Augen gingen ziellos; eine große Stille schwebte ihr vor. Und wie als Kind sagte sie unbestimmt: »Nein. Weg. Ganz weg.«

»Du machst dir zu viel Gedanken«, vermutete Mila Merz. »Jetzt wieder die Idee mit den Füßen. Die Javelot hat Füße gehabt wie ein Mondkalb und war doch schön. Und nicht mehr spitzentanzen! Und weg vom Ballett! Das sind ungesunde Ansichten! Weißt, was dir fehlt? Ein Mann.«

»Vielleicht«, sagte Ina. Da war der zärtliche Neid wieder nach dem Einfachen, Gewöhnlichen, Gesunden. Manchmal überkam es sie brennend, wenn sie in letzter Zeit zur Ablenkung die kleinen Gesellschaften ihrer Kolleginnen besuchte, zwischen den gedankenlosen, immer vergnügten Ballettmädchen und ihren heiter verliebten, schablonenhaften Freunden: zu sein wie die. Einen Freund unter ihnen zu haben. Einen ohne Genie, ohne Untiefen, ohne zerspaltene Seele. »Kannst mir ja einen suchen«, sagte sie unbestimmt.

Mila Merz biß sich auf die Lippen und wurde sofort ernsthaft. »Zeit ist es ja!« bemerkte sie. »Und ich glaub, der kleine Birkenfeldt würde verrückt vor Seligkeit. Er ist vernarrt in dich.«

»Kleine Birkenfeldt? Welcher ist das?«

»Du kennst ihn doch, Raffay! Weißt du nicht, daß er in dich verliebt ist? Das wissen alle Kavaliere von Wien. ›Baby‹ nennen sie ihn, der Magere, Blonde, der kleine Prinz, weißt du nicht? Eigentlich ein großes Tier, Regierender, wenn sein Onkel stirbt. Die anonymen Blumen täglich sind von ihm, man hat es aus seinem Diener herausgekriegt. Er sitzt in der zweiten Parkettloge links, so oft du Dienst hast.«

»Ach, der«, sagte Ina schlaff. »Jetzt erinnere ich mich, das ›Baby‹. Ich traf ihn öfters beim alten Delares. Der also. Er hat so ein schüchternes Kindergesicht und spricht nichts, nicht wahr? Er soll nicht ganz gesund mit der Lunge sein. Na, dann schleppe ihn her, deinen Regierenden.« Sie standen schon beim Ausgang, es war nach der Probe. Draußen fiel kleinkörniger, erster Schnee vom Mittagshimmel. Ina vergrub sich in einem plötzlichen Frösteln in ihren Mantelkragen. Mila Merz schlug eifrig eine gemeinsame Fiakerfahrt zur Waldschnepfe nach Dornbach vor. Ihr Rudi konnte den Prinzen mitbringen. Eine flüchtige Vision von dünnen, klingenden Gläsern, Geigenklang, leichten Küssen und Vergessen breitete Nebel vor Ina. Ermüdet sagte sie zu.

Der Krüppel vor der Oper zog den Hut. »Die Dame hat ihr Schuhband offen, darf ich es binden?« fragte er und strahlte über das ganze Gesicht. »Wenn ich mir die Bemerkung erlauben darf, wie groß die Dame geworden ist? Ich sehe die Dame immer noch vor mir als kleines Mäderl mit der Schultasche am Rücken.«

»Ja, ja«, sagte Ina und stand gedankenlos noch eine Minute mit dem Fuß auf dem Schemel. »Ich danke auch schön. Mögen Sie meine Blumen?«

Herr Adolf wurde mit den anonymen Rosen des Prinzen in der Hand so strahlend, daß sie hinzufügte: »Und Sie sind immer gleich. Immer vergnügt und froh. Worüber nur?«

Der ganze Mann auf seinem Wägelchen geriet in Bewegung. »Worüber?« fragte er. »Über alles. Über die vielen kleinen Sachen. Wie die Luft heute riecht, sie kommt vom Gebirge her, man riecht es. Oder: Es schneit, dabei ist der Himmel blau. Dann die Wolken. Wie sehen sie aus, wie Federbetten! Es ist ein wahrer Witz. Und dazu krieg' ich noch Blumen geschenkt. Da soll der Mensch wohl vergnügt sein.«

Die kleinen Sachen, dachte Ina im Weitergehen, vielleicht geht es damit; denn mit den großen Sachen, da ist nichts zum Freuen. Es war doch früher so, in der Kindheit, in Amrun; da waren die kleinen Sachen lebendig und machten froh. Sie schaute hinauf zu den Wolken und lächelte schwach. Wie Kinder liefen und purzelten sie eilig übereinander.

Aber an der nächsten Litfaßsäule rief ein gelbes Plakat Thomas Brandts Namen. Er dirigierte am Abend die Neunte.

Ina fuhr am Abend nicht nach Dornbach. Sie saß drei Stunden im Konzert und trank sich satt.

So war der erste Monat. Dann gab es wochenlang keine Gelegenheit, Brandt auch nur von weitem zu sehen, und nackte, unverhüllte Qual trat zutage. Es war ein hoffnungsloses Unterfangen, ihn zu vergessen, die Liebe zu vergessen. Liebe hörte nicht auf. Sie fraß nach innen wie eine Krankheit. Das Leben schleppte sich hin wie in Bleikammern. Glut kochte Tag und Nacht in allen Gedanken und machte sie beschmutzt und würdelos. Wenn Ina sich im Tiefsten befragte, dann wußte sie, daß sie nie ernsthaft daran gedacht hatte, es könnte aus sein zwischen ihnen. Im Grund befolgte sie nur den Rat der gewitzten Dannot, sie ließ ihn laufen, gab ihm den Abschied; es war eine schmerzhafte Kur. Bald mußte sie vorbei sein. Bald kam er zurück. Liebender, beglückender, hinreißender als zuvor. Vielleicht sogar treu. Aber nachdem Wochen der äußersten Spannung und Erwartung vergangen waren, fiel Ina in sich zusammen. Er kam nicht. Man mußte ihm alles verzeihen. Man mußte bereit sein zu teilen, jetzt und in Zukunft. Sie mußte es auf sich nehmen. Sie liebte ihn ja, o, wie sie ihn liebte.

Sie schrieb es ihm. Sie schrieb ihm alles, in vielen armen, gehetzten Briefen legte sie ihr nacktes, demütiges Herz vor ihm hin. Sie wollte nichts von ihm. Nur manchmal seine Nähe, seine Stimme, seine Hand. »Ich hab' dich lieb«, stand da, hundertmal. In jedem Wort zitterte die Frage: Und du?

Aber er gab keine Antwort.

Dann kam die Zeit, wo es sie immer auf der Straße umtrieb, ihn zu suchen. Es war ein kalter, nebliger Januar, die Tage ertranken in Regen und schmutzigem Schnee. Die Droschkengäule froren erbärmlich, die Menschen sahen übel aus und drückten sich an Häusermauern entlang. Das Laternenlicht zuckte im Sturm und wanderte dumpf und rötlich im Nebel. Ina stand an Ecken, in Winkeln, unter Torbögen. Im Heiligenkreuzerhof wartete sie, an einen Mauervorsprung gedrückt, stundenlang den schwarzen, engen Treppeneingang anstarrend und die stummen Fenster. Manchmal schien es ihr, als starre hinter den finsteren Scheiben ein anderes, verschobenes Frauengesicht ebenso stumm auf sie herunter. Er kam nicht. Ein paarmal trieb plötzlich aufspringende Hoffnung sie nach Grinzing, aber das kleine Haus lag stumm, und in den leeren Zimmern hockte die Kälte. Er kam nicht. Vielleicht war er krank.

Auch vor der Wohnung der Dannot wartete sie. Dem Haus gegenüber befand sich ein kleiner Kiosk, eine Haltestelle der Straßenbahn; Ina stand stundenlang da, leise dankbar für die Trockenheit, die das Dach gewährte, und schaute durch die Glasscheiben, die immer anliefen, hinüber. Hinter den Fenstern erwachten Lichter, brannten lange, erloschen wieder. Er kam nicht. Nun war sie am Grund dieser Tiefe von Jammer und Selbstverachtung angelangt. Schlimmer konnte es nicht werden. Er kam nicht. Er war wohl krank.

Aus der Zeitung erst erfuhr sie, daß er auf einer Konzerttournee in Italien war. Aus der Zeitung erfuhr sie Wochen später, daß er wiederkam. Dann gab ihr der Opernportier einen Brief, dessen dünne, spitzengleiche Schrift sie erzittern machte.

»Irin«, schrieb Thomas Brandt, »ich danke Dir für Deine Briefe. Sie sind so heilig, so reich, Du weißt nicht, was für eine Verschwenderin Du bist. Ich kann Dir nicht darauf antworten, ich müßte mich schämen, ernüchtert wie ich bin und abgespannt. Ich sage Dir Lebewohl, Irin. Laß uns nichts Halbes an unsere große Liebe anstückeln. Leb' wohl, Irin. Ich danke Dir.«

Nun, er hatte ihre Briefe nicht richtig gelesen, er hatte sie nicht richtig verstanden. Briefe konnten leicht mißverstanden werden; vieles stand zwischen den Zeilen. Auch sie verstand wohl seinen Brief nicht richtig. Man mußte sich sehen, sich sprechen. ›Deine Hand in meiner, dein Kopf an mein Herz gelegt und alles ist gut.‹ Sie spürte schon den grenzenlosen ersten Kuß des Wiederfindens.

Nach einem Konzert erwartete sie Brandt auf der kleinen Treppe, die vom Künstlerzimmer zur Straße führte. Er sang ein kleines Motiv, während er die Stufen herunterkam, der Mantel stand offen über dem Frack, er sah weich und aufgelöst aus, wie immer, wenn er dirigiert hatte. In seinen Augen brannten die Lichter. Ina spürte den vertrauten, saugend süßen Schmerz im Herzen. Er blieb stehen und lächelte, er freute sich; wie warm seine Hand war! »Nun?« fragte er, »Liebes?«

»Briefe sind eine dumme Sache«, sagte Ina wie etwas Eingelerntes. »Wir müssen uns einmal aussprechen.«

»Ja, du hast recht. Besser, wir sprechen uns aus.«

»Wann?«

»Ja, wann?« fragte Brandt und schaute auf seine Uhr; es war eine ratlose Bewegung.

»Es müßte bald sein«, sagte Ina hell und angestrengt lächelnd, »sonst mache ich Dummheiten.« Sie sah ihr Lächeln nicht und wußte nicht, woher das mitleidig Zärtliche in Brandts Augen kam.

»Vielleicht also morgen nachmittag in Grinzing?« fragte er und steckte seine Uhr wieder ein. »Also, auf Wiedersehen, morgen. Jetzt muß ich laufen. Sie warten unten schon auf mich.«

Der nächste Tag war verschneit, tief in Weiß gemummt. Die Straßenbahn kämpfte sich durch den Schnee. Ina hatte unter dem Mantel ihr schönstes Kleid an, das dünne, weiße, mit dem Goldgürtel. Auf ihrem Schoß lagen in einem Bett aus Seidenpapier viele Rosen. Man sah ihr nach, als sie ausstieg und mit ihren dünnen Schuhen über die weißen Hügel lief. Der große Schlüssel knarrte im Tor, es klang wie eine vergessene Melodie und weckte Tränen. Die Zimmer lagen kalt und gestorben. Ina ließ einheizen und wanderte im Mantel umher. Die Bücher waren fort, auch die Noten. Aber das Klavier stand noch da. Auf dem Schreibtisch lagen Haarnadeln. In einer Vase trockneten farblose Blumen. Die Uhren schwiegen so tief. Nackt bog sich der Kastanienbaum ans Fenster. Ina kauerte sich vor den Ofen und legte aufmerksam Scheit um Scheit hinein. Die Uhren zog sie auf, steckte frische Kerzen an, gab Blumen in alle Schalen. Nun tickten die Uhren. Windstöße lärmten ums Dach, Schnee trieb an die Scheiben, bald kam die Dämmerung.

Ina wanderte auf und ab und horchte. Es konnte ein Wagen rollen, es konnte ein Schritt aufklingen, es konnte ein Schlüssel sich drehen. Wie lang der Tag war, mitten im

Februar. Die Uhren schlugen. Es konnte noch lange dauern, bis Brandt kam, er war ein unpünktlicher Mensch. Ina lächelte glücklich; wie viele Fehler er doch hatte; wie viel es zu verzeihen gab. Sie setzte sich wieder vor den Ofen und phantasierte Bilder ins Feuer hinein, ein ganzes langes Leben in Bildern. Dann schlugen wieder die Uhren. Nun stand schon die Finsternis im Zimmer. »Es ist Abend«, sagte Ina zur Luft und den stummen Möbeln. »Nachmittag ist schon vorbei.«

Sie entzündete die Kerzen am Klavier und begann zu spielen, die Töne geisterten durch den Raum und machten alles traurig wie ein vergessenes Lied. Ina saß mit gesenktem Kopf und dachte an Mama, die immer so in die Dunkelheit hineinspielte. Da versagte ihr der Atem; draußen rollte ein Wagen; gedämpft kam es durch den Schnee, Hufe trabten weich und gleichmäßig, verloren sich, das Rollen zerging, schwieg ferne. Ina spielte wieder. Die Uhren tickten. ›Er kommt nicht, er kommt nicht‹, sagten die Uhren in die Stille, ›er kommt nicht, er kommt nicht.‹ Spät ließ Ina die Hände von den Tasten fallen. »Nein«, antwortete sie, »nun kommt er wohl nicht mehr.« Die Hände lagen so hoffnungslos und blaß auf dem weißen Kleid.

Im Schornstein klagte es laut, an den Fenstern rüttelte Sturm, und klirrend stießen Schneekörner an die Scheiben. Der Sturm trug Glockenton daher von der kleinen Kirche, es klang einsam. »Das Wetter ist zu schlecht«, erklärte Ina den verstummten Zimmern, »er kann nicht kommen in diesem Wetter.« Sie war so müde, daß ihre Glieder schmerzten. Sie stand lange vor dem breiten Diwan, aber sie wollte sich dort nicht hinlegen. Sie setzte sich steil auf einen kleinen, unbequemen Biedermeierstuhl und dachte nach. »Man kann sich ja erschießen«, sagte sie laut am Ende ihrer Gedanken. »Man kann sich ja erschießen«, wiederholte sie, es wurde zu einem Refrain, der wiederkehrte und wiederkehrte.

Es war fast Mitternacht, als Ina das Haus verließ. Die Kehle war ihr eng und voll Bitternis. Draußen warf sich Sturm auf sie. Das Tor schloß sich hart; der Schlüssel fiel zur Erde und versank im hochgewehten Schnee. Ina bückte sich nicht einmal; sie brauchte ihn nicht mehr. Und da erst brach ein wildes, hemmungsloses Weinen aus ihr.

Sie kämpfte sich durch die kleine Straße, sturmentgegen, mit blinden, tränenströmenden Augen. In der Sekunde waren ihre Füße naß und schwer von Schnee. Der Mantel klatschte um die Knie. Sturm nahm ihr den Atem. Der Kirchenplatz war leer, die letzte Straßenbahn war fort. Auch darüber weinte Ina. Sie kam nie mehr heim. Schlaf schien ihr ein versperrtes Paradies, eine unerreichbare Seligkeit für ihre überanstrengten Nerven. »Ich komme nie mehr heim«, weinte sie vor sich hin, indes sie schrittweise gegen Schnee und Sturmwind ankämpfte. »Ich komme nie mehr heim.« Die Anspannung von Monaten brach in ihr zusammen, und die Erschöpfung war ein Meer.

Dort, wo der Weg eine Strecke lang über freies Feld hinging, warf der Schnee weiße Wellen, auch der Himmel war weißlich, mitten in der Nacht. Der Sturm packte Ina im Nacken und warf sie taumelnd vor sich her. Ströme von Eis rannen an ihr hinunter. Ihre Füße sanken tief ein, und dann waren sie erstarrt und gestorben. Ein großer, unförmig in Schnee gehüllter Gegenstand an der Straße gab etwas Schutz; vielleicht war es die Bude, in der man sommers Limonade trank. Ina setzte sich einfach hin, mitten in den Schnee, sie wußte kaum mehr, was sie tat. Sie wollte nur hier ausruhen. Wenn es ging, wollte sie hier sterben. Sie schloß die Augen. Plötzlich war eine tiefe Stille in ihr. Sie ging aus sich fort. Sie ging in ein warmes, großes, friedliches Rauschen hinein. Die Birken in Amrun rauschten so . . .

Jemand stach mit hartem Licht zwischen ihre geschlossenen Lider. Jemand riß an ihr. Jemand sagte: »Was tun Sie hier? Stehen Sie auf! Was fehlt Ihnen?«

Ina hob den Kopf. »Nichts«, sagte sie. »Mir fehlt gar nichts.«

Eine Taschenlampe schwankte zwischen ihr und einem Knabengesicht, das sie mit weiten Augen anstarrte. »Um Gottes willen! *Sie* sind es? Wie ist das möglich? Ich sah etwas im Schnee liegen. Dort steht mein Wagen. Schnell, nehmen Sie meine Hand, gnädiges Fräulein«, stammelte eine Stimme.

»Ich will nicht; ich will nicht«, murmelte Ina hartnäckig wie ein Kind. Sie war so müde. »Kennen Sie mich denn?« fragte sie noch und schloß schon wieder die Augen.

»Birkenfeldt, ich bin doch Birkenfeldt, ich hatte die Ehre, bitte, kommen Sie mit in den Wagen; ich darf Sie heimbringen, Sie sind krank, Sie haben einen Unfall gehabt.«

»Baby«, sagte Ina leise; ohne die Augen zu öffnen, sah sie mit einem Male erstaunlich deutlich sein Gesicht. Es hatte große, ernsthafte, blaue Augen, die Schläfen waren leicht eingedrückt, und Adern liefen violett darüber hin. Es beugte sich über eine Miniatur, die in einer behutsamen hohlen Hand lag wie in einer Wiege.

»Nach Dornbach will ich nicht. Mit Ihnen will ich nicht fahren«, murmelte Ina dennoch verstockt und wirr.

»Nein, gewiß nicht«, sagte der Prinz leise. »Sie sollen mir ja nur die Freude erweisen, meinen Wagen zu benutzen. Ich gehe zu Fuß, ich kann ja gehen. Es ist eine Kleinigkeit.«

Der Sturm tobte neu daher. Im Schnee dampften die Pferde, kleines Licht der Laternen winkte. Ina öffnete die Augen und sagte klarer: »Nein, Sie sind gut. Ich bin so müde. Bringen Sie mich heim, Hoheit.«

Ein reiner, zarter Lavendelduft hüllte sie ein. Man trug sie, Decken wurden warm um sie gelegt, sturmgeschützt lag sie in der Wagenecke. Alles geschah ihr wie im Halbschlaf, schwankend und langsam ging es vorwärts. Der Prinz schwieg. Mit keinem Wort forschte er, was Ina in diese Lage gebracht hatte. Nur einmal fragte er: »Haben Sie es warm?«

und streifte ihre Decken zurecht. Eine weibliche Zartheit war in der Bewegung. Später, sie waren schon in den Straßen der Stadt, fragte er: »Darf ich rauchen?« Im kleinen Glimmen der Zigarette sah er endlich ihr geliebtes Gesicht. Die Augen waren zu, tief verschattet; und lautlos tropften Tränen aus den geschlossenen Lidern zu dem stillen Mund hinunter. Behutsam schob er seine Hand über den Samt des Wagens an Ina heran, und dann streichelte er leise und gleichmäßig, immer wieder, den nassen Zipfel ihres Mantels. Sie spürte es wie eine große, erlösende Wohltat.

»Danke«, flüsterte sie, als der Wagen vor ihrem Hause hielt.

»Ich muß danken«, erwiderte er leise. »Ich.«

Er küßte ihr die Hand, wie man sie bei Hof küßt: Seine Lippen berührten einen Zentimeter über ihren kalten Fingern die Luft.

Herr Raffay konnte nicht begreifen, warum Ina nichts essen wollte. Das Szegediner Gulasch war außergewöhnlich gut. Es schwamm in der tiefen Schüssel, richtig hellrot gefärbt, mit kleinen goldgelben Fettringen und grünen Gurkeninseln und duftete erfreulich nach Zwiebeln. Joszika kochte ausgezeichnet. »Mein Fräulein Tochter ist zu fein geworden«, sagte Herr Raffay bissig, »mein Fräulein Tochter kann kein Gulasch mehr essen.«

Mama vermied es, Ina in die verweinten Augen zu sehen. »Laß doch das Kind in Ruhe«, bat sie, »das Kind hat Kopfweh.«

Joszika kam träge herein und stellte Kaffee und Schnaps vor Herrn Raffay hin. Er lobte das Essen, sagte etwas Ungarisches und klopfte wohlwollend ihre breite Rückseite: Sie hatte Hüften wie ein Ackergaul. Mama schaute Inas Hände an. Ihr war Angst um das Kind. Seit Ina zehn Jahre alt war, trug sie diese schweigsame, hilflose, resignierte Angst mit sich. »Es klingelt, Joszika, gehen Sie aufmachen«, sagte sie mit herabgezogenen Mundwinkeln. Das Mädchen schlürfte träge hinaus und kam träge wieder mit einem Paket, das es vor Ina hinlegte. Ina machte es auf. Es war das Partiturmanuskript der »Kleinen Seejungfrau«. »Irin zum Dank für Unvergängliches«, stand spitzig und dünn in einer Ecke. Auch ein Brief war dabei.

Ina las viele Worte, aber sie verstand nur eines, das schrie: »Es ist aus. Die Liebe hat aufgehört. Man kann Liebe nicht festhalten, und wenn man sein Leben darum geben wollte.«

»Das ist ja nicht möglich«, sagte Ina und lächelte verstört. Der Brief fiel auf den Tisch, mitten zwischen die Speisereste. »Was hast du denn, wie siehst du aus?« fragte jemand. Es wurde sehr dunkel im Zimmer. Große schwarze Vögel mit brausenden Flügeln waren um Ina. Sie glitt in eine tiefe, erlösende Leere.

Sie erwacht davon, daß man ihr Feuer in den Mund zwängt, findet sich in ihrem Bett, ein nasses Tuch auf ihrer Stirne. Papa flößt ihr Schnaps ein, Mama zieht ihr die Strümpfe aus wie einem kleinen Kind. Sie sagt, daß sie nur müde ist, vielleicht überarbeitet, vielleicht blutarm; man soll sie nur schlafen lassen.

Dann liegt sie und hascht nach ihren Gedanken, die eine sonderbare Neigung haben zu verdampfen. Es zischt ein wenig in ihrem heißen Kopf, ein bißchen Dunst wölkt vor den Augen, der Gedanke, eben noch klar und anwesend, ist fort. Es dauert lange, bis eine anscheinend richtige Denkkette zustande kommt.

Man steht auf, man zieht sich an, man muß sofort in die Stadt gehen. In der Kärntner Straße ist die Waffenhandlung, man kauft den kleinen Revolver mit dem blauen Lauf. Wenn das Geld nicht reicht, versetzt man die Perlen. Dann fährt man nach Grinzing. Der Schlüssel liegt im Schnee. Man kann sich auch auf der Straße erschießen. Es zischt.

Die großen schwarzen Vögel kommen zurück. Ina reißt die Augen auf. Nun liegt sie noch immer im Bett. Man muß aufstehen, man muß sich anziehen, beginnen die Gedanken wieder. Sie gehorcht ihnen. Sie steht auf, zieht sich an, sie steht schon in der Waffenhandlung, sie kauft den Revolver mit dem blauen Lauf aus dem Schaufenster, sie hat ihn schon lange dazu ausersehen. Sie fährt nach Grinzing, aber sie findet den Schlüssel nicht im Schnee. Man kann sich ja auch auf der Straße erschießen. Nun wird es schon dunkel im Zimmer, nebenan gehen Schritte; Ina findet sich noch immer in ihrem Bett, es ist eine Qual. Wenn nur der Plafond nicht so niedrig wäre, damit man atmen könnte. Wenn nur das Zischen aufhören würde, mit jedem Pulsschlag verkocht ein Gedanke. Man muß aufstehen, man muß sich anziehen, man kann sich nicht so quälen lassen, man muß sich erschießen. Es wäre merkwürdig, wenn tote Leute auch noch Kopfweh hätten. Woher kommt eigentlich das Kreuz? Es steht schwarz auf grauem Grund. Manchmal schwankt es vornüber, ein Grabkreuz ist es nicht, man liegt ja noch immer im Bett, wenn man tot wäre, hätte man kein Kopfweh. Ina starrt das Kreuz an, immer ziehen blaue Rauchwölkchen vorbei, es kommt davon, daß Schwefel im Gehirn verbrennt. Mama legt einen neuen Umschlag auf den Kopf. »Es ist ja das Fensterkreuz, Mama«, sagt Ina und lacht. »Nun, Kind, du hast wohl geträumt; ist dir jetzt besser? Schlaf dich aus, überschlafe es eine Nacht«, sagt Mama.

Heute bin ich zu müde, denkt Ina. Heute sind die Geschäfte schon zu. Man kann sich morgen erschießen. Wie kommt man nur auf solche Gedanken, wenn man fünf Jahre alt ist? Da singt Mama das Wiegenlied, das ich so gerne habe. Ich bin noch klein, es war alles nur geträumt. Wie schön, daß Mama bei ihrem Kind sitzt, wenn es einschläft.

Gegen Morgen erwachte Ina, ihr war ziemlich leicht zumute. Fern bliesen die Nebelhörner der Fabriken; die Möbel standen ordentlich im Zimmer, das sich langsam weißlichblau erhellte. Da kam ein Herr durch das Fenster herein, das er sorgfältig wieder schloß. Er trug eine Art schwarzer Livree, schwarze Seidenstrümpfe und Halbschuhe und einen runden schwarzen Mantel, eine spanische Capa. Er glich dem toten Meister Javelot, aber er war es nicht. Ina erkannte ihn gleich. Eine ausgezeichnete Maske, dachte sie anerkennend. Der schwarze Herr schwang höflich ein schwarzes Zylinderhütchen und sagte mit angenehmer Stimme: »Guten Morgen. Verzeihen Sie, wenn ich störe. Erschrecken Sie nicht. Ich will Ihnen nichts tun.«

»Bitte, bitte«, erwiderte Ina. »Ich erschrecke nicht. Ich bin bereit.«

»O! Eine so schöne junge Dame!« sagte bedauernd der schwarze Herr. »Nein, Sie verstehen mich falsch. So schönen jungen Damen tue ich nichts. Es wäre auch schade um die Karriere. Ich wollte mich nur einmal vorstellen, es ist wegen der Ordnung. Sie müssen Ihr Billett haben. Und man muß sich doch kennenlernen. Man muß einmal anfangen, daran zu denken.«

»Bitte, nehmen Sie Platz«, sagte Ina artig. »Ich stehe ganz zu Ihrer Verfügung.« Der schwarze Herr plazierte sich an den Bettrand und lächelte. Ina fand ihn sympathisch. Ihr Herz ging sonderbar schwach und langsam. Heimlich graute ihr etwas vor dem Augenblick, in dem der Herr seine Hände zum Vorschein bringen würde; er hatte sie bisher unter der Capa verborgen.

»Ich wiederhole: Haben Sie keine Angst, schöne Dame«, erklärte er. »Ich komme heute mit Handschuhen zu Ihnen. Es ist ja sozusagen nur eine Antrittsvisite. Ich wollte Ihnen nur Ihr Billett bringen: Hier ist es.« Ina war erleichtert. Tatsächlich trug er Handschuhe, außerordentlich schmale, lange Glacéhandschuhe, die mit eleganter Bewegung einen kleinen roten Zettel vor sie hinlegten, der etwas einer Garderobennummer glich. »40« stand darauf. »Danke bestens«, sagte Ina. »Danke sehr.«

»So. Damit wäre für heute der Zweck meines Besuches erfüllt«, bemerkte der schwarze Herr und erhob sich korrekt. »Wenn es nicht zu viel verlangt ist von einer so schönen jungen Dame, möchte ich ergebenst bitten, sich manchmal meiner zu erinnern. Geschehen kann Ihnen jetzt nichts mehr, es ist alles in Ordnung. Sie haben Ihr Billett. Sollte das Leben Sie in irgendeine unangenehme Situation bringen, so brauchen Sie nur zu denken: ›Ich habe ja mein Billett.‹ Es wird Sie sehr beruhigen; es ist eine klare Aussicht für die Zukunft. Gestatten Sie jetzt, daß ich mich empfehle. Vorläufig, meine schöne Dame, vorläufig.«

»Danke bestens«, sagte Ina; es störte sie, daß irgend jemand im Zimmer zuzuhören schien; jemand sagte leise, daß sie es nicht hören sollte: »Vierzig, das ist viel.« Gequält schob sie den Kopf hin und her; wo er ankam, zischten kleine Dampfwolken auf.

»Sie haben Kopfschmerzen?« fragte der schwarze Herr. »Erlauben Sie: Tut es hier weh? Und hier? Und hier? Aha! Gleich ist es besser.« Er legte seine Hand auf ihre Stirne; erschreckend drang eisige, fressende Kälte durch die Handschuhe und tröpfelte ins Gehirn.

»Mama!« schrie Ina aufgebäumt in plötzlichem Entsetzen, »Mama, laß mich nicht fort, bleib du bei mir!«

»Still, Kind, da bin ich«, sagte Mama, und ihr Gesicht war weiß und sehr nahe vor Inas Augen. »Auf Wiedersehen!« empfahl sich der schwarze Herr, setzte sein Hütchen auf und kletterte zum Fenster hinaus. »Nichts für ungut. Man muß einmal anfangen, daran zu denken. Auf Wiedersehen.«

»Komm«, sagte Fernand, »gib mir das Billett, ich hebe dir's auf. Ich gebe dir's wieder, wenn es Zeit ist. Ich werde dich rufen. Ich gehe inzwischen zu Fuß über die Wiesen.«

»Ach«, klagte Ina, »muß ich denn im Wagen fahren? Kann ich nicht mit dir über die Wiesen gehen?«

»Nein«, sagte Fernand, »du siehst zu viel in den Spiegel. Da siehst du immer nur dich.«

Ina sah in den Spiegel, er war grell beleuchtet und gebogen. In seiner hohlen Fläche lag ihr Gesicht neu und verschoben. Sie erschrak. So wie früher werde ich nicht mehr, dachte sie, weil ich den schwarzen Mann im Mantel gesehen habe. Jetzt muß ich immer eine Maske schminken.

»Wo bist du, kleine Schwester?« rief Fernand aus der Ferne. »Verirr' dich nicht; verliere den Weg nicht. Bei den Birken am Hügel erwarte ich dich.«

»Den Eisbeutel jede Viertelstunde wechseln«, sagte Doktor Witram und steckte die Uhr ein. »Zweistündlich ganz kalte Packungen. Die Gefahr einer Gehirnentzündung ist immerhin vorhanden.«

Aus Brunnentiefen tauchte sie nach Wochen auf und begann zu leben. Sie tat es mit Gelassenheit, halb ermattet und halb verwundert. Manchmal atmete sie tief auf und griff ihr Herz an, das so sachten, vorsichtigen Schlag hatte. Gehen konnte sie lange nicht. Baron Delares holte sie mit dem Wagen ab und führte sie in den Wald hinaus. Zwischen den Stämmen sah sie den Frühling hingehen, einen nackten Jüngling, schmal und hell, lichtgrün bekränzt, sang er der Erde herbe Liebeslieder.

Ina lächelte; es war gut, zu leben. Die guten Dinge waren überall da und für alle: Luft und Wind und Wolken, Flüsse aus silberner Seide im Tal, Duft der Erde, das Blühen der Anemonen und die unsagbar beglückende Stimme kleiner Bergbäche. Erst wo der einzelne begann, waren Schmerzen dabei; und auch das schien nicht so schlimm. Ina lächelte mit ihren veränderten, hart und fest gewordenen Lippen. Man hat ja sein Billett in der Tasche, dachte sie.

Es dauerte Wochen, bis sie einen Schimmer körperlicher Kraft zurückerobert hatte; und in der Zeit, da sie, an die Lehne ihres Bettes geklammert, die ersten Exercisen machte wie als Kind, begaben sich zwei unerwartete Dinge.

Der Tod, der ihr unter so viel artigen Zeremonien seinen Besuch abgestattet und sich wieder empfohlen hatte, kam, um Mama zu holen. Sie legte sich ganz still in ihr Bett, klagte nicht, sie lag geduldig sechs Tage da mit ihren gefalteten, resignierten Händen, und am siebenten starb sie. Herr Raffay war gerade nicht zu Hause. Aber Ina saß dabei, sah zu, wie Mama immer kleiner wurde, einmal tief seufzte, und dann zu atmen aufhörte. Sie sah so zufrieden aus, als sie tot war, sie schien so viel Platz in dem breiten Bett zu haben, mehr, als sie je im Leben beansprucht hatte. Auch Ina war zufrieden, sie weinte nicht einmal, sie saß nur da und streichelte Mamas Hand, die langsam kühl wurde, und dachte an die a-Moll-Sonate von Schubert und an die Elfen und Däumelinchen und an den Märchenhimmel mit den vielen Sternen, den Mama über ihre Kindheit gebreitet hatte.

Aber Herr Raffay, heimgekehrt, trauerte stürmisch, fassungslos und lärmend, er beschimpfte den Tod wie einen persönlichen Feind und Konkurrenten, und stöhnte nachts in Nierenkoliken. Joszika, das ungarische Mädchen, saß bei ihm und tröstete ihn in den kindlich barbarischen Lauten der Heimat.

Kaum war Mama begraben, erschien ein Diener der Intendanz und überbrachte einen Brief, der Inas Entlassung aus dem Ballett enthielt. Der Paragraph soundsoviel war zitiert, wonach eine fortgesetzte Dienstversäumnis von soundsoviel Wochen die Intendanz zur Entlassung berechtigte. Herr Forli hatte seiner gekränkten Seele Frieden verschafft. Die Galiena war gerächt. Herr Pratt schlug Skandal in der Rubrik: »Hinter den Kulissen«. Aber Ina lächelte fast erleichtert. Im Fieber hatte sich oft der schräge Boden des Ballettsaales sonderbar geneigt, daß sie verzweifelt und unaufhaltsam die schiefe Fläche hinabglitt, irgendwohin, wo unbestimmtes Unheil sie erwartete.

»Tant mieux«, sagte sie etwas geziert zu Konradin. Die langen Stunden der Rekonvaleszenz hatten sie mit vielen

neuen, erstaunlichen Gedanken über das Tanzen erfüllt. Jetzt packte Ehrgeiz sie an. Was sie jetzt tanzen wollte, hätte in kein Ballett unter Herrn Forlis Leitung gepaßt. Vielleicht wäre selbst Herr Javelot erschrocken. Aber Konradin, mit dem sie vormittags in den leeren Saal des Tanzinstituts zog, um neue Tänze, ihre Tänze zu schaffen, nickte versunken hinter seinem Klavier. Er hatte seine adrette Zeit, manchmal trug er sogar eine Blume im gefransten Knopfloch. Er war ein beschäftigter Mann, ein fast Unentbehrlicher, er mußte aus den Werken aller Zeiten Musik zusammensuchen für Ina, und manchmal schmuggelte er Eigenes dazwischen, Zartes und Bizarres, wie es ihm aus Inas Bewegungen zuwuchs.

Wieder gingen sie zusammen nach Schönbrunn, Ina spannte die geraden, festen Brauen und sah eindringlich den Pfauen zu, den rosenroten Flamingos und entflammten Zwerghähnchen, die ihre Frauen umtanzten. Die Welt war voll von Farben und Bewegungen. Konradin war klug. Im Museum zeigte er ihr den ägyptischen Obelisk, bis obenhin mit Menschen bedeckt, breit in den Schultern, schmal profiliert in den Hüften, die nach eigenen Gesetzen schritten. Es machte Ina nachdenklich, es weckte Sehnsucht nach Ferne und Reisen. »Ich wollte, du nähmst mich mit zu deiner Rana von Raipur«, seufzte sie lächelnd. »Eine Kleinigkeit! Durchlaucht braucht nur zu befehlen!« erklärte er und führte sie in die stillen, braunen Säle der Universitätsbibliothek. Wochenlang kam Ina nicht los von den Bildern indischer und chinesischer Kunst. Wieder taten sich Türen auf.

Im Mai kündigte Ina einen eigenen Tanzabend an; die Stadt war befremdet, man wußte nicht, was von einer so merkwürdigen, seit den vielbelachten Produktionen der Duncan nicht dagewesenen Veranstaltung zu denken sei.

Jedoch man kaufte Karten. Der Baron mietete den Saal. Ina selbst schnitt Kostüme zu, die Fräulein Zwillingsbauer, rotgefleckt vor verschluckter Aufregung, nähte. Herr Pratt tobte in seinem bescheidenen Wirkungskreis Reklame. Herr Raffay, seit Mamas Tod in trauerumflorter, aber ständiger Verjüngung begriffen, traktierte ihn im Kaffeehaus mit vielen Eierkognaks. Aber Herr Pratt tat es nicht darum.

Ina tanzte zehn Tänze. Der erste war fast nur ein feierliches Schreiten, er stellte eine Opferszene dar. Jede der einfachen Bewegungen war neu, schön und dem Ursprünglichen wiedergeschenkt, jeder Schatten von Schablone verwischt. Es war das Schwerste. Einen Krug zu heben, einen Kranz vom Kopf zu nehmen, als wäre es das erste Mal, war das Schwerste. Das Publikum schwieg konsterniert. Der letzte Tanz war ein Walzer, eine hinwirbelnde Girlande von Fröhlichkeit und schwingendem Rhythmus. Das Publikum raste. Dazwischen lag eine steile Steigerung, eine ungeahnte Vielfachheit des Ausdrucks.

Manche waren wie toll. Die jungen Maler, Bildhauer, Dichter gerieten außer Rand und Band. Herr Pratt drehte aller Welt Knöpfe ab, schreiend vor Aufregung: »Und kein einziger Spitzentanz! Und kein einziger Spitzentanz! Das vermag nur das Genie!« Baron Delares plauderte mit seinem Freund, dem Minister, als ginge ihn die ganze Sache nichts an. Im Hintergrund weinte Fräulein Zwillingsbauer, an den ratlosen Herrn Raffay geklammert, der den Erfolg nicht begriff: Ihm war dieser Stil höchst zuwider. Irgendwo zischte man. Das verstand er schon eher.

Ein Teil der Kritik sprach von einer Neugeburt des Tanzes; der andere Teil war empört. Streit entspann sich in den Blättern, Karikaturen erschienen. Bei allen Tees der nächsten Wochen sprach man von Ina Raffay. Der Abend wurde wiederholt. Konradin, gänzlich außer Rand und Band geraten, kaufte sich vom Honorar ein Paar Lackstiefel. Dann wurde es langsam still. Die Agenten, die nach dem Erfolg der »Kleinen Seejungfrau« so zudringlich waren, schwiegen jetzt: Eine Kunst fürs Varieté schien dies nicht zu sein.

Herr Raffay jedoch sprach nicht undeutlich von erwachsenen Frauenzimmern, die überspannte Faxen im Kopf hatten und dem alten Vater auf der Tasche lagen, anstatt Geld zu verdienen.

Ina schwieg und dachte nach. Ein neuer Tanz lag ihr im Sinn, besser als alle bisherigen: Der Tanz der Masken. Es war die Zeit, in der Walt Meinart, der junge Künstler, zum erstenmal bei Ina auftauchte. Er trug feierliche, gelbe Handschuhe, die gar nicht zu ihm paßten. Er überbrachte die Bitte des Künstlerbundes, Ina möchte bei einem geplanten Sommerfest in den Räumen seiner Ausstellung tanzen. Er hatte helle, gute Hundeaugen in einem zart geformten Gesicht. Wenn er saß, sah er groß aus, wenn er stand, hatte er ein paar groteske kurze Beinchen als Postament.

Ina lachte. »Ich will Ihnen gerne einen neuen Tanz tanzen«, sagte sie nachdenklich, »aber ich brauche dazu zwei Masken; eine, die lächelt, eine, die traurig ist. Wollen Sie mir die machen?«

»Ja«, erwiderte er, plötzlich ernsthaft werdend, »ich will Ihnen die Masken machen; eine, die lächelt, eine, die traurig ist. Aber, Herrgott, wozu brauchen Sie Masken? Es ist mir unheimlich für Sie, Ina Raffay.«

Ina stand auf und ging mechanisch vor den Spiegel. Da sah sie ihr neues, verändertes, zusammengeschlossenes und kühler gewordenes Gesicht zum erstenmal mit bewußten Augen. Sie gab Walt Meinart keine Antwort. Sie schloß abweisend den Mund mit den festen, herb gewordenen Konturen ihrer Lippen.

Der »Bund« schrien die Plakate, gelb auf blau. Eine aufwärts stürmende Ina zackte in flüchtig angedeuteten Linien drüber hin. Giftgrüne Fahnen wimpelten über dem Eingang zu den gelbweißen Baracken, in denen die Ausstellung hauste. Es war zwei Tage vor der Eröffnung. Schwitzende Arbeiter hämmerten und klopften frenetisch. Im

Kunstgewerbepavillon spannte ein Herr Professor selbst farbige Seide unter das Glasdach, aus dem über alle Räume ein gleichmäßig weißes Licht tropfte. Die Bilder waren schon alle gehängt; aus aufgestemmten Kisten reckten Plastiken magere Marmorarme ins Helle. Elektrische Kontakte wurde knipsend erprobt. Überall schrie Farbe von Jugend und Kampflust. Aus dem kleinen, kunstvollen Garten klang Musik: Dort probte Thomas Brandt seine »Nachtmusik für zwölf Streichinstrumente«. Auf der Kaffeeterrasse standen schon die grellen, bizarren Schirme, ein paar französische Künstler rollten schwarze Blicke und tranken interessante grüne Getränke. Das Gartentheater war fertig. Weiße Mauer, mit zarten goldenen und schwarzen Ornamenten, schloß die Bühne aus dunklen Taxusbüschen ab. Walt Meinart wusch sich die Hände in einem alten Eimer.

Jetzt konnte Ina Raffay kommen.

Sie war noch in Trauer, über dem schwarzen Kleid lag ihr Gesicht in einer klaren Blässe. Der Mund schien täglich fester in den Umrissen zu werden.

»Grüß Gott, Walt«, sagte sie, »verzeihen Sie, ich komme etwas spät. Ich wollte meinen Komponisten mitbringen, Konradin Rahl, aber der alte Herr ließ mich aufsitzen.«

»Es macht nichts, gar nichts«, antwortete Walt und schaute glücklich ihr Gesicht an. »Warten ist so was Hübsches, man kriegt so angenehmes Herzklopfen davon. Übrigens bin ich noch in Kriegsbemalung«, er hob mit spitzen Fingern seinen farbfleckigen Malerkittel. »Brandt hat inzwischen angefangen, seine Nachtmusik zu probieren. Wir könnten uns so lange einmal die Bilder ansehen.«

Überall roch es nach Farbe, Firnis, Terpentin, nach nassem Mörtel und frischem Holz. »Kinder«, sagte Ina, »was habt ihr hier für feine Luft, es riecht nach Anfang.«

»Ina«, sagte Walt und sah zu Boden, »es, es ist Ihnen doch nicht unangenehm, daß Thomas Brandt die Musik zu Ihrem Tanz dirigiert?«

»Nein. Warum auch?« erwiderte Ina kühl. »Er ist ein außerordentlicher Dirigent.«

Walt hob seine hellen Hundeaugen zu ihrer Kaiserinnenstirne auf und lachte. Er konnte nicht anders, alles in ihm sang vor Liebe.

»Das bin ja ich?« sagte Ina und blieb vor einer Wand mit Radierungen stehen. »Und das auch! Und das auch! Eine ganze Wand voll Ichs! Wie merkwürdig das ist! Ja, das sind alles Stellungen als Irin. Seit damals bin ich wieder weitergekommen. Aber die Radierungen sind gut, ja? Sie haben ein bißchen was Japanisches; wer hat sie gemacht?«

»Ein elender Idiot und Nichtskönner«, sagte Walt mit trostlosem Ausdruck. »Einer, der verdienen würde, neben den schlechtesten Kaulbach gehängt zu werden. Er ist zerknirscht. Er heißt Walt Meinart.«

»Aber Walt! Da haben Sie mir nichts gesagt? Haben Sie gelauert und mich immerfort heimlich gezeichnet?« Sie schaute ihm in die Augen. »Ich glaube, Sie sind falsch und heimtückisch«, sagte sie. Sie mußten beide darüber lachen. Meinart grub die Hände in seine Kitteltaschen und knipste nervös mit den Fingern, während Ina seine Bilder besah. Vor einem stand sie lange. »Das ist schön«, sagte sie tiefatmend.

»Ja, das ist schön«, wiederholte er leise, seine Augen trübten sich ein wenig. Eine junge Frau, ganz zart und mädchenhaft, aber gesegneten Leibes, schritt übers ergrünende Feld. Frühlingsherbheit lag in der Luft. Fern am Rand standen knospende Weiden gegen den blauen Himmel. Die Frau hielt eine Blüte schützend in ihrer Handfläche wie in einer Muschel. Ein inbrünstig vertiefter Ausdruck war in dem Gesicht.

»Es heißt: ›Erwartung‹. Es war meine Frau. Das heißt, verheiratet waren wir nicht. Sie starb bei der Geburt; auch das Kind. Sie war erst siebzehn Jahre alt.«

»Armer Walt«, sagte Ina nach einer Weile zart. »Das

klingt wie ein trauriges Lied. Aber Sie? Wie kommt es, daß Sie trotzdem immer lustig sind wie ein Gassenbub?«

»Sie tragen ja auch Masken, wenn Sie tanzen, Ina Raffay«, antwortete er und sah an ihr vorbei.

»Aber es ist nicht nur das«, fügte er hinzu und blieb auf der Treppe zum Garten stehen. In seiner Stimme schwang es. »Das Leben ist ja nicht aus, wenn man einmal Unglück gehabt hat. Es kann etwas Neues anfangen, etwas, das tausendmal herrlicher ist als das Vergangene. Eines Tages wacht man auf, und das Glück ist wieder da, man schwimmt im Glück, so ist es. Brandt!« rief er gleich darauf über den Garten hin, »kann Fräulein Raffay zu proben beginnen?« Aus den Taxuswänden löste sich Thomas Brandt und kam mit hängenden Armen und in unfreier Haltung die Treppe herauf. Er machte eine befangene, abwartende Verbeugung vor Ina; noch immer ließ er die Hände lose herabhängen.

»Grüß Gott, Brandt«, sagte sie ruhig und streckte ihm ihre Finger hin. »Es ist hübsch, daß wir wieder einmal zusammen arbeiten. Hast du den Tanz durchgesehen?«

»Ja«, sagte er, sehr erleichtert. »Höre, es ist entzückende Musik. Wo hast du das Stück ausgegraben? Von Rahl, nicht wahr? Es gibt eine verschollene Oper von Rahl, als Bub hörte ich sie, ist es daraus? Es ist Vorläufermusik, alle die modernen Franzosen stecken schon drin. Schade, daß der Mann so früh gestorben ist.«

»Der ist nicht gestorben; der lebt. Ich wollte ihn heute mitbringen, damit er seine Musik hört, aber er ist nicht mitgekommen. Du hast ihn übrigens schon gesehen, es ist mein alter Freund Konradin. Ich freue mich, daß dir die Musik gefällt; vielleicht können wir den alten Herrn noch einmal hochbringen. Ich bin ihm viel Dank schuldig. Komm, wollen wir die Sache durchgehen? Ich markiere nur. Es ist kein Tanz für den hellen Tag.«

Irin? dachte Brandt verwundert, als er hinter ihr über die schwarzweißen Fliesen hinschritt. Die Nackenlinie kannte er gut, den Gang, den schmalen Schwung der Hüften; aber es war nicht mehr Irin, die demütige, sie war steiler, größer, anders, in einer neuen Schönheit. Es mußte süß sein, Glaswände zu durchbrechen, die unsichtbar um sie wuchsen.

»Hier sind die Masken«, sagte Walt Meinart von der Bühne. Er stand dort auf seinen Igelbeinen und hielt die Masken in der Hand: Eine, die lächelt, eine, die traurig war.

Es dämmerte schon, als Ina von der Probe heimging. Sommerstaub hing dunstig vor dem gelben Himmel, eine unbestimmte Unruhe lag auf Ina, sie quoll aus den Gärten, aus Fenstern, denen Musik entströmte, aus Wagen, in denen Paare saßen. Die kleinen Kaffeehausgärten schoben sich auf die Trottoirs, angefüllt mit Summen und dem ersten Licht der bunten Seidenlampen, das in belebte Gesichter fiel. Die Wohnung zu Hause lag stumm; Herr Raffay war nicht da, auch Joszika schien verschwunden. Ina stieß die Türe zur Mädchenkammer auf, süßlicher Dunst quoll dumpf daraus, die Türe knarrte heiser, Ina schloß sie schnell. Sie wanderte durch die kleinen Zimmer, die schienen groß und leer und schwiegen so eindringlich, seit Mama fort war. Sie war so still und grau und unbemerkbar gewesen, solange sie lebte; nun fehlte sie überall. Man konnte hier wirklich nicht mehr leben.

Da waren diese beiden Briefe in ihrem Schrank. Der eine, von Baron Delares, sollte wohl, aller Umschreibungen entkleidet, einen Heiratsantrag bedeuten. Der andere im grauen Geschäftskuvert enthielt einen Antrag an das neue Kabarett »Die Laterne« in München.

Ina setzte sich ans Fenster, stützte den Kopf ermüdet in die Hände und dachte und wog zum hundertstenmal.

Ein Haus in Fliederwolken gebettet; Nachmittage am Kamin, über Bücher und Bilder gebeugt. Ein schwarzer, strenger Haushofmeister. Fiakerfahrten neben dem alten Herrn, der aus einem antiken Döschen Salmiakpastillen aß und sie manchmal mit seinem parfümierten Atem streifte.

Reisen. Luxus. Ein breites Bett, in dem man traumlos schlief. Es ging vielleicht.

Das Kabarett: Ein neuer, nicht geklärter Begriff. Sicher schwarzweiß wie alles Moderne. Angefüllt mit Hitze, Wein, Berauschtheit, Qualm. Dampfende Menschen, Kunst, Lautengeklimper, viele Hände, gierig ausgestreckt. Küsse, in Taumel gegeben, in Kälte empfangen. Tanzend verbrennen wie eine steile Flamme. Auch das ging. Im Grund war es tief gleichgültig, welchen Weg man wählt: Man hat ja sein Billett in der Tasche.

Wo steckt Konradin? Er muß raten, dachte Ina ungeduldig und begann wieder durchs Zimmer zu wandern. Wenn man ihn braucht, ist er nicht da. Warum hat er seine Musik nicht gehört? Sie klingt gut, Brandt war entzückt. Brandt!

Ina begegnete sich im Spiegel und blieb stehen; da war ihr neues Gesicht mit den geraden Brauen und dem geschlossenen Mund. Brandt, wie komisch. Einmal hätte man um diesen Herrn mit dem Spitzbart, den grauen Schläfen, den geschmacklosen Anhängseln an der Uhrkette und den vielen Liebschaften sterben wollen. Damals war man reich; jetzt geht das Blut so stillen Schlag.

Ina tritt wieder an das Fenster und schaut auf den dunkelnden Platz. Ich soll mich ja entscheiden, denkt sie: Der Baron oder das Kabarett. Es ist gleichgültig. So ist jetzt das Leben: alles schmeckt gleich. Nur in der Arbeit spürt man sich noch selbst, und der Ehrgeiz gibt ein wenig Wärme. Der Tanz mit den Masken muß morgen nochmals in der Tanzschule durchgearbeitet werden.

»Wo nur Konradin steckt? Man ist grauenhaft allein«, sagt Ina in die Abendluft hinaus. Verhängte Sterne wachsen aus dem dunkelnden Himmel, mehr und mehr, es sind dieselben Sterne wie in der Kindheit über dem Schloßhügel von Amrun.

Fernand, sagt etwas in Ina, Fernand? Sind es unsere Sterne? Rufst du mich?

Unten geistert ein Schatten über den dunklen Platz, an den Mauern hin; im Schein einer Laterne erkennt Ina den Gang von Füßen, die sich nicht vom Boden heben. »Konradin!« ruft sie leise hinunter, »wo steckst du nur? Warte, ich komme hinunter.«

Konradin erschrickt und bleibt erstarrt unter einer Laterne stehen. Ina ist schon bei ihm. »Wo kommst du jetzt her? Warum warst du nicht bei der Probe? Wo steckst du die ganze Woche?« sagt sie streng. Er antwortet gar nicht, er hebt nur seine trüben Augen zu ihr auf und streicht hilflos das verwahrloste Gewand zurecht. Er trägt seine Lackstiefel nicht mehr.

»Aber, Konradin«, sagt Ina leise, wie Mama es immer sagte; erst in diesem Augenblick versteht sie, wieviel verheimlichte Güte darin war. »Komm jetzt mit mir hinauf. Warum wanderst du da am Platz umher wie ein Gespenst?«

Konradin bringt eine verwüstete, zerrissene Stimme zum Vorschein, die spricht: »Durchlaucht geruhen doch in jeder Situation den schönsten und passendsten Ausdruck zu finden: ein Gespenst. Das Gespenst des Komponisten Rahl, das traurige, namenlose Überbleibsel eines Genies, verludert, versoffen, spukt es nachts durch die Straßen und sucht sein verlorenes Selbst. Sein Selbst. Weißt du, Principessa, was das ist?«

»Ja«, sagt Ina und spürt den vertrauten, saugenden Schmerz des Mitleids wie einen Reichtum in ihrem verstummten Herzen. »Du hast doch deine Musik, da ist ja dein Selbst drin, Konradin. Sie ist schön. Thomas Brandt war begeistert davon. ›Von dem berühmten Rahl‹, sagte er gleich; er kennt deine Oper. Warum warst du nicht bei der Probe?«

»Schau, schau. Der berühmte Thomas Brandt! Und der berühmte Rahl! Was für ein schönes Bild wäre es gewesen, Principessa, wir beide nebeneinander. Ich mache eine glänzende Figur, nicht wahr? Der berühmte Rahl! Der Portier sagt: ›Wir sind im Verein gegen Verarmung und Bettelei; Bettler werden nicht hereingelassen; Besoffene schon gar nicht.‹ – ›Entschuldigen Sie, Herr Portier, mein Name ist Rahl. Ich bin der berühmte Rahl, ich will zur Probe meiner Musik. Man ruft mich zwar im allgemeinen nur beim Vornamen, wie einen Hund, aber ich bin der berühmte Rahl. Was die Herren Brandt und Kollegen heute komponieren, das ist mir schon vor dreißig Jahren eingefallen. Ich lasse mir jetzt nichts mehr bieten! Ich habe eine kleine Schwäche, schön; Genies sind eben so. Das eine hat's mit den Weibern, das andere säuft. Mein Name ist Rahl, wenn Sie es wissen wollen.‹«

»Sei gut, sei still, Konradin; komm, gib mir deine Hände, du bist ja außer Rand und Band. Du hättest deine Musik hören müssen, das hätte dir gutgetan.«

»Außerordentlich, Principessa«, sagt er, und die rotgeränderten Augen starren in ein Uferloses. Er schiebt seinen Kopf näher an Ina und flüstert und nickt unheimlich: »Ich habe sie gehört, meine Musik, ich habe sie gehört. Ich stand draußen an der Gartenmauer, auf der Straße, wo besoffene Gespenster hingehören, und habe alles gehört. Die Geigen und die tiefen Flöten und goldenes Harfengezupfe, und dann die große Melodie in Es-Dur; nach dreißig Jahren wiedergehört. Das hat meinen Weg beleuchtet, grell, sage ich dir, grell. Was ich war; und was ich jetzt bin: ein Mensch ohne Selbst. Jetzt gehe ich heim, Principessa.«

»Konradin, noch einen Augenblick«, sagte Ina dringlich, »ich brauche dich. Ich wollte dich um Rat fragen, ich weiß mir nicht zu helfen, ohne dich bin ich ganz allein. Was soll ich tun: den Baron heiraten oder zum Kabarett gehen?«

»Tu', was dein Herz verlangt«, erwidert er schlaff.

»Mein Herz ist taubstumm; es hört und spricht nichts.«

»Armes Herz!« sagt er spöttisch. »Es interessiert mich heute nicht, dein Herz. Tu' was du willst, aber sprich nicht von dir, heute nicht, Ina, Kind, heute nicht. Hörst du nicht, wie es aus mir schreit: ›Ich, ich, ich!‹? – Ich bin mir selbst begegnet; jetzt ist es aus. Jetzt gehe ich heim. Wünsche wohl zu ruhen, Durchlaucht.«

Er zieht seine kalten, zitternden Hände aus den ihren und schaut sie versunken an. »Es ist kalt, nicht wahr?« fragt er. »Ich friere sehr. Weißt du noch, Ina, wie du klein warst? Ich durfte meine Hände in deinem Haar wärmen.«

»Das darfst du noch immer, Konradin.«

Er schließt die Hände um ihren Scheitel. »Erinnerst du dich noch an den Luftballon?« fragt er leise.

»Ja«, sagt Ina lächelnd, »noch ganz genau. Wenn ich die Augen zumache, sehe ich ihn.« Sie schließt die Augen. Ein dunkler Tropfen ertrinkt im großen Himmelsblau. Etwas Kühles streift sie. Vielleicht bildet sie sich nur ein, daß Konradin ihr Haar geküßt hat.

»Ich gehe jetzt heim. Gute Nacht, Madonna«, sagt er. »Bete für deinen armen Knecht Konradin.«

Aus Taxushecken tritt Harlekin. Weißes Licht reißt seine schmale Gestalt aus dem Dunkel vor die Menschen hin. Musik bewegt seine Glieder marionettenhaft; seine Hände schließen sich am Rücken zusammen und verbergen etwas. Unter der schwarzen Seidenkappe schaut eine Maske her. Die Leere und Gleichgültigkeit im weißbemalten Gesicht ist so vollständig, daß die Menschen unten erschrecken. Ein Schauer streift Harlekin; starr löst er die Hände, starr dreht er sich; nun scheint die Maske lebendig zu sein, sie lächelt perfid. Harlekin tänzelt grotesk, horcht, stockt, wendet sich, weiß starrt das Gesicht in verzerrter Traurigkeit. Unheimlich! denkt Walt Meinart unten; zwei Masken habe ich gemacht, mit dreien tanzt sie.

Da ist das Gleichgültige wieder, das tote, leere, wirkliche Gesicht. Neben ihm sind die Masken das Lebendige. Aber

Melodie blüht hinter den Taxushecken auf, und das Gesicht, die Maske, bewegt sich. Atem weht durch die Menschen unten, die noch nicht begreifen. Das Gesicht wird lebendiger, von Augenblick zu Augenblick, es ist ein schönes Gesicht, edelgestirnt und mit großen Augen, die sprechen können. Tanz treibt Harlekin über die Bühne, er gibt sich hin, er lächelt, hebt die Maske, und neben seinem Lächeln ist das ihre nur Grimasse. Moll-Akkorde tropfen schwer herab, Harlekin sehnt sich, er trauert, nur in den Mundwinkeln sitzt der Schmerz und im Zucken der Brauen; aber die verzerrte Traurigkeit der Maske ist stumpf daneben.

Der Tanz wird wilder, schneller, im Wirbel kreist der schmale Körper, Gesichter tauchen auf in jeder Drehung, zehn, hundert Gesichter, ins Weiß der Rampe getragen. Die Masken schwingen durch die Luft, bedecken das Gesicht, fallen wieder. Hinter der traurigen Maske lebt Harlekin und lacht. Hinter der lachenden trägt er Schmerz und Kummer. Er bäumt sich auf, von der Musik emporgestellt, Verzweiflung rüttelt ihn, er verbirgt sein Gesicht tief zwischen den gekreuzten Armen; in einer künstlichen Bewegung halten seine Hände die beiden Masken zu den Seiten des gebeugten Nackens. Die Masken starren tot, der Nacken lebt, Schluchzen reißt an ihm, sein Zucken ist stärkster Ausdruck. Harlekin steht still und hebt langsam das Gesicht; es weint nicht. Leer, weiß, gleichgültig, erschreckende Maske, starrt es zwischen den beiden andern Masken.

Hinter Taxushecken verschwindet Harlekin, Dunkel schluckt ihn ein, Musik entgleitet in Geigenhöhen.

Ein Augenblick tiefer Stille lag über den gebannten Menschen im Garten. Eine Sekunde hing der Sommerhimmel bestirnt und stumm, Wipfel hörte man rauschen, den Brunnen in der Pergola traumhaft murmeln und tiefes Atmen. Dann brachen sie los.

Hinter den Taxushecken sagte Thomas Brandt erregt:

»Du bist so anders geworden, Ina, daß man erschrickt. Eine andere Frau, eine neue. Nicht so süß, wie Irin war, aber viel gefährlicher, du.«

»Ja, ich bin ein paar Zentimeter gewachsen nach meiner Krankheit, wie Kinder es zu tun pflegen. Komisch, daß ich noch in dem Alter bin, wo man wächst«, sagte sie; sie wollte nicht verstehen. »Ich komme mir so alt vor wie eine Schildkröte.«

»Auch so gepanzert, Ina?«

»Auch gepanzert. Ja.«

Sie schaute ihn nicht einmal an, sie schaute spöttisch, zärtlich den Masken in die leeren Augen. »Ich möchte mich jetzt umkleiden; wo ist Meinart? Er hebt mir den Schlüssel zur Garderobe auf.«

»Meinart zeichnet das Plakat, Meinart macht die Radierungen, Meinart entwirft das Kostüm, Meinart fertigt die Masken an, Meinart hat deinen Schlüssel. Es ist ein vielseitiger Mensch, Herr Meinart, wie?«

»Es scheint so«, sagte Ina kurz.

»Was hast du im Sommer vor, Ina?«

»Ach, dies und jenes. Und du? Gehst du in dein Landhaus?«

Nur ein Bild, auftauchend und ertrinkend. Turmfalken im durchsonnten Blau. Duft von Föhren und Erdbeeren, Bergwiesen, seidig geneigt. Seliges Versinken im Abend. Der glückliche Tag, der verklärte, leuchtende, ewig glückliche Tag.

»Nein, nicht dorthin; es, es gehört meiner Frau, es – weißt du nicht, daß ich mich scheiden lasse?«

»Ach?« sagte Ina, höflich lächelnd. »Wirklich?«

»Ja, wirklich; ich, ich heirate nächstens, ja, ich heirate die Dannot. Sie – wir – werden ein Kind bekommen.«

»Ein Kind, das ist schön. Ich wünsche Glück, Thomas.«

Seine Brust ging stark unter dem Frackhemd. »Ich war ein Narr, Ina, ein Narr!« sagte er leise und heftig. »Heute weiß ich es. Seit ich dich wiedersah, weiß ich es. Und heute bin ich neu verrückt. Und du? Spielst du mir Komödie vor, Ina?«

Sie ließ nur die Hände fallen, es war eine matte, verwunderte Bewegung. Er verstand sie nicht; er riß sie an sich und grub seinen Mund in den ihren. Der war kühl und ohnmächtig, er gab nicht, er empfing nicht, er wehrte sich nicht einmal, Harlekins toter, unfühlender Mund.

»Jetzt gehe ich mich umkleiden«, sagte sie, als er zurückwich, und ließ ihn stehen, unter dem Sommerhimmel, zwischen den Taxushecken. Im Schreiten spürte sie ihre Schenkel schmerzen und ihre Arme, auch die Zehen waren müde und zufrieden nach dem Tanz.

Walt stand schon an der Tür. Er sprach kein Wort, doch als er aufschloß, sah sie, ausdruckserfahren, daß sein Kinn bebte. Müde fiel sie in einen Stuhl. Walt stand noch da auf seinen krummen Beinen, er putzte mit seinem Ärmel die Messingklinke, es war eine unbeholfene und sinnlose Bewegung.

»Nun, Walt, was ist los?« fragte sie zwischen Spott und Mitleid; da lag er schon vor sie hingeworfen, den Kopf in ihren Schoß gepreßt, schluchzend, stammelnd, weinend, lachend, gerüttelt, aufgerissen in einem Sturm des Gefühls. Sie strich ganz sacht über sein Haar, es war blond und warm, sein Kopf lag wie ein kleines, kindliches Tier in ihren Schoß geschmiegt. »Ach, Walt«, sagte sie langsam, »du dummer Bub, was ist denn?«

Er stöhnte Dumpfes und Sinnloses in die schwarzweiße Harlekinsseide: Liebe, Liebe, Liebe. Ina horchte über ihn hin, in ihrem gefrorenen Herzen taute ein wenig zärtliches Mitleid.

»Hast du mich denn so lieb?« fragte sie fast gedankenlos; ihr lag noch der Tanz im Sinn. Auch als er den Kopf hob und stürmisch zu ihren Augen sprach, indes sie zerstreut sein Haar streichelte, war es so, daß die Gedanken ihr wegliefen.

Wo ist Konradin? Warum war er wieder nicht gekommen? Es machte Unruhe und Angst. Ein hübscher Fries an der Wand, jagende Panther. Der Tanz ist gut gegangen, nächstens muß er noch schärfer beleuchtet werden. Auch mit Brandt ging es gut. Armer Walt, armer, lieber Bub, da hat er Tränen in den Augen. Es muß gut sein, vor Liebe zu weinen. Wird es jetzt mein ganzes Leben so sein, daß ich hinter Glaswänden sitze?

»Ich hab' dich lieb«, stammelte Walt, »ich hab' dich so lieb, ich kann ohne dich nicht mehr sein. Nur deine Nähe, deine Hand, deine Stimme, daß ich atmen kann. Ich hab' dich lieb, ich hab' dich lieb, und du?«

Ja, dachte Ina, das kenne ich; so ist es: liebhaben. Sie nickte und nahm seine Hände. »So lieb hast du mich, Bub?« fragte sie fast beschämt. »Ich, nein, so lieb kann ich nicht haben. Aber ich bin dir gut.«

»Ich verlange ja nichts, nichts. Du sollst dich nur lieben lassen, nur bei mir sein und mir erlauben, dich lieb zu haben; ich verlange nichts.«

»Nur nehmen soll ich? Nichts dafür geben? Das kann ich nicht.«

»Du gibst, o, du weißt nicht, wie du gibst. Daß du nur *bist*, ist schon Verschwendung. Ich rede Unsinn, ja, aber das tue ich ja immer. Ich bin ja ein Esel, Herrgott, ein Kerl wie ich, ohne jeden Wert. Aber bleib du in meiner Nähe, und es wird was aus mir. Hast du es nicht gesehen, alle meine Bilder warten auf dich, alle haben sie deinen Mund und dein Wesen, immer schon, wie eine Ahnung. Bleib bei mir, geh mit mir nach München; o, wie habe ich gesucht mein ganzes Leben; ich will schaffen. Du sollst mir das Werk geben, dein Bild, unser Werk!«

Sprechen denn alle dasselbe? dachte Ina, indes er weiter phantasierte von München und einem Glück, das über alle Grenzen ging.

»Weißt du auch, daß ich mich morgen verloben soll?«

fragte sie abwesend, und da er erschrak: »Du mußt mir Zeit zum Überdenken lassen. Es hält mich nichts; aber es treibt mich auch nichts zu dir.« Sie horchte in sich hinein in einer letzten, zögernden Erwartung. »Nein, es treibt mich nichts«, wiederholte sie still.

»Ich will warten«, sagte er und stand auf. Er sah rührend komisch aus mit seinen verweinten hellen Hundeaugen und den weißen Flecken auf den Knien der traurigen Frackhose. »Darf ich, Ina? Ein einziges Mal?« fragte er, und sein Kinn bebte wieder, während er zaghafte Lippen ihrem Mund näherte. Sie drängte leise zurück und sagte: »Ich bin ja geschminkt.«

»Aber die Schultern«, flüsterte er, »sie sind so zart, es sind zwei kleine Mädchen, mit Seide angezogen, Tag und Nacht sind sie bei mir. Darf ich Sie küssen, Fräulein Schulter?« Ina mußte lächeln, zitternde Wärme drang durch das Harlekinskleid, es war nicht unangenehm. Kann man sich denn wirklich geben ohne Liebe? dachte sie, und zugleich, wäre er der Rechte.

»Geh, Bub«, sagte sie, »geh jetzt, ich bin müde. Ich möchte mich umkleiden.«

Das Fest dauerte bis zum Morgengrauen. Ein Strom von Sommer, Jugend, Farben, Kunst floß zusammen, Freude schoß als Rakete auf. Ina trug einen Reifen ums Herz, sie hungerte nach Betäubung, sie warf sich dazwischen, Licht der Lampions rann über Wimpern und Wange, Lautenklang hob sie hoch, aus flachen Schalen floß Duft und Rausch von Wein und Erdbeeren. Blumen tropften ihr als kühler Kranz um die Schläfen. Daß sie mit weißem Gesicht und offenen Haaren im Trauerkleid noch einmal tanzte, daß Fackeln an ihr vorbeigetragen wurden und Walt Meinart hinkniete und vor allen Menschen ihren nackten Fuß küßte, war vielleicht nur geträumt. Der Himmel verblaßte grünseiden über ihr, als sie mit Walt zum Ausgang schritt. Der Brunnen in der Pergola sprach leise, und vor dem Eingang hingen die Fahnen wie windsatte Segel. Ein Wagen wartete, Pferd und Kutscher schliefen mit gesenkten Köpfen und rissen sich empor. Ina wachte auf.

»Herr Baron haben befohlen, Euer Gnaden zu erwarten und heimzubringen«, meldete der Diener am Schlag. »Herr Baron haben einen Brief mitgegeben.«

Walt hob sie in den Wagen und küßte ihre Hand. »Ich warte«, sagte er. Der Wagen rollte. Ina öffnete den Brief. »Ich warte«, stand darin. Sie legte den wirren Kopf zurück, der Himmel erhellte sich langsam. Alle Sterne waren fort, alle Sterne. Am Platz vor dem Haus hob kühler Schauer sich auf, Ina sah sich um, ihr war, als hätte Konradin sie gerufen, aber es war leer, dünn und schattenlos standen Laternen im Grauen.

Die Wohnung oben roch nach Enge und Kleinlichkeit, die Möbel hatten Gesichter wie in der Kindheit. Ina ging in die Küche und ließ den Strahl der Wasserleitung über ihre ermüdeten, viel geküßten Hände rinnen. Da knarrte eine Tür im Flur, und sie erschrak, sie erkannte den heiseren Laut gleich und den süßlichen Dunst, der aus der Mädchenkammer quoll. Sie stand ganz still und sah Herrn Raffay zu, der im Nachthemd davonschlich und in sein Schlafzimmer tappte. Seine bloßen Beine sahen traurig aus, und der Schnurrbart hing herab. Erst hatte sie nur ein peinliches Gefühl von Übelkeit, dann hörte sie ihn im Schlafzimmer zufrieden seufzen, und ihr fiel ein: Er schläft in dem Bett, wo Mama starb.

Sie ließ das kalte Wasser noch lange über ihre Hände rinnen, und in ihrem Zimmer blieb sie in den Kleidern sitzen wie ein unerwarteter Gast. Weglos lag alles vor ihr. Dann hob sich irgendwo verschlafen erster Vogelruf in den Morgen, eine rührend reine, süße, kleine Stimme zwischen Dächern, Schornsteinen, Mauern, die steinern und unlebendig im Asphalt wurzelten. Stärker als sonst spürte Ina die Ewigkeit und den Trost in dem kleinen Laut. Immer fliegen

Vögel zum Himmel, immer stehen Wälder an fernen Rändern, immer plaudern Quellen im Traum durch Moos, immer neigen sich Birken wiegend über die Erde. Sie entschlief übermüdet, in Kleidern, mit geschlossenen Händen; aber im Traum war sie in Amrun.

Als Ina am nächsten Tag bei Baron Delares eintrat, schoß etwas Braunes aus der Ecke, stieß dumpfe Freudenlaute aus, sprang sie an, leckte mit heißer Zunge ihre Hände.

»Türk«, sagte Ina und staunte, weil sie glücklich weinte, »Türk, guter Hund, wo kommst du her? Kennst du mich denn noch? Bin ich denn noch dieselbe?« Er legte die Pfoten auf ihre Schulter und schaute sie flehend an mit hellen Augen. Er hatte die gleichen Augen wie Walt Meinart.

»Er gehört Ihnen, Ines«, sagte der Baron, »er ist das merkwürdige Präsent, das Baron Fernand Ihnen zu machen wünscht.«

»Fernand? Fernand, mir? Ist er denn in Wien?« fragte sie, von unerklärlich starker Freude angerührt.

»Nein. Er liebt ja das Mystische. Ich weiß nicht, wo er jetzt ist, wünsche übrigens auch nichts von ihm zu wissen. Aber der Kastellan ist hier mit dem Hund erschienen und dem brieflichen Auftrag: ›Es ist jetzt Zeit, daß der Hund zu Ina gebracht wird.‹ Eine merkwürdige Form, muß ich sagen.«

»Merkwürdig, ja«, sagte Ina versunken, »was weiß Fernand von mir? Er weiß immer das Richtige für mich. Er schenkte mir schon einmal etwas.«

»Lassen wir den Hund jetzt, Ines, Auch ich, auch ich möchte Ihnen etwas schenken, Sie wissen, die graue Perle, die Sie als Frau tragen sollten.«

»Ja«, sagte Ina und vergrub ihre unentschlossenen Hände in Türks warmem Fell. Sie wartete, ob das, was nun kam, ihr ein Ziel geben könnte.

»Es würde schlecht zu mir passen, Ihnen so etwas wie eine Liebeserklärung zu machen; es wäre wohl auch nicht Ihr Geschmack. Aber dies, Ines: Seit ich Sie zum erstenmal sah, Sie waren ein kleines Mädchen damals, scheint mir das Leben nicht ganz so zwecklos, nicht ganz so ohne Wert wie vorher. Sie sind das kostbarste Geschöpf, das ich in meinem Leben gesehen habe, und es war mein Glück, all die Zeit von weitem zuzusehen, wie herrlich sie aufwuchsen. Niemand auf der Welt kann Sie so hoch einschätzen wie ich, und niemand könnte Sie weicher betten wollen, besser pflegen, Ihnen jeden Wunsch erfüllen, Ihre wunderbare Eigenart behüten wollen, als ich.«

»Ja«, sagte Ina leise, »ich weiß es. Sie haben Sammleraugen und Sammlerhände.«

»Nicht das allein ist es. Ich bin ein Delares. Wissen Sie nicht, daß wir Delares immer unser eigenes Blut gesucht haben? Immer noch sind wir zwischen den andern hier fremd, Sonderlinge, Phantasten, Abenteurer ohne Heimat. Immer haben wir Hunger und Sehnsucht. Nicht wahr, Ines? Und du, mit deinen Augen, mit deiner Stirne die echteste Delares, die ich je gesehen habe, dich kann niemand anderes so – verstehen, wollen wir es nennen, weil wir ja nicht von Liebe reden wollen.«

Ina spürte sich schwach und willenlos; einem grotesken chinesischen Porzellangott auf dem Tisch entströmten einschläfernde, parfümierte Dämpfe. Schwesterseele, kleine Schwester, jetzt muß ich Abschied nehmen, sagte irgendwo Fernand; sie sah sein schmerzblasses Überwindergesicht.

»Und wenn, und wenn – ich bei Ihnen bleiben würde: Darf ich dann noch tanzen?« fragte sie.

»Für die Leute nicht. Aber für mich, Ines, für mich tanzen; für mich schön sein, für mich alles.« Eine Hand streckte sich nach ihr, die lange, überzüchtete, gelbliche Hand der Delares. Welke Haut, hohe blaue Adern, eine unruhige

Greisenhand. »Für mich einen Sohn haben, einen echten Delares«, flüsterte der Baron klanglos.

»Nein!« schrie Ina. »Keinen Sohn! Kein Delareskind!« Sie fuhr in Abwehr zurück, sekundenlang sah sie ein altes, mißförmiges Kindergesicht, dann ein entflammtes Greisenantlitz, das sie entsetzte. Der Hund fuhr hoch, sprang wild den Baron an und zeigte die Zähne. Der saß schon wieder gerade auf seinem Stuhl und lächelte gelassen; nur seine Finger zitterten noch. »Was haben Sie, Ines?« fragte er fast spöttisch.

»Ich bin nervös«, sagte sie, sich zwingend, »ich bin übermüdet und sehr nervös. Seit heute nacht bin ich in Sorge um Konradin, immer höre ich Stimmen, auch Fernand höre ich. Ich habe keine Ruhe, ich möchte zu Konradin. Ich muß ihn etwas fragen, unbedingt.«

Ina log nicht; es war ihr blitzhaft klar, daß Konradin mit Fernand in Verbindung stand, daß er ihm geschrieben hatte. Dann wußte aber Fernand auch, warum es Zeit war, daß Türk zu Ina kam, und auch, wohin der Weg führte.

»Sie haben mir noch immer keine Antwort gegeben, Ines. Ich warte schon so lange. Wissen Sie nicht, was Sie wollen?«

»Ich weiß es nicht. Ich will es gut haben«, sagte Ina gequält, und es klang kindlich. Unbestimmt schwebte ihr eine zarte, tiefe, selbstlose Güte vor, die noch die Luft küßte, in der sie ging. Es war wunderlich, wie sie mit einemmal abrupt fragte: »Wo ist eigentlich der kleine Prinz Birkenfeldt? Ich sah ihn lange nicht.«

»In der Schweiz, lungenkrank. Lassen Sie das doch, Ihre Antwort, Ines, Ihre Antwort.«

»Ich weiß es noch nicht.« Sie schaute unruhig um sich. »Es ist, als würde ich alle Türen hinter mir zumachen«, murmelte sie. Sie sah flehend den Baron an, der seine Augen hinter schweren Lidern verbarg und höflich sagte: »Sie sind jetzt ungeduldig. Bitte, wollen Sie meinen Wagen nehmen und zu Konradin fahren? Aber kommen Sie wieder, Ines, kommen Sie wieder.«

Unten stand schon der Wagen. Türk legte sich ihr zu Füßen und hob den anbetenden Blick in ihr Gesicht. »Mein lieber Hund, mein lieber Hund, was sollen wir nur anfangen?« fragte Ina fast weinend; aber das wußte auch Türk nicht. Sie fand sich ohne Ziel verstrickt, immer tiefer getrieben in Unruhe und Ratlosigkeit. Der Wagen fuhr langsam. Vor dem Gartenhaus, wo Konradin wohnte, standen schweigsame Leute, alle waren barhäuptig, sie machten eine Gasse vor Ina, als wäre sie erwartet. »Der Doktor war schon da«, sagte eine Frau und öffnete die Tür zu der Hühnertreppe. »Vor einer Stunde haben wir ihn gefunden am Fenster. Es war ein guter Herr, bißl eigen, aber wir sind alle nur Menschen. Die Dame entschuldigen: Stimmt es doch, was es immer geheißen hat, daß er ein heimlicher Graf war? Soll er in der Equipage geholt werden? Sonst holt ihn die Sanität.«

Ina nahm den Hund fester beim Halsband und öffnete die Tür. Das Zimmer ist ganz aus Gold wie in der Kindheit. Sonne strömt breit zum geöffneten Fenster herein. Die blauen Berge ziehen hin, sanft gewellt, in Buchten einsinkend und mit Schleiern der Ferne verhängt. Obstbäume schreiten die Hänge herab wie bekränzte Mädchen, schreiten bis unter das Fenster, an dem noch der Strick hängt. Es ist lautlos still im Zimmer, der Hund beginnt zu zittern.

Auf dem Bett liegt Konradin, ein kleines weißes Tuch ist über sein Gesicht gebreitet, die Hände, nicht bläulich, sondern sehr weiß, schlafen zufrieden zu seiten des gestreckten Körpers. Er hat wieder die Lackstiefel an, und sie glänzen blank und tadellos. Auf einer Kiste liegt ein Notenblatt. »Für Ina« steht darauf, und kleiner, mit taumelnden Buchstaben: »Der letzte Tanz«. In die Ecke sind ein paar Zeilen geschrieben wie ein Motto, die liest Ina zuerst.

Stärkstes Segnen ist stärkstes Verfluchen:
Du sollst Hunger und Durst leiden;
Du sollst friedlos sein auf Erden;
Stillung soll dir nie werden;
Schlaf soll dich meiden.
Hart sei dein Weg und verbrannt deine Seele.
Satt sein ist Tod. Leben ist Suchen:
Wähle.

Ina liest die Noten, eine einfache, verklärte Melodie, unter der ein Trauermarsch hämmert; sie steht lange am Fenster mit Augen, die blind vor Traurigkeit sind. Dann streift eine huschende, warme Liebkosung ihre Hand. Aber es ist nicht der Hund, es ist ein kleiner, blauer Schmetterling, der sich leise bebend niederläßt, die Flügel faltet und wieder ausbreitet; »Seelchen« nannte man ihn in Amrun. Er hebt sich auf, streift Inas Schläfenhaar und ist fort, blau in der blauen Ferne ertrunken. Konradin ist tot, denkt Ina, und zugleich: Nun kann ich den Baron nicht heiraten.

Dann kann sie endlich weinen, sie tut es, an Konradins kalte Freundeshand geschmiegt, und als sie aufsteht, ist sie leise gestillt. Sie streichelt über die Lackschuhe, nun sind sie rein und blank. Unter der Tür schaut sie sich noch einmal um nach dem goldenen Zimmer und den blauen Bergen. Es ist ganz still. Irgendwo wacht eine Glocke auf und entschläft. *»Mene mene tekel upharsin«* steht schwarz an der Wand über dem Toten.

Ina nahm den zitternden Hund näher an sich und flüsterte: »Jetzt habe ich nur mehr dich, Türk; du mußt achtgeben auf mich, guter Hund.« Der Kutscher wartete korrekten und unbewegten Gesichtes beim Wagen. »Danke«, sagte Ina, »jetzt will ich zu Fuß gehen.«

Ein paar Stunden später öffnete sich die Tür zu Walt Meinarts Atelier. Er kniete im Malerkittel am Boden und nagelte Bilderkisten zu.

»Laß mich bei dir, Walt«, sagte sie, »ich will mit dir gehen.« Er sah sie an, wie sie dastand, die eine Hand im Halsband des Hundes, die andere müde herabhängend. Sie lächelte, und ihr Lächeln war stolz und schüchtern, überlegen und verstört zugleich.

Er sah sie an, und der Hammer entfiel seiner Hand.

Tanz der Masken

Die Zeit in München: Eine Wirrnis schattenhaft hintanzender Tage; dumpf verwischte Erlebnisse, verlarvte Menschen, unbegreifliche Nächte. Ina Raffay lebte und war nicht in ihrem Leben drinnen; irgendwo rollte es an ihr vorbei, schnell, nicht erfaßbar, wie abends Landschaften an Schnellzugfenstern vorbeirollen.

München: Eine harte blaue Luft, die alle Dinge eckig machte und alle Farben grell. Doch wurde es nicht wirklich. Ina Raffay ging durch die Straßen, als wären sie auf kindliche Bilderbogen gemalt. Sie merkte sich keinen Weg, sie verwechselte die Menschen, sie vergaß alle Geschehnisse. Nur Farbflecke prägten sich ihr ein, ohne Zusammenhang. Die schiefe Wand mit dem Nordlichtfenster, Schatten feiner Eisenstäbe auf ungewaschenen Dielen. Geruch von Terpentin und Öl. Ein Knopf, der ständig an Walts buntsprenkligem Malerkittel fehlte. Der irdene grüne Teetopf, in der Dämmerung Grimassen schneidend. Eingerollte Kartons, zur Wand gedrehte Bilder. Dazwischen Walt Meinart mit dem Gassenbubengesicht und zugekniffenen Maleraugen, unwesenhaft und unglaubwürdig wie alles andere.

Das Kaffeehaus, in dem man halbe Tage verbrachte. Die abgewetzte Stelle im Samtmuster der Bank, zwischen grün und braun schimmernd. Fleckiger Marmor der Tischplatte und darauf Walts gelbgerauchte Finger, die sich verliebt und ohne Scham an die ihren drängten. Scham gab es nicht.

Erlebnis wurde zum Gemeingut aller, neidlos freundschaftlicher Benagung zur Verfügung gestellt. Unter dem Tisch lag Türk, Ina grub die Füße in sein Fell, das gab Wärme und Halt inmitten einer Welt, die sich drehte wie ein Karussell. In den Schein der Kaffeehauslampe waren Menschen hingewischt, alle krampfhaft und unecht, alle lächerlich und traurig wie Larven, alle jagend nach Persönlichkeit und doch nur verzerrte Leere. Die Blumenmalerin, die niemals Strümpfe trug, unerfindlich, warum; sie hatte gewöhnliche Beine, mit einer punktierten, rötlichen Haut überzogen wie die von Blutorangen; um den Fußknöchel hing ein Ring aus gefälschtem Jade und klingelte ermunternd. Der kleine Journalist, der unmäßig das Wort »diaphan« gebrauchte, manchmal rotfleckig und zitternd erschien und vorgab, Koffeininjektionen zu nehmen. Die Studentin, vom mathematischen Wahnsinn befallen, lippennagend, Probleme zergrübelnd, selten gewaschen. Der vermögende junge Mann, Sonette auf Büttenpapier dichtend und mit schüchterner Freude Geld verpumpend. Walt Meinart, der Gassenjunge mit dem großen Talent, der viele Bilder begann und wenige vollendete, saß dazwischen als König. Er hatte ausgestellt. Er stand in Zeitungen. Er bedeutete beinahe eine Richtung. Es war nur richtig, daß er die Raffay hatte. Alle fanden es richtig; manchmal, wenn Ina seine hellen, langbewimperten Augen ansah oder das Bild »Erwartung«, das niemand kaufen wollte, war auch sie beinahe einverstanden.

Nur er selbst konnte sich nicht daran gewöhnen; noch immer stand er mit Bettlergebärden vor ihr, voll Demut und Anbetung. Er machte es ihr schwer, da er nichts nahm, keinen Kuß, keine Liebkosung; er wartete mit flehenden Augen und Händen, daß sie schenken solle. Sie quälte sich, sie hätte Gewalt und Rausch und Betäubung gebraucht und sehnte sich dunkel nach etwas, das sie zwänge. Da es nicht kam, gab sie auf aus Müdigkeit, mit einem wachen und nüchternen Gefühl des Mitleids und der Verpflichtung.

»Frosch« nannte er sie, er spürte sie kühl und gleitend glatt. Sie nannte ihn »Bub« und wärmte ihre gleichgültigen Hände in seinem Blondhaar. Es war das Hübscheste an dem häßlichen kleinen Mann, sie küßte es gerne, es gab ihr die gleiche heimatliche Empfindung wie Türks warmes braunes Fell. Aber Walt begann fassungslos liebend zu zittern unter solchem mitleidig-zärtlichen Kuß. In ihr war nur zurückschreckende Nüchternheit.

Rausch kam abends. Im Harlekinsgewand vor schwarzem Vorhang im Kabarett den Tanz der Masken tanzen, war noch immer Rausch. Wenn der Conférencier der »Laterne« in berufsmäßig geistvollem Französisch-Deutsch ihre Nummer ankündigte, während sie schon hinter dem Vorhang wartete, dann lebte sie, dann spürte sie ihr Herz noch klopfen wie sonst nie mehr. Weißes Licht riß sie an den Rand der kleinen Bühne vor die Menschen hin, deren Atem aus verdunkeltem Raum aufstieg. Seidenkleider knirschten unten, manchmal klingelte ein Glas fein in die Musik. Ganz rückwärts hob sich ein Kopf in den hellen Umkreis der Notlampe und trank Inas Bewegungen ein. Das war Walt. Ihm lag ein Zyklus von Radierungen im Sinn: *»Pierrot lunaire«*.

Nachher in der Garderobe saß sie einen Augenblick mit gelösten und zufriedenen Gliedern. Eine enge Treppe führte hinauf, oben gab ein kleines rundes Fenster Ausblick in den Saal. Unten hatte der Conférencier seine Nummer mit der Diseuse. Lang und flach stand sie im schwarzen Samtkleid, streckte ihr breites Raubtierkinn vor und sprach mit unbewegtem Gesicht verderbte Verse; er hatte mit ein paar Strichen seiner Hand sein slawisches Gesicht zu dem eines Pariser Apachen umgeformt und ahmte die Schreie von Paris nach. Er war ein polnischer Russe, ein stiller und feiner Mensch. Unlösbar verkettet hing er an der Diseuse, litt unter ihrem hemmungslos hingetriebenen Leben, und es hieß, daß sie ihn schlug. Ina teilte mit ihr die Garderobe; sie tat es ungern. Alles an dieser Frau war ihr zuwider, das starke bittersüße Parfüm, die Wäsche mit den echten Spitzen, die immer wie verwelkt um ihre Haut hingen, die langsamen Bewegungen der muskulösen Arme. Wenn Ina die Garderobe betrat, das Parfüm atmen mußte, den grellblauen Unterrock an der Wand hängen sah neben dem vielplakatierten schwarzen Samtkleid, dann biß sie schon in Abwehr die Zähne zusammen.

»Du bist zu unschuldig«, sagte der Conférencier, »und du hast zuviel Verstand. Du reißt hin, aber du bist nie hingerissen. Warum trägst du Wäsche wie ein kleines adliges Pensionatmädchen? Die anderen Damen sind beleidigt; sie empfinden deine kindlichen Hemdchen als Hochmut und ärgern sich, weil du den Hund mitbringst. Sage, ist es wahr, was Walt überall erzählt: Du hast seinetwegen die Verlobung mit einem Fürsten aufgehoben?«

»Renommiert Walt mit mir?« fragte Ina verwundert.

»Natürlich tut er das. Er ist deiner so wenig sicher, daß er immerfort laut schreien muß: ›Die schöne Raffay ist meine Geliebte!‹ Sonst glaubt er es selbst nicht. Er hat sich sehr verändert. Du ruinierst ihn. Du entwürdigst ihn. Du brauchst gar nichts zu tun, als neben ihm zu stehen, einen Kopf größer als er, schön, unberührt, und dein höfliches Gesicht machen, wenn er den Arm um dich legt: Und er ist entwürdigt. Du ruinierst ihn.«

»Er arbeitet doch«, sagte Ina hilflos.

»Ja. Er arbeitet. Er macht tausendundein Bild von Ina Raffay. Er porträtiert dich von vorn, von hinten, von oben, von unten, er macht einen Zyklus: ›Der Tanz‹, und einen Zyklus: ›Pierrot lunaire‹, und er wird so lange Zyklen machen, bis du ihm davonrennst. Vorher, da sah er doch manchmal etwas mit *seinen* Augen, eine Blume, eine Bewegung, einen Farbenklang. Jetzt besteht ihm die ganze Welt aus zahllosen Ina Raffays, die er malen muß; am liebsten möchte er dein Bild an alle Häuserwände schmieren.«

»Du markierst den Menschenkenner«, sagte Ina und rieb

den Samt des Vorhangs nervös zwischen den Fingern; es war vor ihrem Auftritt, daß sie dies Gespräch hatten.

»Es ist mein Beruf«, sagte der Conférencier. »Genug! Deine Nummer kommt.«

Musik. Licht des Scheinwerfers. Jemand drückte Ina die Masken in die Hand und öffnete den Spalt des Vorhangs. Im dunklen Saal trank schon Walt Meinarts Bild sich ihr durstig entgegen.

Nach zwei Monaten wurde Inas Vertrag erneuert; sie wechselte das Programm und tanzte drei Tänze. Am besten gefiel der Wiener Walzer. Auch den Tanz in Grün holte sie wieder hervor, denn etwas Neues fiel ihr nicht ein in der Münchener Zeit. Man war nie allein, die Stunden trieben ohne Besinnung und Einkehr hin. Selbst in den kurzen Übungsstunden am Vormittag war Walt dabei; er versäumte so das beste Licht, aber er gab vor, Bewegungsstudien zu machen. Eine Mappe war voll mit zackig angedeuteten, dünnen Strichen; als Ina das Programm wechselte, legte er den unfertigen Zyklus beiseite. Nun wollte er etwas für die Frühjahrsausstellung malen, etwas ganz Großes, einen wahren Schinken. Er phantasierte davon, einen Akt in Gelb und Blau aufzulösen. Das Kaffeehaus horchte achtungsvoll. Ina war das Modell. Man diskutierte, ins Licht der Kaffeehauslampe geneigt, über die linearen Vorzüge ihrer langen Knabenschenkel. Walt skizzierte auf dem fleckigen Marmor aus dem Gedächtnis ihren Körper. Die Blumenmalerin besah nachdenklich ihre eigenen unbestrumpften Beine. Ina sog mit unbeteiligtem Gesicht Limonade durch einen Strohhalm. Türk zu ihren Füßen bewegte im Schlaf die Pfoten und bellte leise und hoch. Er träumt, dachte Ina und war sehr einsam; vielleicht träumt er von einem Ritt über die Heide mit Fernand, Bräunl und einem kleinen Mädchen.

»Mein Frosch ist müde«, sagte Walt, der ihre Augen sah, »mein Frosch quakt keinen einzigen Ton. Kommt es von den langen Sitzungen?«

»Ja«, sagte Ina nur. Die Sitzungen waren eine Qual. Das Nordlicht floß weiß und kalt ihren nackten Körper entlang, zum Glasdach wehte der Dezemberwind herein, der kleine Ofen stöhnte vor Überanstrengung. Inas Haut zog sich zusammen. »Die Auflösung in Blau ist schon da«, sagte sie dazu. Walt umgab sie mit gelbverhängten Staffeleien, um wärmere Reflexe auf ihre Haut zu bekommen. Dann schliefen ihr die Glieder ein, und ein leise sausender Schwindel umhüllte alles. Das war nicht unangenehm; durch Schleier sah sie Walt, der ein Auge zugekniffen hatte, vor und zurück trat, Spiralen in die Luft malte und unheimlich falsch dazu sang. So sah sie ihn am liebsten, wenn er nur schaute und malte und sie nichts anderes für ihn war als ein Komplex von Farben und Konturen. Manchmal dachte sie flüchtig an Brandt und seine Schaffensekstasen. Vielleicht war sie auch für Meinart erledigt, sobald das Werk fertig stand. Im Grund waren alle nur Gespenster, diese Künstler, lebendig nur in den Stunden der Arbeit; ihr selbst ging es nicht anders.

Im Kaffeehaus hing die Luft blau und übel, Fäden spannen in Rauch und Dunst. Ina las Zeitschriften, sie hatte die geraden Brauen waagrecht zusammengezogen in einer leichten Benommenheit. Türk schlief. »Wo ist dein Bub?« fragte die Blumenmalerin. »Zu Hause«, erwiderte Ina, ohne aufzublicken. »Zeichen und Wunder«, sagte der Komponist. »Ina sitzt allein im Kaffeehaus. Walt bleibt allein zu Hause. Die Ehe beginnt unglücklich zu werden.«

»Unglücklich ist ein Limonadenwort«, äußerte der Journalist. »Sage: Tragisch. Oder nein, sage nicht tragisch. Lies Grabbes gesammelte Werke und suche einen Ausdruck, der kraß genug ist, Walt Meinarts zunehmende Gemütsverschleimung auszumalen. Er hat mir Gräßliches gestanden. Er möchte Ina heiraten. Er möchte aus der Raffay eine Frau Gemahlin machen.«

»Frosch, schau mich an. Solltest du mit Erfolg den Schrei nach dem Kind geschrien haben?«

»Frosch kann Walt nicht heiraten. Frosch braucht meinem Gefühl nach einen Mann, der bei der Hochzeit Zylinder und hellgraue Handschauhe trägt.«

»Man sagt, Walt lernt schon kochen, in einer Kochschule in der Leopoldstraße. Er kann schon aus leeren Ockertuben Rührei machen.«

»Man hört, daß der Verein für Rassenpflege und Höherzüchtung hinter dem Heiratsplan steckt. Die Forschung hat ergeben, daß Ina Raffays unvergleichliche Beine die einzigen sind, mit denen Walts Geharabesken die Fortpflanzung gestattet werden darf, wenn nicht unermeßlicher Schaden für den Nachwuchs passieren soll.«

»Es ist halb sieben. Malen kann man nicht um diese Zeit. Wenn Walt noch leben würde, so wäre er im Kaffeehaus. Wenn du ihn ermordet und in den Papierkorb gesteckt hast, so sage es lieber gleich, Frosch.«

»Ach, laßt das alles«, sagte Ina träge hinter der Zeitung. »Walt hat einen Menschen zu Hause; er macht Geschäfte; es will ihm einer was abkaufen.«

Alle schwiegen, einigermaßen erschüttert und voll Hochachtung. Ina legte die Zeitung weg und malte mit dem Strohhalm kleine Ornamente aus Himbeersaft auf die Tischplatte. Sie war sehr schlaff und müde. Sie griff nach ihren Schläfen, die etwas schmerzten unter dem unangenehmen Druck der aufgerollten schweren Zöpfe. Ihr Kleid aus billiger, großblumiger Seide, nach Walts Entwurf, raschelte übertrieben. »Wie schlecht hier die Luft ist«, sagte sie klagend und sah alle an. Alle schwiegen und sogen an ihren Zigaretten. Dann klirrte die Blumenmalerin mit dem falschen Jadering an ihrem Knöchel.

Walt war eingetreten. Er schob einen Menschen vor sich her in den Lichtkreis der Lampe, der war so schön, daß Ina erschrak. »Tonius von Maaten«, stellte Walt vor, nicht ohne

Ironie. »Ein junger Mann aus gutem Hause.« Ina schaute auf. Der junge Mann verbeugte sich ernsthaft und überaus korrekt, Winterluft hing kühl in seinen Kleidern. Einen Augenblick lang zerwehte der blaue Kaffeehausdunst und schloß sich wieder. In diesem Augenblick atmete Ina tief auf, ohne es zu wissen.

»Ich störe doch nicht?« fragte der junge Mann konventionell und zog einen Stuhl neben Ina. »Durchaus nicht«, erwiderte der Mann mit den Büttenpapiersonetten und verfiel gleichfalls in den Ton anderer Kreise. Man schaute amüsiert. Menschen, die »von« hießen und Bilder kauften, entbehrten nicht der Komik. Man begann ein Fachgespräch im Jargon, der absichtlich übertrieben wurde. Walt griff nach Inas Hand, und auch dies war nicht ohne Absichtlichkeit. Ina schaute sie alle an, und sie schienen ihr unechter, verlarvter noch als sonst. Tonius von Maaten saß gelassen da, er hörte artig zu und sprach nichts. Daß er ihr nicht den Hof machte, war hübsch. Junge Männer aus gutem Haus, abends an ihren Tisch im Kabarett gebracht, pflegten das sonst in starken Ausdrücken zu tun. Auf dem fleckigen Marmor lagen seine Hände, lange, schöne Hände voll Kraft und Ruhe. Walts Finger, die die von Ina umschlossen, zitterten meist und waren gelb von Nikotin. Sie machte ihre Hand frei.

Die Malerin war Inas Blicken gefolgt von Tonius' Händen zu denen Walts und dann weiter über Tonius' Schultern in sein Gesicht. »Nun, Walt«, sagte sie und ließ ermunternd den Jadering klingeln, »ich glaube, da haben wir das Modell für deinen Schinken; er sucht nämlich einen Mann, den typischen Mann, Herr von Maaten. Ich nehme an, daß Sie das sind?«

Tonius verbeugte sich undurchdringlich. »Ich stehe nach allen Seiten zur Verfügung«, sagte er, und man zog vor, das nicht als Ironie aufzufassen. Walt knipste mit den Fingern. »Mein Schinken, Herrgott, ja! Es soll etwas Großes werden.

Zwei Akte, wissen Sie, ein Mann, ein Weib. Zwischen ihnen die ganze Welt.«

»Und er findet kein Modell!« sang der Pariser.

»Ja, Männer sind rar. Weiber, typische Weiber: tausend. Aber kein Mann. Ich staune, daß Euer Gnaden sich in München auf der Straße zeigen können. Stürzt nicht die ganze Innung daher und bittet kniend um eine Sitzung? Bedenken Sie nur: Ein Mann in München, der weder Hausknecht ist, noch einen Bauch hat!«

»Ich bin nur einmal porträtiert«, sagte Tonius. »Zu Pferd. Trübner machte das Bild für meine Mutter.«

»Der gute Trübner«, sagte jemand mitleidig.

»Reiten Sie?« fragte Ina rasch.

»Natürlich.«

»Natürlich«, sagte sie und senkte den Kopf.

»Reiten Sie denn nicht, gnädiges Fräulein? Die geborene Reiterfigur.«

»Hier?« fragte sie nur, und nach einer Weile: »Früher bin ich viel geritten, auf dem Gut meines Onkels. Türk war immer mit, der weiß es; nicht wahr, Türk?«

»Ein schönes Tier«, sagte Tonius, und etwas Wärme trat in sein Gesicht, »und gut gehalten.« Er legte seine lange Hand auf den Hundekopf.

»Ihm fehlt der Wald. Nun sitzt er immer im Atelier und gibt auf mich acht; er ist so gut, er versteht jedes Wort. Manchmal gehen wir durch den Englischen Garten, das ist dann unsere gute Zeit. Nicht wahr, Türk?« Auch sie grub ihre Hand in das Fell, und sie hatte Tränen in den Augen, ohne es zu wissen.

»Gibst du acht auf deine Frau, Türk?« fragte Tonius, über den Hund geneigt. »Aber du hast schlecht achtgegeben.«

»Warum?« fragte Ina schnell.

»Warum erlaubst du, daß deine Frau Frosch heißt?« sagte Tonius nur zu dem Hund; der legte den Kopf auf sein Knie. Ina saß ganz still, sie trieb auf einem Boot dahin mit Tonius und dem Tier, weit fort von den andern. Irgendwo saß Walt und nagte an den Lippen. Irgendwo sprach man davon, daß Valeurs akademischer Nonsens seien. Irgendwo lachte man über den jungen Mann aus gutem Hause, der Bilder kaufte. Rauchwände schoben sich blau dazwischen.

»Im Frühjahr werden wir zusammen im Englischen Garten reiten. Wir drei. Nicht wahr, Türk?« sagte Tonius von Maaten.

Ina roch junges Laub, Leder und Sattelzeug, Erdschollen, vom Huf emporgeschleudert. Sie atmete tief. »Ja«, sagte sie und lächelte versunken.

An dieses Lächeln dachte Walt, als sie in der Nacht sich ihm zum erstenmal versagte.

Ohne weiteres erklärte Tonius von Maaten sich bereit, Walt als Aktmodell zu dienen; Walt wunderte sich und war selig. Mit großer Pünktlichkeit fand Tonius sich zu den Sitzungen ein, auch im Kaffeehaus erschien er, und abends tauchte er manchmal im Kabarett auf. Kaffeehaus und Kabarett ersah keinen Zweck, lächelte über ihn und nannte ihn für ewige Zeiten: Den Mann, den Trübner gemalt hat. Er schien das nicht zu merken, er war sehr dumm. Er versuchte nicht einmal, der schönen Raffay den Hof zu machen, wie man erwartet hatte. Er sprach nie etwas Kluges, er tat nie etwas Eigenartiges, er war in geistigen Dingen von großer Harmlosigkeit und ganz ohne Ansprüche. Es war gar nichts Besonderes an ihm. Gerade deshalb stach er so sehr aus diesem Kreis der krampfhaften Originale heraus.

Ina empfand es am besten; er war echt, und die andern schienen nur künstliche Grimassen; auch Walt.

Auch Walt.

Ihre Tage waren aufgehellt, seit Tonius in den Kreis getreten war, mit seinen federnden Fechterbewegungen und dem hochmütigen, seltenen Lachen, das sie in manchen Momenten entzückte. Unzertrennlich war er ihr mit dem kühlen Hauch der Winterluft verbunden, den er zuerst in den Kaffeehausdunst getragen hatte, und mit der Vision eines Rittes im Frühling.

Nachts im Atelier, unter den Eisenstäben des Oberlichts, kamen manchmal Träume von Tonius zu ihr, vor denen sie heiß erschrak. Aber daß es Liebe war, dachte sie nicht.

Walt jedoch liebte Tonius von Maaten ganz offenkundig; er tat es mit der gleichen demutsvollen Hingabe, wie er Ina liebte, und er renommierte ebenso geheimnisvoll von den Schönheiten dieses Aktes, wie er mit Inas adeligen Beziehungen renommierte. Er arbeitete brennend an seinem Schinken. Vormittags hatte Ina Sitzung, nachmittags Tonius. In den Zwischenpausen war Walt ungleichmäßig, überreizt; bald überkugelte er sich in Clownerie und Selbstpersiflage, bald saß er stundenlang schweigsam, nagte an den Lippen, knipste mit den Fingern und warf viele halbgerauchte Zigaretten fort. Nachts kämpfte er mit stummer und verbissener Hingabe um Ina, die unaufhaltsam von Gleichgültigkeit zu Widerwillen sank. Alles war ihr zuwider an ihm, sein Haar, das ihm feucht in die Stirne hing, die traurigen Späße, die er über sich machte. Im Finstern rangen sie stumm und erbittert, Feindschaft lag bitter auf dem Grund der Neigung; Türk knurrte hinter der Schwelle.

Morgens unter der weißen Sonne begannen gleich wieder die Sitzungen. Aber er zeigte das werdende Bild nicht, scheu schloß er es nach jeder Sitzung in einer kleinen Kammer ein.

Durch Tonius kam etwas Ordnung und Gleichmäßigkeit in die Bohemewirtschaft. Zur festen Stunde holte er sie zum Essen in die kleine Schwabinger Kneipe; nachher kam er mit herauf ins Atelier und kochte schwarzen Kaffee. Seine langen Hände waren geschickt zu jeder Arbeit. Er reparierte den ewig tropfenden Wasserhahn, entwirrte das Chaos, in dem leere Kisten sich neben venezianischen Samten und altflämischen Kupfergefäßen umhertrieben. Er baute eine kleine Ecke zurecht, in der sie nahe beim Ofen ihren Tee trinken konnten. Das Leben huschte nicht mehr ganz so gespenstisch und unwesenhaft an Ina vorbei. Er machte sie ehrgeizig. Auch sie versuchte nun, etwas Wärme in das große, kalte Atelier zu bringen; er brauchte nur die Brauen hochzuziehen, und sie legte die wunderlichen Kleider nach Walts Entwürfen ab und bestellte in einem guten Atelier der Stadt Neues. Mehr als eine Monatsgage ging darauf.

Walt seufzte. Mit Geld war es sonderbar. Manchmal hatte man alle Hände voll, zahlte Schulden, borgte noch her, trank Wein im Kabarett, machte eine Rodelpartie, kramte auf der Dult nach Altertümern. Dann wieder langte es kaum zum Essen. Der Ofen fraß die Kohlen mit unmäßiger Gier. Farbenhändler benahmen sich unverschämt. Man aß Hering und Leberwurst. Tonius kramte in Walts Mappen, fand plötzlich ein Blatt, das ihn angeblich entzückte, überzahlte es wesentlich und tat, als sei ihm ein Geschenk gemacht worden. Ina wurde nachdenklich und begriff Tonius nicht. Daß ihm Walt nicht sehr nahe stand, war ihr klar; er betrachtete ihn mit der gleichen hochmütigen Amüsiertheit wie alle andern Schwabinger Tiere. Von den Bildern, die er kaufte, verstand er nichts. Ihr zeigte er immer die gleiche, aufreizend höfliche Gleichgültigkeit, und daß er sie auf Walts Wunsch duzen mußte, schien ihm peinlich zu sein. Gelegentlich sprach er von seiner Braut in Hessen, er redete wenig von sich selbst, sehr im Gegensatz zu den Schwabingern. Er stammte aus einer Diplomatenfamilie, erfuhr man gelegentlich, er war in allen Großstädten der Welt zu Hause, auf dem Gut eines Onkels hatte er seine Pferde eingestellt, er bewohnte zwei Zimmer in den »Vier Jahreszeiten«. Beschäftigung hatte er keine. Was ihn bewog, seine Tage zwei fremden, ihm augenscheinlich gleichgültigen Menschen zu widmen, war unerfindlich und schuf Unruhe und einen wunderlichen Zorn in Ina.

Einmal nach solchem Bilderkauf, Tonius begleitete Ina zur Stadt während Walt noch arbeitete, hatten sie ein Gespräch, das Ina tief in Verwirrung brachte. Erst waren sie lange schweigend gegangen, es kam oft vor, daß sie, mit ihm allein gelassen, befangen schwieg. Türk trabte zwischen ihnen. Dann, als schon die Silhouette des Siegestors grünlich in den frühen Schneeabend wuchs, sagte Ina aus Gedanken: »Walt ist ein rührender Mensch.«

»Gewiß«, erwiderte Tonius höflich.

»Er ist wie ein Kind. Er freut sich kindlich, wenn du sagst, daß seine Sachen dir gefallen. Er denkt nicht im entferntesten daran, daß du sie kaufst, um ihm zu helfen. Es ist sehr nett von dir. Warum tust du es eigentlich? Ich habe mir den Kopf zerbrochen.«

»Hast du über mich nachgedacht?« fragte er schnell; es war etwas Neues im Ton, das Ina stocken machte.

»Ja«, sagte sie dann. »Was bist du für ein Mensch? Was suchst du bei uns? Sie lachen dich nur aus, und du lachst uns nur aus. Es ist nett, wenn du lachst, Tonius, ich mag es gerne. Du bist so sicher. Wir haben keinen Schwerpunkt, wir alle; nicht einmal die Arbeit gibt Halt. Und du? Warum tust du gar nichts? Alles läßt dich unbeteiligt. Hast du keinen Ehrgeiz, Tonius?«

Er schaute in ihr erregtes Gesicht und fragte: »Hast du denn Ehrgeiz?«

»Natürlich.«

»Das wundert mich. Du führst nicht das Leben einer Frau von Ehrgeiz. Wenn du Ehrgeiz hättest, du könntest anders leben.«

»Ich habe nicht den Ehrgeiz, von reichen Verehrern Brillantkolliers zu bekommen.«

»Das weiß ich genau; das meine ich auch nicht. Nur: Du müßtest längst aus München fort sein. Dich müßte heute schon die Welt kennen; hier verbummelst du. Ich glaube, du hast vergessen, was in dir steckt.« Türk hob verwundert den Kopf, Ina staunte. Sie hatte noch nie einen solchen Satz von Tonius gehört.

»Ehrgeiz!« sagte er. »Du bist übrigens faul, Ina. Du trainierst zu wenig, laß dir das von einem alten Sportsmenschen sagen. In Wien warst du technisch und körperlich viel besser in Form. Es ist ja kein Wunder bei der Schweinewirtschaft, in der du lebst; das Münchener Essen, das Bier, die Sitzungen und alles andere.«

»Hast du mich denn in Wien schon gesehen?« fragte Ina, die nur dies eine begriffen hatte.

»Selbstverständlich. Jeder Mensch in Wien hat dich gesehen. Damals hätte man dich direkt nach Paris bringen müssen.«

»Warst du sehr erstaunt, wie du mich dann hier wiedergefunden hast?« fragte sie konsterniert.

Tonius blieb stehen und lachte ihr knabenhaft ins Gesicht. »Nein. Gar nicht«, sagte er nur.

Dann schwiegen sie beide; das Licht der Schaufenster rann über Inas Gesicht; sie spürte, wie Tonius sie unverwandt von der Seite ansah, und das machte heiß und brannte wie Zorn und trug irgendeine Süßigkeit in sich.

»Du spielst im Kaffeehaus die Frivole, aber du bist spaßhaft naiv, Ina. Könnte ich nicht beispielsweise deinethalben von Wien nach München gekommen sein und mich deinethalben von diesen Schwabingern anöden lassen?«

»Nein«, sagte Ina, »so geschmacklose Gedankengänge darfst du mir nicht zutrauen. Du bist immerhin Herr Tonius von Maaten, ein junger Mann aus gutem Hause und fern von Romantik und Sentimentalität. Du bist so wunderbar gewöhnlich, Tonius, das gefällt mir. Als Kind hatte ich eine Freundin, die war so wie du, Mila Merz. Übrigens bist du verlobt, und wie gleichgültig ich dir bin, daraus hast du ja nie ein Geheimnis gemacht.«

Er lachte wieder. »Reizt dich das?« fragte er. »Du hast ganz schwarze Augen bekommen, Ina; reizt es dich so sehr? Und schätzest du wirklich die hier übliche Methode, Gefühle zu plakatieren?«

»Höre«, sagte Ina, »du sagtest vorhin zum erstenmal, daß

etwas in mir steckt. Ich glaube immer, du machst dir nichts aus dem, was ich tanze. Was hast du gedacht, als du mich zum erstenmal tanzen sahst, damals in Wien?«

»Interessiert dich das?«

»Ja, das interessiert mich.«

»Ich habe gedacht«, sagte er, ohne die Stimme zu heben, »ich habe gedacht, daß ich alles darum geben würde, wenn ich dich haben könnte.«

Da schwieg Ina. Sie faßte nach Türks Halsband. Sie schaute auf Tonius' Hände hinab, die waren in den Handschuhen geballt, indes sein Gesicht regungslos blieb. Dich möchte ich küssen sehen, ohne Besinnung, dachte sie blitzhaft; es war ein Gedanke, der machte, daß die Luft um ihn heiß und zitternd sie anrührte wie etwas Körperliches.

»Das war nicht hübsch gedacht«, sagte sie schwach. »Solche Dinge pflegen auf den Visitenkarten zu stehen, die man mir abends in die Garderobe schickt.«

»Ich bin kein Krüppel, Ina«, sagte er und ging mit einem Male dicht an ihrer Seite. »Ich bin kein Künstler. Ich habe nicht den Ehrgeiz, dich in Gelb und Blau aufzulösen. Ich möchte nicht das blutlose Gespenst sein, das stundenlang deinen Akt malt. Wenn ich dich tanzen sehe, verlange ich dich. Spürst du wirklich nicht, daß du eine Frau bist und ich ein Mann? Weißt du im Tiefsten nicht besser wie es mit meiner Gleichgültigkeit ist? Hast du nie von mir geträumt, und ich war anders?« »Ja«, murmelte Ina.

»Ich aber, Ina, ich träume jede Nacht von dir, jede Nacht«, sagte er leise und preßte gewaltsam ihre Finger. Sie schaute nicht auf. Ein Strom floß aus der kurzen Berührung in ihre Glieder, wie sie ihn nie gespürt hatte. »Übrigens irrst du in einem«, sagte er formell, indem er sie durch die Kaffeehaustür treten ließ, »ich kaufe Walts Bilder durchaus nicht, um ihm zu helfen. Sie gefallen mir wirklich.«

Dies war das Gespräch, das Ina verwirrt und fiebrig zurückließ.

Es war die Zeit, da München in Faschingstollheit hintaumelte. In der Morgendämmerung schwankten Pierrots und Kolombinen durch den Schnee. Papierschlangen welkten auf kahlen Bäumen und in den Drähten der Straßenbahn. Lautenklang zirpte an Laternen vorbei, in hundert Sälen rasten Menschen, hitzig aneinandergedrängt. Im Kabarett tauchten manchmal Betrunkene auf, in den Fugen der Kaffeehausbank rieselte Konfetti. Ina wollte vom Fasching nichts wissen, alles schien ihr plump und roh. Walt murrte vernehmlich. Ein Fasching ohne Inas Teilnahme war pointelos; dunkel hatte er gehofft, die Widerstrebende an dem allgemeinen Taumel entzündet zu sehen. In ihren Tänzen leuchtete manchmal eine neue Wildheit auf, Walt sah es wohl. Auch Tonius sah es, unmerklich streifte ein Schauer seine Schultern, seine Nasenflügel zitterten, wenn Inas Duft vorbeiwehte, doch blieb er unveränderlich in seiner gelassenen Sicherheit.

Bei einem Fest der Kunstgewerblerinnen war es, daß er eine korrekte Verbeugung vor Ina machte und sie zum Tanzen aufforderte. Alle lachten. Man saß in einem Zelt aus herabflutenden Bändern, zwischen denen spärlich Lichter glühten. Das farbige Halbdunkel war die wesentliche Idee des Abends; ringsum ging es zu wie in einem tropischnächtlichen Urwald. Es war komisch genug, wie der Mann, den Trübner gemalt hatte, inmitten der allgemeinen Hemmungslosigkeit sein Tanzstundenkompliment machte.

»Mensch«, sagte Walt grabesernst, »was fällt dir ein? Ohne Handschuhe kannst du hier nicht tanzen.« Ina war sehr blaß in einem mohnroten Gewand, das Arme und Schultern freiließ. »Danke, Tonius«, sagte sie artig, »ich kann nicht tanzen.« Alle brüllten lachend: »Die Raffay kann nicht tanzen!« Sie saß versonnen da, sie war ein kleines Mädchen im Tanzinstitut Raffay, man hatte ihr Sekt gegeben, sie tanzte Walzer, Konradin spielte, jemand klirrte mit Limonadengläsern vorbei und sagte mitleidig: »Sie hat den

Schlaf übergangen.« Sie spürte das gleiche dumpfe Außer-Rand-und-Band-Sein wie damals; alle lachten über sie.

»Ich kann es wirklich nicht«, sagte sie, selbst verwundert. »Ich habe noch nie mit einem Mann getanzt, immer allein.«

»Du mußt es lernen«, sagte Tonius kurz, und zog sie hinein in den Wald von farbig niedersinkenden Bändern zwischen die Hitze der Menschen. Erst führte er sie ganz leicht, er spürte, wie sie schwach in seinem Arm zitterte, und über sie gebeugt sagte er leise und verwandelt: »Hast du Angst, armes, kleines Mädchen? Du weißt noch nicht, was tanzen heißt, du. Jetzt will ich dich zur Tänzerin machen.«

Sie fühlte sich herrisch umfaßt, in die Wärme seines Körpers gezogen, manchmal mit einem bebenden Druck an ihn gepreßt. Sie spürte das Atmen seiner Brust, seine Schenkel an die ihren gedrängt, seinen Hauch heiß über ihre Schulter rinnend. Rausch schrie in ihr und Seligkeit, sie schloß die Augen und wußte es nicht, in farbigen Wellen kreiste eine Welt um sie, samten glitt sie hin, aufgehoben ohne Schwere, ohne Gedanken, aufgelöst in unbegreiflicher Süße. Zum erstenmal spürte sie ihren Körper und ihren Tanz.

Tonius starrte auf sie hinab, auf die geschlossenen Augen, den harten Mund, der sich erweichte, öffnete, sehnte; auf die Ader, die blau und schnell an ihrer Kehle schlug, er spürte sie mit jeder Bewegung zitternd in sich einsinken und manchmal aufwachen und sich wehren und wieder sich lösen und hingeben. Er beugte sich noch tiefer, und dicht über ihrem verdursteten Mund flüsterte er: »Soll ich dich küssen?« Sie schwieg, längst trieb sie besinnungslos als Mohnblüte im Wind hin, Rot schwamm um die geschlossenen Lider, Verlangen krampfte ihre Knie. Noch immer hielt er sie fest und flüsterte nochmals, herrisch und mitleidig zugleich: »Soll ich dich küssen? Du mußt darum bitten, Ina!« Sie öffnete die Lider, sie ertrank in den harten, grauen Flammen seiner Augen, und hinter krampfhaft geschlossenen Zähnen flüsterte sie: »Küsse mich!«

Da nahm er sie an sich und küßte sie.

Einige Tage später lud Walt das Kaffeehaus ein, sein fertiggestelltes Bild zu besehen. Er war gelblich bleich und machte unmögliche Späße, während er im Atelier umherwanderte und das beste Licht suchte. Das Bild stand noch mit der gemalten Seite an die Wand gelehnt, niemand hatte es noch gesehen, auch Ina nicht. Sie kauerte frierend und nervös auf einer Kiste neben dem kleinen, überheizten Ofen und wagte nicht, Tonius anzuschauen, der mit seinen mühelosen Bewegungen die schweren Staffeleien hob und trug. Die Blumenmalerin entblößte wie unabsichtlich Waden und Zähne. Der Journalist kaute an einem nie gewesenen Adjektiv. Sie waren alle schweigsam, sie spürten, daß Walt etwas Außerordentliches von dem Bild erwartete.

Das tat er; er hatte irgendwie die verzweifelte und inbrünstige Meinung gefaßt, durch das Bild die entgleitende Ina neu fesseln zu können. Er hatte mehr zu malen versucht als das Problem von Gelb und Blau, mehr auch als den Versuch eines neuen, nicht im Realen wurzelnden Stils. Er hatte alles gemalt, was er nicht sagen konnte, und während er mit den Fingern knipste und das Bild einen verfluchten akademischen Schinken nannte, zitterte sein Herz vor Stolz. Er suchte Inas abwesende Augen. »Der Frosch ist zerstreut«, klagte er. »Ich bin müde, ich habe schlecht geschlafen«, sagte Ina. In Wahrheit schlief sie gar nicht mehr. Ihre Nächte standen in Flammen. Sie sah den sicheren Tonius an und begriff sich nicht, die ein einziger Kuß, im Faschingstaumel gegeben und empfangen, so in allen Tiefen aufgerissen hatte.

»So. Nun«, sagte Walt und zündete mit unruhigen Fingern eine neue Zigarette an. Das Kaffeehaus stellte sich in eine Reihe und schwieg mit kritischen Augen. Da stand das Bild und leuchtete stark im fahlen Nachmittagslicht.

Ein Mann und ein Weib, groß, bis in die Wolken ragend. Zwischen ihnen lag eine Weite, sie neigten sich einander zu, sie streckten sehnsüchtige Arme aus. Über ihnen war blauer Himmel getürmt. Zu ihren Füßen, zwischen ihnen, lag gelb durchsonnt, mit Wiesen, Bäumen, Wäldern, Flüssen, Städten: Die Welt.

Walt stand abgewendet und hob beide Arme zum Oberlicht empor, in die schwarzen Stäbe greifend; es war eine sonderbar theaterhafte Bewegung. »Monumental«, sagte der Mann aus Paris. »Die Luft«, murmelte der, welcher Sonette dichten konnte. »Der Beginn einer neuen Epoche«, sagte der Journalist. Die Malerin schnitt mit dem Fingernagel Konturen vor sich hin. »Das Flächige in den Akten und der Rhythmus«, sagte sie. Alle sahen jetzt die Akte an.

Da stand Ina auf gewölbten Sohlen, mit langen, durchnervten Schenkeln, die Brüste waren kleine, starre, goldene Früchte, und von den zarten Mädchenschultern stieg Rührung auf. Aus der Kaiserinnenstirn floß das Haar schwarz an die Kniekehlen hinunter. Die Arme streckten sich dem Mann entgegen. Es war Tonius' Fechterkörper mit dem geschwungenen Rücken, schmalen Hüften, breiten, leicht gesenkten Schultern. Der Nacken steilte sich, im Herrengesicht lagen tief die grauen Augen. »Schön«, sagte jemand leise.

Walt drehte sich ins Atelier zurück und suchte mit fast schmerzlicher Eindringlichkeit Inas Augen. Das Licht war noch fahler geworden. Walt zuckte zusammen.

Ina saß vorgeneigt da, ihr Mund durstete, ihre Augen fieberten, die Gebärde ihrer Hände, aus dem Schoß aufgehoben, waren ein Schrei. An der Wand ihr gegenüber stand Tonius und starrte sie an; sein Körper war gespannt wie ein Bogen, und zum erstenmal lag sein schönes Gesicht ohne Maske. Auch seine Hände griffen ihr entgegen. Walt warf einen kurzen Blick auf sein Bild: Mann und Weib, vorgeneigt, mit entgegengestreckten Armen, zwischen ihnen eine Weite.

Es wurde plötzlich still im Atelier. Türk zu Inas Füßen

hob spürend den Kopf, warf nervös die Ohren zurück, dann erhob er sich, streckte sich und ging quer durch das Atelier auf Tonius von Maaten zu. Walt warf seine halbgerauchte Zigarette fort, nahm das Bild von der Staffelei und drehte es zur Wand. Sein Kinn bebte. Er sprach kein Wort.

Er sprach kein Wort.

Ina verlängerte ihren Vertrag mit der »Laterne« nicht. Eine Agentur verpflichtete sie für eine Tournee von zwanzig Tanzabenden in Mittelstädten Deutschlands. In Würzburg erwartete sie Tonius. Und dort, in einem altmodischen Hotelzimmer, schluchzend in Tonius von Maatens Arme hingestreckt, erwachte Ina Raffay zur Frau.

In dem Jahr, das Ina mit Tonius in Paris verlebte, wurde aus ihr »die Raffay«. Es war die Zeit, da sie den Tanz der Mohnblume kreierte, jenen in Sinnlichkeit aufgelösten Tanz der Blüte, die ihren engen Kelch aus grüner Seide aufschließt, ihre roten Blätter zögernd entfaltet, üppig in Wind und Sonne hinwiegt, glühend und reif, dann sich langsam entblätternd in einer fast lasziven Schamlosigkeit, und mit dem jähen Schluß einer in Schleiern zusammensinkenden Nacktheit.

Sie tanzte zuerst im kleinen »Théâtre des Funambules«, wohin Tonius sie durch seine Pariser Beziehungen gebracht hatte. Es lag in einer engen Straße des Montmartre und war die witzige Nachbildung jener gleichnamigen primitiven Bühne vom Anfang des Jahrhunderts, die der geniale Mimiker Deburau geführt hatte. Im Grund war es etwas Ähnliches wie die Münchener »Laterne«, ein Kabarett voll Geistigkeit und Gourmandise. Nur wehte andere Luft, die silbern flirrende Pariser Luft voll Skepsis und Sinnlichkeit. Die Boheme, die man hier sah, war echt, und die Paare, die zusammenlebten, taten es nicht demonstrativ, sondern selbstverständlich. Von der glühend aufgeblühten Ina gingen neue Wirkungen aus, sie spürte die Schauer, die ihren eigenen Körper peitschten, über hundert Nacken und Lippen rinnen, heiße Wellen schlugen aus dem halbdunklen Zuschauerraum zu ihr herauf und füllten sie mit neuer Kraft und Schönheit für die Nächte. Sie liebte ihren andersgewordenen Körper neu, ungekannte Nerven waren aufgewacht in jedem seiner Glieder, in jeder Bewegung wußte sie geheime Liebkosungen schlummern; die erotisch wachen und bewußten Pariser verstanden sie und rasten ihr entzündet Beifall zu.

Hier hatte jede Dame eine Garderobe für sich, enge, weißlackierte Kämmerchen, in denen sich Besucher drängten. Tonius führte mit gelassener Miene Gäste ein, es gehörte zur Karriere, die er für Ina wünschte. Zuerst kamen Maler, Bildhauer, Literaten. Tonius lehnte an der Tür und hörte lachend zu, wie man ihr unverhüllte Komplimente machte. Ina fand sich schnell in den Ton; Konradins Französisch schliff sich ab, sie atmete Luft, die dem Abenteurerblut der Delares gefiel. Manchmal schickte sie unter gesenkten Lidern ein geheimes Lächeln in Tonius' unbewegtes Gesicht. Sie kannte den unmerklichen Schauer, der dann seine Schultern bewegte, sie hob den Arm, und seine Nasenflügel zuckten kurz. Zu Hause fiel die Maske, zu Hause wartete unendliche Leidenschaft auf sie.

Der Bildhauer Lotard, der Meister, gab ein Fest, bei dem sie tanzte. Ganz Paris war eingeladen und drängte sich in dem hellen Atelier, zwischen den kolossal hingetürmten Statuen, die bis in den Hof hinauswuchsen. Auf der Höhe des Montmartre wehte lauer Herbstwind kleine Wolken hin, unten lag dunstverhangen die Stadt. Ina tanzte und bezauberte. Tonius ging als Gast unter den Gästen umher, er hatte Bekannte bei aller Welt, sein Vater war lange Jahre bei der deutschen Botschaft gewesen, er selbst hatte seine Gymnasialzeit in Paris verlebt. Die Prinzessin Zamoyska, bei der sich die internationale Welt traf, lud Ina zu einer

Matinee ein. Nach diesem Fest drängten sich abends die Autos vor dem kleinen Theater, die eleganten, jungen Leute erschienen, Deputierte, Börsenmenschen, die alten Herren mit den schwarzen Haaren und den roten Augen, wie Forain sie zeichnete. Ina dachte an Papa und lächelte.

Als Ina in die »Folies-Bergère« übersiedelte, mietete Tonius ihr ein kleines Haus in einer schweigsamen Nebengasse der Rue d'Antin. Es war vollständig eingerichtet, selbst Koch und Zofe waren noch da, etwas ratlos, nachdem die frühere Herrin Hals über Kopf mit einem jungen russischen Aristokraten durchgegangen war. Ina nahm den typischen Louis-seize-Salon mit den erdbeerfarbenen Möbeln in Besitz und begann das Leben aller Pariser Künstlerinnen. Tonius wünschte es so.

Er stattete sie neu aus, ließ ihr Kostüme machen, die ganz Paris entzückten; von ihrem Eigentum war nur der Hund und die graue Perlenschnur zu brauchen. Vormittags ritt Tonius mit ihr im Bois, Türk lief nebenher, es waren die letzten blauen Herbsttage. Nachher blieb sie allein zur Massage und den täglichen Übungen. Neue Tänze fielen ihr ein, üppige und verwegen schöne. Nachmittags zum Tee war Tonius da, meist fanden sich mehrere Besucher ein, abends brachte sein Auto sie ins Varieté und holte sie ab. Doch das alles war nur der Vorhang vor ihrem eigentlichen Leben. Auch hier blieben Menschen und Dinge ihr schattenhaft, unwesentlich, glichen denen in München, die langsam in Schleiern entschwanden, als wären sie nur geträumt.

Wirklich war nur Tonius.

Der Sommer in einem kleinen Dorf der bretonischen Küste hatte sie ganz miteinander erfüllt, nun zitterten alle Stunden in Leidenschaft. Es war Genuß, sich auf kurze Zeit zu trennen, man sehnte sich und sank mit neuem Durst ineinander ein; es war Genuß, fremd zwischen vielen Menschen zu sitzen und unter einem Blick, einer Erinnerung, alle Schauer aufwachen zu fühlen. Aus allen Dingen strömte

Verlangen, ihre Körper hungerten täglich neu und schenkten täglich neues Glück.

Es war nicht das, was in Deutschland Liebe hieß. Wenn Ina manchmal an die Zeit mit Thomas Brandt dachte, lächelte sie gerührt; vielleicht war solch seelisches Zusammenklingen kindische Verstiegenheit gewesen, vielleicht eine Lüge, vielleicht ein Wunder. Dies hier war wirklich und schenkte wirkliches Glück, triebhaft, heiß und erdverbunden. Es war das, was man in Paris die große Passion nannte, Tonius hätte anderes nicht begriffen. Er war ein genialer Liebhaber und hatte aus Ina eine wunderbare Geliebte gemacht. In allen Dingen des Körpers, in Sport, in Äußerlichkeiten von Kleidung und Geschmack war er erfahren und von raffiniertem Verstand. Alles andere lachte er aus, mit dem sicheren, von keinem Gedanken befangenen Lachen, das Ina liebte. Es kam vor, daß Ina abends bei der Wagenfahrt im Bois, unter ihrem großen, pleureusenumwehten Hut zu lächeln begann und sich an Tonius preßte. Sie dachte an Mila Merz. Nun kannte sie das Glück der Gewöhnlichen, Gedankenlosen.

Ihr Erfolg in den »Folies« war unbeschränkt. Vignon, der Direktor, tätschelte freudig ihre Arme und verlängerte den Kontrakt für ein Vierteljahr; die Gage war beträchtlich, aber sie spielte in den Ausgaben des Haushaltes keine große Rolle. Ragnier erschien, der große Agent mit dem Gesicht einer überfütterten Ratte, und hatte die Tasche voll von Angeboten. Lejeune, der witzig-bittere Sänger aus den »Funambules«, sagte: »Nun hat man glücklich eine Varietényummer aus Ihnen gemacht, Ina Raffay! Es ist wahrscheinlich, daß Ihre Schönheit in der Nachbarschaft dressierter Seehunde noch gewinnt.« Der frühere Star der »Folies«, eine Sängerin mit einer Porzellanstimme, übernahm sich. Sie warf die Beine, die ermüdeten Glieder einer Frau von mehr als vierzig Jahren, in die Luft und brachte jede Woche schamlosere Pointen. Nachher saß sie brütend in der Garderobe ihrem emaillierten Gesicht im Spiegel gegenüber und begriff das Publikum nicht mehr. Das Publikum hatte genug von ihr. Das Publikum hatte Appetit auf Jugend bekommen, das Publikum wünschte jetzt Leidenschaft ohne Frivolität zu sehen, das Publikum begeisterte sich daran, daß die Raffay ihrem schönen Freund treu blieb. Ina stieg in den Beifall wie in ein laues Bad, es war angenehm, aber es berührte sie nicht. Sie suchte nur Tonius' Augen und seine Hände auf dem Samt der Logenbrüstung, seine langen Hände, ihr durch hundert Liebkosungen vertraut.

Die Welt des Varietés amüsierte sie, wie sie anfänglich die Schwabinger Welt amüsiert hatte. Gerne saß sie vormittags im dunklen Haus und sah zu, wenn die Artisten trainierten; ihre Augen sättigten sich an den schönen, gebändigten Körpern, Türk neben ihr sog spürend den Schweißgeruch. Er hatte kummervolle Zeiten, er war eifersüchtig auf die dressierten Hunde Jimpy Timps, der immer neben Ina saß und ihre Kleider mit der Witterung seiner Tiere imprägnierte. Jimpy Timp war ein stiller, melancholischer Mann mit einem langen Gesicht, das meist wie hinter Nebeln hervorsah. Der ständige Umgang mit Tieren hatte ihn übertrieben feinnervig gemacht; er liebte es, Verse von Baudelaire zu zitieren und schnupfte Kokain, was seine Leistungen sinken ließ, so daß er nur mehr als Füllnummer zu gebrauchen war. Ina liebte er um ihres Haares willen, er spürte Kraftströme daraus rinnen. Sie dachte an Konradins kalte Trinkerhand auf einem Kinderhaupt, und im Dunkel des leeren Parketts nahm sie Jimpy Timps zittrige, lange Finger und legte sie in die Wärme ihres Scheitels. Türk knurrte. Ina sann flüchtig, woran es läge, daß immer Schattenmenschen sich in ihren Weg drängten, einen Augenblick war ein erschrockenes Besinnen in ihr, und das Leben mit Tonius schien ihr fremd.

Im Februar ging sie nach London, und Tonius fuhr nach Deutschland, um Familienangelegenheiten zu ordnen. Seine Verlobung hatte er längst gelöst. Jetzt zürnte irgendein nebelhafter Onkel von Einfluß und mußte aus dunkelgelassenen Gründen beschwichtigt werden. Ina glaubte einen Schimmer von Nervosität in Tonius zu spüren. In London schloß sie sich von aller Welt ab, hilfsbedürftig hielt sie sich an Jimpy Timp, der gleichfalls engagiert war, als Lückenbüßer und um eine Hundegage. Suzanne, die Zofe, streckte indigniert ihr munteres Schnuppernäschen in den Nebel, nur Türk schien wohlgelaunt.

Ein Leben ohne Tonius war unerträglich. Ina ertrank in Sehnsucht, in Tänzen raste ihr Körper sich aus ohne Stillung zu finden. Das Wiederfinden nachher in Brüssel ging über alle Grenzen. Im März reisten sie nach Monte Carlo, Tonius war dort sehr zu Hause, er spielte viel, verlor, gewann, verlor wieder, Ina hatte keinen Überblick über das Endresultat. Sie bekam fabelhafte Toiletten, ein Schwarm von Männern zog hinter ihr her, man flüsterte ihren berühmt gewordenen Namen, wo sie sich zeigte. Man verbrauchte anscheinend enorm viel Geld; ihre Brüsseler Gage hätte kaum für Schuhe und Hüte gereicht. Einmal gewann sie selbst ein paar tausend Francs, Tonius lachte über den kindlichen Stolz, der sie erfüllte. Manchmal machte sie ein besorgtes Gesicht zu den Summen, die verschwanden, und fragte: »Bist du denn so reich?« Aber er lachte nur und küßte sie verliebt auf die kleine Senkung zwischen Nase und Oberlippe.

Als sie zur Saison nach Paris zurückkehrte, staunte man; noch immer liebte die schöne Raffay ihren schönen Freund, treu und wie am ersten Tag.

Im Frühjahr aber geschah etwas, das einen Schatten über die helle Straße warf, auf der sie gedankenlos und glücklich hinrollten.

Ina schläft an Tonius' Schulter und träumt: Sie geht die Boulevards hinunter, treibt im Strom hin, der sich gewaltig auf dem Opernplatz staut. Angst überkommt sie im Gewühl, das sie sehr klein macht, sie sieht an sich hinab und bemerkt, daß sie das einfache Kleid anhat, das sie in der Ballettschule trug. Jemand sagt: »Darf ich der Dame das Schuhband binden?« Sie gewahrt Herrn Adolf, den Krüppel, der vor der Pariser Oper sitzt, die über ihm groß mit grünem Kuppeldach in einen roten Späthimmel wuchtet. »Guten Tag«, sagt sie, gar nicht erstaunt, »und Sie sind noch immer vergnügt?« – »Die kleinen Sachen!« erwidert er, und nickt ihr zu; da erst bemerkt sie, daß er nackt ist. Er hat einen mageren, häßlichen Körper, über seine blaue Haut hin laufen Striemen, sein intelligentes Gesicht ist sehr blaß, sie wagt es nicht, die Stümpfe seiner Beine anzusehen. Rot fließt es aus ihnen und netzt die breiten Lacklappen ihrer Schuhe. »Der Fuß einer Göttin«, sagt irgendwo Tonius; »aber in solchen Schuhen kannst du in Paris nicht gehen. Es ist auch Blut daran.« Der Krüppel aber hält ihren Fuß am Gelenk fest, er zieht die Schleife enger und enger, sie wehrt sich, in der blutigen Lache stehend, ihre Sohlen kleben und lassen sie nicht fliehen. Davon erwacht sie. »Du weinst im Schlaf?« fragt Tonius; er kniet am Bett und hält ihren Fußknöchel mit seiner Hand umspannt, er hebt seine Lippen nur einen Augenblick von ihrer Sohle und läßt sie genußsüchtig wieder darin einsinken wie in ein Kissen.

»Ein häßliches Träumen war das«, sagt Ina. »Komm, gib deinen Mund, jag' es weg; nein, bleib' stehen, laß dich ansehen, damit das Häßliche vergeht.« Sie sieht ihn an, den nackten Tonius; es ist sonderbar, daß Schönheit so beglücken kann, denkt sie und zieht die Brauen zusammen. Es ist früh am Morgen, die Fensterläden sind zugezogen, irgendwo läßt die diskrete Suzanne laues Wasser plätschernd in ein Bassin rinnen; eine Lampe schwingt schläfrig über dem Lager. Ina streckt träge die Hand nach einem Pfirsich und preßt die Zähne in das süße Fleisch, es ist eine Bewegung voll Lust.

Eine Stunde später kommt Ina an den kleinen Frühstückstisch, den Suzanne in das Kabinett gerollt hat, ihre Haut hat noch Glanz und Weichheit des Bades an sich und duftet unter dem dünnseidenen Kimono zärtlich und gepflegt. Tonius tritt schon fertig aus dem Ankleidezimmer, er trägt kurze Beinkleider, lederne Gamaschen, seinen steilen Nacken läßt ein weicher Kragen frei; man will eine Autotour in die Wälder von Fontainebleau machen und an der Seine zurück. »Türk muß zu Hause bleiben«, sagt Ina zu dem Tier, das bittende Pfoten auf ihre Knie legt. »Türk ist ungezogen, Türk ist eifersüchtig wie ein Ehemann; wir sind nicht verheiratet, Türk.« Türk geht mit einem dumpfen Kummerlaut an den kalten Kamin und legt sich hin. Draußen ist es erster Frühling, die Pappeln an der Seine grünen und der Wald wird mit seinen Knospen aussehen wie ein Spitzentuch aus Chantilly.

Der Chauffeur bleibt zu Hause, Tonius lenkt selbst in die laue Luft hinein, die ihnen das Haar aus den Stirnen streicht und Inas Schleier wehen läßt wie einen violetten Frühlingswimpel. Paris dampft feucht in der Sonne, die Straßen singen, die hohen Omnibusse ziehen wie Schiffe schwer dahin, vor den Cafés stehen die Tische, ein Flirren von Farben und Klängen schwingt lebendig und froh.

Sie frühstücken im Wald, auf die Autodecke gelagert, aus einem Korb, den Suzanne mit guten Dingen vollgepackt hat. Die Luft riecht heftig und jung nach Pfefferminze, Anemonen schauen kindlich aus dem Gras. »Sie haben Gesichter wie kleine, unschuldige Mädchen am Firmungstag«, sagt Ina, auf beide Ellbogen in die Wiese gestützt. Darüber lacht Tonius nur nachsichtig. »Du Romantische!« sagt er fast mitleidig. Er liegt lang ausgestreckt und dreht eine Zigarette. Das schöne Tier, denkt Ina, und einen Augenblick ist eine Weite zwischen ihm und ihr. Aber er greift nach ihr, und ihre Augen dunkeln. Er sieht ihrem durstigen Mund zu, er spürt das Strömen von ihr zu ihm, und wie zum erstenmal flüstert er dicht über ihren Lippen: »Soll ich dich küssen?« Dann küßt er sie, zwischen Gras und Anemonen hingestreckt, den herben Duft der Frühlingserde im Atem, ihre Augen trinken blauen Himmel über Wipfeln, eine Amsel singt verliebt im Gebüsch.

Später reicht ihnen in einem kleinen Wirtshaus an der Straße eine breite braune Frau Weißbrot und Wein. All die einfachen Dinge der Welt scheinen geschaffen zur Beglükkung. Blaugrau sinkt schon der Fluß in den Nachmittag, als sie die Straße an der Seine erreichen. Drunten zimmern Burschen die Bretter einer Badeanstalt zurecht; mit dem Klang einer Ziehharmonika schwimmt ein Kahn stromabwärts. Tonius schaut auf die Uhr, tritt den Gashebel durch und schaltet den nächsten Gang ein. Am Abend muß Ina auf einem Fest beim Finanzminister tanzen. Die Straße rollt weiß dem Auto entgegen, Pappeln steilen sich, blühende Obstbäume fliegen wie Schleier vorbei, kleine Chalets tauchen auf und schmiegen sich in Gärten zurück, Villen, Sommerrestaurants. Unter einer Dunstwolke, rötlich, liegt am Horizont Paris; es dämmert schon, als sie in die Vorstadtstraßen einbiegen.

Ina streckt nervös die Zehen und sagt: »Es wird Zeit, Tonius.«

Er lacht nur, das Auto saust hin, scharf biegt es in eine lange, gerade Straße ein. »So schneiden wir den Weg ab«, sagt Tonius. Es ist eine häßliche Straße, die kleinen Häuser einer Arbeiterkolonie stehen gerade, gleichmäßig und nüchtern da, sie rennen dem Auto entgegen wie eine Reihe grauer Soldaten, es ist, als würde die Dämmerung trauriger und tiefer.

Was dann geschieht, ist kurz.

Aus einem schwarzen Türloch huscht etwas wie ein Schatten über das Band der Straße, die Hupe schreit ein einziges Mal grell und mißtönig. Ina hört Tonius' Zähne knirschen und sieht einen unbegreiflichen Ausdruck in seinem Gesicht, während er am Hebel reißt; zweimal geht ein harter

Ruck durch das Auto, dann bäumt es sich und bleibt zitternd, quer über die Straße gedreht, stehen.

»Was ist los?« fragt Ina ratlos. Tonius sitzt in den Sitz zurückgesunken, seine Hände hängen schlaff hinab und beben. Er ist weiß um Mund und Augen, und Schweiß rinnt seine Schläfen hinab. Er gibt keine Antwort.

Dann stürzt Geschrei aus den Häusern, Frauen brechen hervor, Steine stoßen hart an die Karosserie, einer trifft Inas Schulter. Hände zerren sie und Tonius aus dem Auto, Fäuste schlagen, ihr Schleier flattert in Fetzen, Tonius verteidigt sie nicht, er hat noch immer die schlaffen Hände, den besinnungslos fliehenden Blick. Auf der Straße hinter dem Auto liegt etwas, das er nicht anzusehen wagt. Eine Frauenstimme zerschneidet den Lärm mit hoher, tierischer Klage, dann ist es wie ein wirrer, traumhafter Tanz von Schatten und Fratzen und fremdem Geheul. In einer stummen Pause, da eine Gasse sich vor zwei Schutzleuten öffnet, hört Ina wieder die hohe, klagende, von Schluchzen auseinandergebrochene Stimme, und da erst begreift sie und faßt schwindlig nach Tonius' Händen. Aber die beiden Schutzleute führen ihn fort, schwarz ballt sich die Menge hinter ihm her, ein dunkler Klumpen, aus dem Fäuste in die Luft stoßen.

Ein Mann mit grauen Augen und soldatischem Bart legt Ina die Hand auf die Schulter und legitimiert sich als Polizeiagent, er verständigt sich durch ein paar kurze Worte mit ihr, schiebt sie in das Auto und ergreift das Lenkrad. Das letzte, was Ina sieht und unauslöschlich behält: Zwei Männer beugen sich mit schweren Schultern über die Straße und heben den kleinen Körper eines Knaben hoch, seine Arme und Beine hängen herab, als wären sie knochenlos; den zurückgesunkenen Kopf stützt die Mutter, die verstummt ist und ihre Augen mit dem Arm verbirgt, in einer Bewegung, welche Ina Raffay, die Tänzerin, nie vergessen wird.

Auf der Straße spiegelt sich letzte Helligkeit in einer dunklen Lache.

»Bitte, Madame«, sagte der Kommissar, und Tonius trat ein, hinter ihm schloß jemand gleich die Tür zu. Er trug noch den Anzug der Autotour, der Hemdkragen war etwas beschmutzt, das sah Ina zuerst, denn erst kamen ihr seine verwandelten Augen entgegen mit dem sonderbar ausweichenden Blick und sein gequältes, mühsames Lächeln.

»Wie geht es dir, Tonius?« fragte sie befangen. Der Kommissar, zum Fenster hinausblickend, bemerkte: »Darf ich um die Freundlichkeit bitten, Französisch zu sprechen?«

»Danke, gut so weit«, antwortete Tonius steif. »Wenn du vielleicht veranlassen könntest, daß mir Wäsche und ein Anzug geschickt wird. Dies Zeug ist mir schrecklich. Und ich weiß nicht, wie lange man mich hierbehalten wird.«

»Höre«, sagte Ina, »das ist ziemlich einfach. Ich habe allerhand Wege gemacht, ich war bei der Präfektur und habe sogar den Untersuchungsrichter, der die Sache bekäme, in seiner Wohnung aufgesucht; aber soweit ist es noch gar nicht, vorläufig hat noch die Polizei die Ermittlungen in der Hand; mich hat man auch schon vernommen. Ich sprach auch mit Ducort, er will natürlich deine Verteidigung übernehmen, wenn es nötig sein sollte, aber er lacht über die ganze Geschichte. Er sagt, es ist eine Dummheit, die unbegreiflich aufgebauscht wird.«

»Eine schandbare Dummheit«, sagte Tonius in übertriebenem Ton.

»Nun aber die Hauptsache, die Ducort gemacht hat: Du wirst sofort freigelassen gegen eine Kaution von dreißigtausend Francs. Dir als Deutschem werden besondere Schwierigkeiten gemacht, meint Ducort.«

»Sofort freigelassen. Soso«, sagte Tonius und schaute seine Hände an, über die Risse und Kratzwunden liefen.

»Freust du dich denn nicht, Tonius?«

»Sehr«, sagte er abwesend, und faßte nach seinem beschmutzten Hemdkragen. »Kaution, es ist sehr gut. Nur, ich habe die dreißigtausend Francs nicht, augenblicklich.«

»Hast du nicht? Aber du bist doch reich, nein? Es ist doch immer Geld da?«

»Meistens. Ja. Man kann es sich meistens verschaffen, weißt du. Reich, das ist nur ein Begriff, Ina. Aber im Augenblick sind mir die Hände gebunden. Dreißigtausend, nein, die borgt mir jetzt niemand.«

»Aber mir vielleicht, Tonius? Wie fange ich es an? Ich bin ungeschickt, verzeih, es kommt mir etwas unerwartet«, sagte sie leiser und benommen; ihre Knie zitterten ein wenig.

»Dir?« sagte Tonius nur und schaute sie an, die Schlanke, Schöne, in ihrem Straßenkleid aus tabakbrauner Seide, mit dem bräunlichen Gesicht unter dem kleinen, pfauenblauen Hut, der aus tausend schillernden Federchen aneinandergefügt war. Er lachte, es war nicht mehr das alte Lachen. »Dir?« sagte er und schüttelte den Kopf. »Nein, dir borgt kein Mensch in Paris Geld, ohne eine gewisse Bagatelle dafür zu verlangen. Ich könnte dir die Adresse gewerbsmäßiger Geldverleiher sagen, aber die verlangen die Bürgschaft guter Namen. Und die guten Namen geben dir ihre Unterschrift nicht umsonst. Übrigens, laß das sein; es ist dumm genug, wenn du überhaupt von solchen Dingen erfährst. Und man wird mich ja nicht ewig hierbehalten, es ist auch ganz hübsch und interessant hier. Nur mit dem Schlafen geht es schlecht. Und vor allem die Wäsche, nicht wahr?«

»Ja«, sagte Ina. Da ihr nichts mehr zu sagen einfiel, machte sie eine sinnlose Bemerkung über das Wetter. Der Kommissar trommelte an die Fensterscheibe. Tonius lächelte trübe: »Wir stehen da wie auf einem Bahnsteig, wenn man wartet, daß der Zug bald abfährt«, sagte er. Ina suchte verwundert sein Gesicht; es war nicht sein Mund, es war nicht sein Ton.

»Ach, Tonius!« sagte sie heftig und hob ihm beide Hände entgegen. Er neigte sich ein wenig vor und fragte leiser und deutsch: »Hast du Sehnsucht nach mir?« Sie nickte nur. Der

Kommissar räusperte sich. »Sehnsucht, Herr Kommissar«, sagte Ina nachlässig, »ein deutsches Wort, das sich nicht übersetzen läßt.«

»Vielleicht kommst du morgen wieder her?« sagte Tonius und wandte sich zum Gehen. Er hatte vergessen, ihr die Hand zu geben. Er hatte vergessen, das Wichtigste zu fragen.

»Das Kind«, sagte Ina, als er schon unter der Tür war; er blieb stehen und horchte. »Es ist nicht tot, Tonius, es lebt noch«, sagte sie atemlos.

»Nun ja, es lebt«, wiederholte er ungewiß und öffnete die Tür. Draußen stand ein Justizsoldat, draußen war ein dumpfer Gang, fahlgrau getüncht und mit vielen Türen; der schluckte Tonius ein. Ina schloß eine Sekunde die Augen. Immerfort beugten sich zwei Männer mit schweren Schultern über eine Straße und trugen einen zerbrochenen kleinen Knabenkörper fort.

Unten wartete Türk im Fiaker, sie nahm den Hund zu sich und schickte den Wagen fort. Friedlos trieb es sie in der Stadt umher, seit Tonius in Haft genommen war. Sie kam in Straßen, die ihr ein neues, unbekannt spießbürgerliches Paris enthüllten, sie saß in Kanzleien, in Büros, in Gängen, sie wartete in den geizigen, selten gelüfteten Salons der Wohnungen von Kommissaren, Unterbeamten, Richtern. Dann wieder saß sie ermüdet auf einer Bank der Boulevards oder im Luxembourggarten und sann in sich hinein. Was bedeutete nun dieses Neue, daß man kein Geld hatte? Was bedeutete es, daß man ein kleines Palais bewohnte, gute Pferde ritt, im Auto fuhr, hübsche Dejeuneurs gab, tonangebend gekleidet war und keine dreißigtausend Francs verschaffen konnte? Es erschreckte sie und gefiel ihr zugleich beinahe. Ganz deutlich sah sie mit einemmal Großmamas alte Kassette vor sich, aus der die alten Delares aufstiegen mit ihren Reisen und Abenteuern. *»Rastaquouère«,* sagte sie; es war ein gesuchtes Wort, wie aus einem Roman.

Schwer entschloß sie sich, heimzugehen; das Haus war abgewohnt, in dem alltäglichen Salon saßen fremde Leute, die schon die frühere Besitzerin besucht hatten. Sie sah an ihrem tabakbraunen Seidenkleid hinunter, hellere Reflexe wellten darin. Der »Chic Parisien« hatte es photographiert, ob es bezahlt war, schien ungewiß. Ina dachte nach und fand nur zwei Dinge, die ihr Eigentum waren: Türk und die graue Schnur der Delares-Perlen. »Die Perlen!« sagte sie ganz laut; es trieb sie heim. Sie nahm einen Fiaker, um schneller hinzukommen. Vor Autos graute ihr. Man mußte Tonius freibekommen, es machte Angst, zu sehen, wie alle Sicherheit von ihm abfiel.

Suzanne erschnupperte mit ihrer erfahrenen Pariser Nase bald, was Ina mit den Perlen wollte, die sie so ratlos verlegen in der Hand hielt. Es war nicht das erstemal, daß Suzanne den Schmuck ihrer Damen in die Rue Pigalle zu einem Juwelier trug, der einen winzigen Laden besaß, den Kenner wohl zu schätzen wußten, solche sowohl, die etwas zu versetzen hatten, als solche, die nach besonderen Stücken jagten.

Ina atmete tief, als sie das Geld in Händen hatte, obwohl es sie sonderbar heftig bedrückte, daß sie sich von den Perlen getrennt hatte, wenn es auch nur für Tage sein sollte. Übrigens reichte das Geld nicht ganz. Aber Vignon, der Direktor der »Folies-Bergère«, erschien, um wieder ein kurzes Gastspiel abzuschließen. Das Autounglück der Raffay war eine Reklame, die er nicht unbenützt lassen wollte. Er verlangte den Tanz in Grün, diesen Tanz der Anmut und Unschuld, und das Publikum tobte, pervers durchschauert vom Anblick dieser Elfe, die in blutige Dinge verwickelt war.

Für Tonius stand die Stimmung schlechter. Die sozialistischen Blätter hatten sich der Geschichte bemächtigt und alles in ihre Beleuchtung gerückt. Das Auto wurde zum Symbol eines gewissenlos alles niederwerfenden Kapitalismus, der die Kinder der Ärmsten überrannte. Inas eleganter violetter Schleier wurde zum Delikt und Tonius' tadelloser Sportdreß gleichfalls. Abends schrien heisere Zeitungsverkäufer vom Rand der Boulevards knallende Titel in den Trubel. Vignon lancierte seinerseits pikante kleine Notizen in die Zeitungen, die zogen. Er bezahlte einen Vorschuß, und Ina konnte aufatmend die dreißigtausend Francs zu Ducort tragen. Nachher war sie sehr müde. Sie nahm den Heimweg durch den Luxembourggarten, und beim Bassin verweilte sie ein wenig. Sie war wirr und erschöpft, es drängte sie, still zu sitzen, mit den Händen im Schoß, und inmitten der schwankenden Kulissen ihrer Existenz sich zu besinnen. Am Bassin spielten Kinder, weiß glitten ihre Schiffchen hin, und ihre kleinen Stimmen warfen sich hell in die Luft.

Mit einemmal riß Türk sich neben der Bank empor und stürzte freudig jaulend in eine Gruppe von Studenten, die den Weg herankamen. Ina sah erschreckt auf, und dann begann sie ganz still und langsam zu lächeln. »Fernand«, sagte sie und hob nicht einmal die Hände aus dem Schoß. »Fernand.«

Er war kaum verändert, die verwachsene Gestalt noch immer kinderklein, aber in den suchenden Augen brannte jetzt ein sanftes, stetiges Feuer, und über dem ganzen Gesicht lag ein Lächeln von unbeschreiblicher Stille. Ina sah seine Hände den Kopf des Hundes liebkosen, die vertraute Bewegung ließ alle Kindertage aufstehen, und Heimweh drängte ihr die Kehle zusammen. Dann lag seine Hand in der ihren, die braune Delares-Hand, die Bruderhand mit der festen, ruheströmenden Wärme.

»Bist du denn in Paris?« sagte sie. »Das ist ja wie ein Wunder.«

»Nun, Ina, weißt du das nicht: Wenn man nur lang genug im Luxembourggarten sitzt, dann kommen so ziemlich alle Menschen einmal vorbei, die man kennt. Übrigens ist das Wunder auch sonst nicht groß; ich studiere hier noch ein paar Spezialfächer, meinen Doktor habe ich in Zürich gemacht. Frémart läßt mich zu seinen Operationen zu, er ist der wunderbarste Arzt, den es geben kann.«

»Also bist du Arzt?« sagte Ina und schaute ihm glücklich ins Gesicht. Er saß neben ihr und hielt Türks Kopf auf seinen Knien. »Und hast du gewußt, daß auch ich in Paris bin? Und hast mich nie aufgesucht?«

»Hast du mich denn gerufen, Ina?«

»Kannst du noch immer Gedanken lesen, du?« fragte sie zwischen Spott und Wärme.

Er nickte. »Besser als früher. Ich kenne jetzt so viele Menschen, du weißt nicht, wie interessant das ist. Man sieht ihre Hände an, oder wie sie essen, den Gang, den Blick; sie drehen Zigaretten, sie tragen ein Paket, sie führen ein Kind an der Hand: Ganz gewöhnliche Dinge, aber sprechende Dinge. Maskiert sind ja alle, es ist eine merkwürdige Scham in den Menschen unserer Zeit; aber meist ist es einfach, sie zu erkennen. Bei manchen geht es schwer. Aber wenn ich allein bin und fest an sie denke, dann sehe ich sie, dann enthüllen sie sich. Dich habe ich oft so gesehen«, setzte er nach einer Stille hinzu. Ina hob den Kopf und wollte etwas sagen, aber sie schloß die Lippen wieder.

»Übrigens wäre ich in diesen Tagen ohnedies zu dir gekommen«, sagte er wie eine Antwort. »Du hast schlimme Zeiten, kleine Schwester?«

»Ja«, sagte sie still und faltete die Hände. Sie wußte nicht, wie sehr »die Raffay« von ihr abfiel und sie dem kleinen Mädchen in Amrun glich. »Ja, Fernand, schlimme Zeiten. Es ist nicht wegen Tonius, alle Welt spricht von Tonius, aber das ist es gar nicht. Das Kind, Fernand, das Kind. Ich sehe es immerfort, es lebt noch, es hat furchtbare Schmerzen; wie kommt es, daß das Kind Schmerzen haben muß und ich nicht? Das gibt es doch nicht, das ist doch falsch? Tonius haben sie wenigstens eingesperrt, aber mir läßt man es gut gehen, das gibt es doch nicht?«

»Du bist doch nicht schuld daran, Ina. Auch Herr von Maaten wird freigelassen werden, er ist auch nicht schuld. Ich sprach mit den armen Leuten in der Rue Caillot draußen; jetzt, wo sie ruhiger geworden sind, sagen sie selbst, daß niemand schuld ist, das Kind lief in den Wagen, es war nichts zu machen, es ist ein Unglück, aber keine Schuld.«

»Nein, Fernand, so natürlich nicht; daß wir nicht mutwillig ein Kind niederfahren, das ist ja selbstverständlich. Aber daß es geschehen kann, daß man im Auto daherkommt, daß es einem gutgeht, und das alles, der ganze Tag, wie wir ihn gelebt haben: Das macht mir ein schlechtes Gewissen. Ein Unglück, Fernand! Aber daß man so gedankenlos lebt, und daß erst so ein Unglück einen besinnen läßt. Noch am gleichen Abend tanzte ich beim Finanzminister. Du sagst, du warst bei den Leuten in der Rue Caillot draußen?« fragte sie abspringend. »Wie kommt das nur?«

»Nun, ich bin eben hingegangen. Ich gehe gerne dorthin, wo es Unglück gibt, es ist, als wäre es *mein* Unglück, es ist meine Sache. Täglich finde ich solche Dinge in den Zeitungen, und es ist das Herrlichste auf der Welt: helfen können. Übrigens ist das Kind jetzt gerettet; Frémart hat es operiert, es ist gut gegangen. Ich war heute im Hospital bei dem Knaben und habe ihm Märchen erzählt, das hat er gerne. Wenn er gesund ist, wünscht er sich ein Tier zur Gesellschaft, einen Hund, einen Stieglitz oder einen Goldfisch. Es ist ein liebes, kluges Kind«, sagte Fernand und lächelte in der Erinnerung, »vielleicht besuchst du es auch einmal.«

»Nein«, sagte Ina und schlang die Finger ineinander. »So etwas kann ich nicht, Fernand. Operiert, sagst du; was hat man ihm getan?«

»Die Beine sind am Oberschenkel amputiert; der rechte Unterarm ist gebrochen, aber das heilt bald. Frémart hat ein neues Verfahren ohne Gipsverband. Er wird seine Hände gebrauchen und arbeiten können.«

»Er wird vor der Großen Oper sitzen und Stiefel putzen«,

sagte Ina vergraben. »Man wird tausendmal vorübergehen und nicht daran denken, wie so etwas anfängt. Ich habe einen Krüppel gekannt, der immer froh war«, sagte sie etwas später, und ihr Blick ging ziellos über das Bassin mit den spielenden Kindern hin.

»Ja, den kenne ich auch. Ich kenne viele. Ihr andern wißt nicht, wieviel Kraft in denen ist, die Unglück haben und einsam sind.«

»Gehöre ich für dich jetzt zu den andern?« fragte Ina kaum hörbar; ihr Herz sang: Bruder, Bruder.

»Ja, Ina. Jetzt gehörst du zu den andern«, antwortete er und betonte ganz schwach das »jetzt«.

»Wie lebe ich denn, Fernand?« fragte Ina und hob den verhängten Blick zu ihm auf. »Kannst *du* mir sagen, wie ich lebe? Die ganzen Tage gehe ich umher und will mich besinnen. Es ist, als hätte ich etwas Wichtiges vergessen, als wäre mir das Beste verlorengegangen, etwas, an das ich mich erinnern muß. Wie lebe ich denn? Ich lebe, aber es ist ja nicht *mein* Leben. Ich bin glücklich, aber es ist ja nicht *mein* Glück. Oder eigentlich: ich glaubte, glücklich zu sein, weil ich ohne Gedanken war. Aber das ist etwas ganz anderes. Dann wacht man auf, und etwas Wichtiges fehlt, ich weiß nicht was, ich kann mich nicht besinnen. Darum mein schlechtes Gewissen. Und willst du wirklich sagen, daß ich ohne Schuld bin?«

»Von Schuld verstehe ich nichts, Ina«, sagte Fernand und lächelte. »Ich kenne so viele Menschen, ich krieche in so dunklen Winkeln umher, arm sind sie alle und leben, wie sie müssen. Wir sind alle auf dem Weg, Ina. Schuld ist ein Begriff, den ich nicht kenne; schuldig habe ich nie jemanden gesehen. Es gibt Menschen, die ich nicht mag, die satt sind oder selbstzufrieden, oder die kein Mitleid haben; um die herum werden alle Dinge tot. Solche mag ich nicht. Aber von Schuld wissen solche gerade am wenigsten.«

»Kennst du Tonius?« fragte sie so schnell und unwillkürlich, daß Fernand ihr in die Augen schaute. »Flüchtig«, sagte er langsam, »was ist es für ein Mensch?«

»Er ist schön«, sagte Ina, und dann fing sie an zu lächeln und sagte in Fernands überhelltes, stilles Gesicht hinein: »Er kann die Elfen nicht tanzen sehen, weißt du, Fernand.«

Fernand nickte. Vom Bassin stieg Kinderlachen in die Luft; und in Inas Augen kam Suchendes, Sehnsüchtiges. Leise fragte Fernand: »Möchtest du ein Kind von ihm?«

»Nein« sagte Ina kurz.

»Dann ist es nicht das Richtige, Ina.«

»Nein, das Richtige ist es nicht. Ich weiß es seit ein paar Tagen. So etwas wie das Unglück mit dem Auto müßte uns noch tiefer verketten; statt dessen hat es uns auseinandergelebt. Es hat mich verändert und ihn auch. Aber jeden nach einer anderen Richtung. Ich sitze die ganzen Tage da und schaue nach innen, ich habe es lange nicht getan. Aber bei Tonius ist innen nichts, er hat nur Außenseite, und die Außenseite ist nicht mehr, wie sie war. Fast habe ich Angst davor, wenn er wieder heimkommt. Nein, das Richtige ist es nicht. Aber wo ist das Richtige für mich? Ich treibe nur so hin; manchmal erschrecke ich, wie wirklich alles geworden ist, und mein Herz fragt mich: Wie hast du dich vertan.«

»Warum bleibst du bei ihm?« fragte Fernand behutsam. Ina schwieg; und dann sagte sie, leise seine Hand streifend: »Muß man Gedankenlesern alles erst erzählen?« Er schaute sie an in ihrem braunen Kleid, mit dem aufgeblühten Mund, und sagte: »Ich weiß: Du liebst Pferde und Hunde, und Tonius von Maaten ist ein schönes Tier; du aber bist, was die Pariser *très femme* nennen.«

»Nein, es ist mehr als das«, sagte Ina leidenschaftlich und hob die Hände zum Mund. »Was wißt ihr alle, was es heißt: Der Eine, der Erste, der, der aufweckt? Das geht aus Tiefen, die stärker sind als ich; das führt Wege, die ich gehen muß, auch wenn sie falsch sind.« Sie sah in den Himmel hinauf, der langsam blaßte, und mit zurückgeneigtem Kopf sagte sie leiser: »Vielleicht ist es auch nur, weil ich früh sterben werde. Und den Hunger hast du doch auch im Blut gehabt, Fernand, den Delares-Hunger: alle die hundert Türen des Lebens aufzumachen?«

Ich habe *eine* verschlossen gelassen, dachte Fernand, aber er sprach es nicht aus, es war auch nur ein leiser Gedanke, wie ein altes Lied.

Es war still und dämmerig geworden, die Kinder waren alle heimgegangen. Ferne sauste als dunkler Ton die Stadt, in der Stille sprach Busch und Baum lauter, und verschlafen rief eine Vogelstimme in den sinkenden Abend.

»Es ist wie zu Hause«, flüsterte Ina. »Ich habe mich verirrt im Kauzenwald, wo es unheimlich ist und die Sündenblumen ins Moor ziehen. Dann kommst du mit Türk, und wir plaudern, und es ist gut.«

»Wo ist für uns zu Hause?« fragte Fernand und nahm ihre Hand. »Kleine suchende Wanderseele?«

»Zu Hause, in Amrun, bei den Birken«, sagte sie, und ihre Hand trank Ruhe und Wärme aus seiner Hand. Dann kamen Glocken daher, eine Kirche sang im Abend durch alles Stadtgetöse, und Ina stand auf. »Jetzt muß ich tanzen gehen«, sagte sie. »Leb' wohl, Nando, ich sehe dich doch wieder? Du kommst zu mir?«

Er gab ihr die Hand und löste Türk sanft von seinem Knie los. »Auf Wiedersehen, mein alter Hund«, sagte er, »auf Wiedersehen, kleine Schwester.«

Aber sie sah ihn in Paris nicht wieder. Tonius kam aus der Haft, die Untersuchung hatte die Sache klargestellt, so daß eine öffentliche Anklage unterblieb. Die Kaution wurde zurückerstattet. Aber die Perlen, die grauen Delares-Perlen, mußten trotz Inas herzklopfenden Bitten und Tränen vorläufig in der Rue Pigalle verbleiben. Tonius brauchte das Geld für andere, dringendere Zwecke.

Drei böse und unheimliche Dinge zeigten sich in dieser Zeit: Tonius war anders geworden, er hatte die ruhige, sichere Art nicht mehr, etwas Lautes, Auftrumpfendes war in sein Wesen gekommen, als suche er eine Bestätigung für sich selbst. Türk verschwand eines Tages, nachdem er seit der Begegnung mit Fernand mager und nervös gewesen war, und kam nicht wieder. Und Ina fand die erste Falte in ihrem Gesicht, eine kleine, fast unmerkliche Falte, die ihre Mundwinkel senkte in einem schwachen Ausdruck von Sättigung oder Resignation.

Dann kam der Sommer in Ostende, dann kam Ragnier mit seinem Rattengesicht und klopfte auf die Tasche voll von Verträgen. Südamerika rief, dann Italien, Deutschland, Dänemark, Rußland. Tonius war da, ein veränderter, brutaler gewordener Tonius, spannte seinen Raubtierkörper und lockte in die Schauer neuer, ungekannter Umarmungen.

Eine Stunde lang hatte Ina am Ufer gestanden und ihr Leben gesehen wie ein Schiff, von Wirbeln drehend hingezogen. Nun trieb sie wieder stromabwärts, ohne Besinnen, mit Klingen und Rausch und seltenen Träumen, die in den Nächten Birken über ihren Schlaf wiegten.

Die Hotelzimmertür schloß sich hinter Ina, und gleich ließ sie die Arme sinken und blieb im Abendmantel stehen. Ihr gegenüber im Spiegel des großen Schrankes stand elektrisch beleuchtet noch eine Ina Raffay, eine blasse, müde, mit schlaffen Händen und abwesend starrenden Augen. Aus dem Spiegel des Toilettentisches starrten diese Augen verdreifacht. Von der Straße her klangen Töne, wie in Watte erstickt. Schlitten klingelten durch den Schnee, aber es war kein Klang von Frohsinn darin. Eine betrunkene Stimme sang ein Lied in Moll. Ina lehnte sich ans Fenster, und während sie den Mantel abstreifte, ihr Haar zu lösen versuchte und es dann wieder aufgab, übersetzte sie sich mechanisch die Worte, die dumpf durch die Doppelfenster eindrangen:

»Im Wald, im tiefen, dunkeln,
da bin ich ganz alleine.
Wenn alle Sterne funkeln,
dann geh ich still und weine.
Vergebens ist mein Sehnen,
es fließen meine Tränen,
es fließen meine Tränen,
es fließen meine Tränen . . .

Die Mollmelodie wiederholte den Schluß in drei Variationen, es klang endlose Traurigkeit daraus. Dann konnte Ina den Sänger auch sehen, er löste sich von einer Laterne los und taumelte als eine dunkle Masse, an der die Beamtenmütze aufglänzte, über den Schnee hin, die Straße abwärts.

Als sie sich ins Zimmer zurückwandte, stand Tonius da. Er war im Frack, und seine Stirn hatte eine leise Rötung, über die Ina erschrak, ohne es zu zeigen.

»Eine furchtbare Stadt, dieses Petersburg«, sagte sie. »Seit ich hier bin, kann ich kaum atmen. Das Leben hat Galoschen an; die Schlitten sind trübsinnig, die Betrunkenen sind trübsinnig, die Lieder sind trübsinnig. Dazu das Klima und der Schnee und der selbstmörderische Einfall, die Häuser dunkelgelb anzustreichen, mit einer Farbe, die die Melancholie selbst ist.«

»Madame ist verstimmt«, sagte Tonius ohne Frage im Ton und küßte flüchtig ihren Nacken; aus seinem Frack stieg Dunst von Zigaretten und Alkohol. »Madame war in der Oper?«

»Ja.«

»Nun?«

»Nun: Ich habe die Garschina tanzen gesehen.«

»Und?«

»Nichts weiter«, sagte Ina und setzte sich auf den Bettrand. Tonius pfiff eine kleine Melodie, riß sie kurz ab und fragte: »Viel Erfolg?« »Enorm«, sagte Ina. Und dann pfiff er wieder weiter, ohne sie anzusehen. Er ging an den Toilettentisch, nahm eine Feile und begann, seine zugespitzten Nägel nachzufeilen. »Laß das«, sagte Ina, »du weißt, ich kann es nicht hören. Den ganzen Tag bist du mit dir beschäftigt: Rasieren, massieren, maniküren, parfümieren; wie eine Kokotte; es macht mich nervös.«

Tonius streckte seinen großen, schmalen Körper vor dem Spiegel und sagte: »Wenn wir nicht mehr gut aussehen, wir beide, Ina, dann können wir einpacken; dann läßt man uns verhungern.«

»Vielleicht«, sagte sie und schaute sein Spiegelbild an; sie erblaßte plötzlich ein wenig: Der Frack zeigte an den Ärmelnähten einen leisen Glanz, ein erstes, winziges Zeichen des Verfalls.

»Erfolg!« sagte sie ablenkend, mehr zu sich selbst als zu jenem Tonius im Spiegel. »Das ist es nicht, daß die Garschina Erfolg hat. Laß sie doch Erfolg haben, laß sie in Paris tanzen, in London, in der ganzen Welt meinetwegen. Laß Monsieur Ragnier sich alle Beine ausreißen für den neuen Stern und mich fallenlassen und mich schikanieren: Das ist es nicht, Tonius. Aber wie sie tanzt, du, wie sie tanzt! Etwas alte Schule – ja, nicht sehr viel Geist, nicht viel sinnlicher Reiz, ich weiß, ich weiß, ich kenne alles das bis zu den Gelenken, die zu stark werden, o, wie genau ich es kenne! Sie tanzt ja mich, mich selbst, meine eigenen sechzehn Jahre, mein ganzes Jungsein; das Unwiederbringliche, das Unbeschreibliche: Das Unbewußte. Und wie sie es tanzt!«

»Der Anblick muß schlimm sein für eine alte Dame von fünfundzwanzig«, sagte Tonius spöttisch, aber Ina hörte ihn gar nicht.

»Und gerade Irin. Und gerade diese Oper«, sagte sie in sich gebeugt und strich ein Bild von der Stirne fort. »Sie tanzt, wie sie muß, es treibt sie, sie macht es und kennt die Wirkung nicht, das ist es«, fügte sie hinzu. »Sie kennt ihre eigene Wirkung nicht. Dilettantisch? Vielleicht. Aber es gibt den Zauber, das Rührende, das, war mir nie mehr wiederkommt. Ich kenne jetzt die Wirkung. Ich kann keinen Finger heben, ohne zu wissen, wie es aussieht. Mich haben die Jahre Karriere abgebrüht.«

»Ja, *du* kennst deine Wirkung«, sagte Tonius in einer schnellen und düsteren Begierde und sah ihre Arme an, die sich wieder zum dem Versuch erhoben, das Haar zu lösen, das Kleid zu öffnen, und wieder träge herabsanken. Sie überhörte es. »Ich war übrigens nachher mit Thomas Brandt aus, wir soupierten zusammen«, sagte sie. »Er sah mich im Theater und bat darum.«

»Was wollte er?«

»Was alle wollen; ich bin es gewöhnt. Schau ihre Nasenflügel an, wenn sie in meine Nähe kommen. Sie wittern Genuß. Sonst macht es mir Spaß, es gehört jetzt zu mir; von dem tat es mir weh, von Brandt. Er doch müßte wissen, daß Seele im Körper ist. Ach, Tonius«, sagte sie sehr still, und ihre gefalteten Hände schrien. »Was hast du aus mir gemacht?«

Er pfiff schon wieder; er griff schon wieder nach der Nagelfeile; er streckte wieder seinen Körper vor dem Spiegel, in dem meisterhaft geschnittenen Frack, an dem die Nähte zu glänzen begannen. Ina fing an, nervös zu lachen. »Übrigens war er sehr komisch«, sagte sie. »Er kann wohl die Sakußka nicht vertragen mit den vielen Schnäpsen. Er trägt Schnürstiefel zum Frack und eine goldene Uhrkette, der Meister. Mit Orden war er garniert wie ein Beefsteak mit Gemüse. Ich denke mir, daß seine Frau zu Hause langsam dick wird und jährlich ein Kind kriegt, und daß die ganze Familie jeden Samstag einmal badet. Er roch nach schlechter Seife. Das tun die seelenvollen Männer immer. Aber wenn nächstes Jahr ›Die kleine Seejungfrau‹ an der Metropolitan Opera aufgeführt wird, dann soll *ich* sie wieder tanzen, versprach mir Brandt; hoffentlich ist es wahr. Für Amerika ist auch die Garschina noch nichts, sie knallt zu wenig. Und Ragnier mit dem unglückseligen Vertrag, der ihm meine Alleinvertretung für Europa gibt, kann mir dort auch nicht schaden. Seit vier Monaten läßt er mich ohne Engagement sitzen, damit die Garschina alles abgrasen kann. Ich begreife Ragnier nicht. Erst lanciert er mich mit Hochdruck, und dann tut er alles, um mich totzumachen.«

»Er ist lange nicht geschmiert worden«, sagte Tonius am Fenster.

»Geschmiert?«

»Nun ja; oder glaubst du, eine Karriere wie die deine macht sich von selbst? Nur wegen eines bißchen originelleren Gehopses? Nur wegen eines vollkommenen Körpers, der nicht in Zahlung gegeben wird? Du bist naiv, mein Kind. Leider habe ich im Augenblick keine Möglichkeit, für Monsieur Ragniers gute Laune etwas zu tun.«

»Warum sitzen wir nur in diesem schrecklichen Petersburg?« fragte Ina und zwang sich zur Ruhe; den Ton von Haß und Geringschätzung, der zwischen ihnen oft hervorbrach, kannte sie nun schon gut. »Warum gehen wir nicht in eine menschliche Stadt, nach München zum Beispiel?«

»Hast du Sehnsucht nach deinem O-beinigen Freund? Hast du lange kein Terpentin gerochen und keinen Armeleutedunst? Oder siehst du eine Möglichkeit, dort Geld zu verdienen? Ich nicht. Ich muß hierbleiben, hier habe ich Chancen.«

Der elektrische Schalter knackte; Tonius hatte die Lichter abgedreht, nur vom Nachttisch her schimmerte die rote Lampe. Er hielt den Atem an und wartete, wie er in verzweifelter Angst seit Monaten wartete: daß sie es sagen würde:

›Bleibe du hier und laß mich gehen.‹ Sie tat es nicht. Er irrte. Noch war sie so an ihn verkettet, daß sie an Trennung nicht dachte, indes ihn die Furcht davor schon täglich in schlimmere Dinge versinken ließ. Sie schaute die roten Reflexe in ihrem grünen Abendkleid an und fragte: »Du warst im Klub?«

»Ja.«

»Gespielt?«

»Ja.«

»Verloren?«

Er zuckte die Achseln.

»Ich hätte damals die Perlen nicht weggeben dürfen«, sagte sie versunken. »Es hat Unglück gebracht. Es frißt an mir. Daß die Perlen fort sind, damit hat alles angefangen. Du hättest sie nicht verfallen lassen dürfen; du hättest alles tun müssen, alles, zuerst für die Perlen.«

»Es ist gut, daß du einmal davon sprichst«, sagte er dicht an ihrer Schulter drohend und leise. »Ich mag dein Schweigen nicht, es macht mich verrückt. Ich habe es wohl gespürt, daß es an dir frißt; du liebst mich weniger seit damals. Es sieht dir ähnlich, Ina, egoistisch wie du bist. Gut, deine Perlen sind fort, sie haben dir gehört, und du hast sie für mich hergegeben. Ich aber? Was gab ich her? Habe ich mich leicht von meinen Pferden getrennt? Wie? Ich hatte eine Braut, eine Familie, Vermögen, Namen, alles, alles. Wo ist es? Hingeworfen für dich, hingeworfen für eine Tänzerin, die weint, weil sie ein paar Steinchen weniger um den Hals tragen kann. Was waren deine Perlen wert? Zwanzigtausend? Dreißigtausend? Ich habe Hunderttausende für dich ausgegeben, ich habe mich ruiniert. Ich spreche nicht davon. Ich war bereit, jeden Preis für dich zu zahlen, und ich habe gezahlt. Aber es ist gut, daß du von deinen lumpigen Perlen sprichst, es ist gut, Ina.«

Ina war sehr blaß, wie sie da am Bettrand saß und ihre Hände kalt werden fühlte in einem unheimlichen, wegrinnenden Schmerz. »Du verstehst mich nicht, Tonius«, sagte sie zitternd vor Traurigkeit. »Du weißt nicht, was mir die Perlen waren in meinem entwurzelten Leben, die Delares-Perlen. Du bist bei mir, jede Nacht, und weißt nichts von mir, nichts. Du hast für mich bezahlt, Tonius? Aber ich liebte dich, ja, ich liebte dich, ich wäre in jedes Elend mit dir gegangen, früher.«

Er flüsterte: »Und jetzt? Und jetzt?«

Sie hob nur die Hand auf und ließ sie fallen. »Ich bin bei dir«, sagte sie.

Er kniete vor sie hin, er drängte sich mit dem Dunst schlechter Lokale an ihren Körper, und was er flüsterte, klang wie Trunkenheit oder Verrücktheit. Sie verstand ihn nicht, wie er verworren stammelte von Liebe und Verlangen und Perlen, anderen Perlen, und sie erschrak unbestimmt, als er in Taschen suchte und mit zerfahrenen Bewegungen ein Schmucketui vor ihre Augen brachte. Sie sah seine Finger, die haltlos bebten, und seine Augen, die sich verkrochen, und dann begriff sie, daß er ihr andere Perlen schenken wollte, damit sie aufhören solle, sich ihm zu versagen. Mitleid mit ihm und mit ihr selbst engte ihr die Kehle, und sie griff nach dem Schmuck.

Auf weißem Samt lagen graue Perlen, sprühend in roten und grünen Reflexen und von samtiger Nacktheit. Sie sah in einer langen Stille darauf nieder, aber es waren nicht die Perlen, die sie sah. Sie sah einen Tonius von frischer Winterluft umwittert und von der Vision eines Rittes durch den Frühling. Einen, der sie lehrte, ihren Tanz neu zu verstehen und ihr Blut. Einen, der sie in singender Nacht zur Frau erweckte, sie unlöslich an sich bindend. Einen, den ein dunkler Schatten über den Weg schlimm verändert hatte, daß er unsicher wurde, brutal, gewöhnlich, der ohne Halt verfiel; der sich in üblen Klubs am Spieltisch quälte, da er zu arbeiten nicht verstand; halbtrunken, mit glänzenden Nähten am Frack; und der noch immer fürstlich schenkte in seiner kranken, ratlosen Leidenschaft, die nicht um die Dinge der Seele wußte. Er verstand sie nicht, aber sie verstand ihn. Und deshalb streckte sie ihm mit einer heftig dankbaren Gebärde die Hand hin.

Die schweigenden Minuten, während deren er ihre Augen beobachtete, hatten ihn aufgerichtet. Schlank und hoch stand er wieder vor dem Spiegel. So sind die Weiber, dachte er; Schmuck und Toiletten, alle gleich. Bin ich arm, dann versagt sie sich. Schenke ich Perlen, dann hat sie mich lieb. Stirn und Augen wurden ihm rot in aufstürmendem Verlangen; seine Finger zitterten stark, als er Ina die Kette um den Hals schloß. Die Perlen lagen ihr kühl und tot auf der Haut, die sich befremdet zusammenzog. Zu den guten Zeiten der Raffay hatten die Zeitungen Berichte über ihre Leidenschaft für Perlen gebracht. Sie liebte sie, weil sie ihr lebendig waren. Jetzt fand sich ihre Haut fröstelnd gestreift von Unlebendem. Sie schaute auf die runde Vollkommenheit der Perlen nieder, auf ihren starken Glanz und dann auf Tonius' Finger, die nicht aufhören konnten zu zittern. Sie nahm still die Perlen wieder ab.

»Sie sind ja falsch, Tonius«, sagte sie sehr leise. »Willst du mich mit falschen Perlen kaufen?«

Er schwieg. Sie fand seine Augen nicht. Ein unerträglicher Schmerz tat ihrem Herzen weh wie eine zusammenpressende Faust. Sie schluchzte einmal tief und trocken auf. »Du verkommst, Tonius«, flüsterte sie fast unhörbar, ohne ihn anzusehen.

Tonius atmete ihr heiß ins Gesicht, fast in ihren Mund hinein flüsterte er: »Ich verkomme, ja, Ina, ich verkomme. Du brauchst mir's nicht erst zu sagen. Ich verkomme. Ich falle, und nichts hält mich. Aber du verkommst mit mir, Ina, glaube nicht, daß ich dich loslasse. Du hast mich zugrundegerichtet, und du bleibst bei mir, wenn der letzte Salto hinunter kommt, ganz hinunter in die letzte Tiefe. Dich schleppe ich mit, Ina, du verkommst mit mir.«

Sie spürte den nackten Haß am Grunde und lächelte seltsam schwebend. »Ich?« sagte sie, »nein, Tonius, ich verkomme nicht. Ich kann gar nicht verkommen.« Sie sang es beinahe, und ihre Augen, die suchenden Delares-Augen glühten fremd. »Das, was in mir ist, das, was *ich* bin, das kann gar nicht verkommen. Du hast nichts Gutes aus mir gemacht, Tonius. Eine Kokotte, jetzt noch deine Kokotte, bald vielleicht die Kokotte von vielen. Später noch Schlimmeres. Noch Schlimmeres«, sagte sie versunken. Sie sah sich selbst am Bettrand sitzen, mit halbgelösten Haaren, von abgegriffenen Möbeln umstellt, im billigen Licht der roten Lampe, und es war ihr, als warte ein Zug fremder Männer schon vor der Türe. ›Verlier dich nicht, Schwesterseele‹, sagte Fernand irgendwo, Traumbirken wiegten mahnend ihre Wipfel hin. »Aber verkommen kann ich nicht«, sagte Ina, »und wenn du mich in alle Tiefen mit dir schleppst. Was weißt du von dem, was in mir ist.«

Es war sinnlos, daß er wieder die Nagelfeile nahm. Es war sinnlos, daß er sagte: »Warte nur, ich werde dir beweisen, ich habe Chancen, eine politische Mission ist mir zugesagt, wir werden Geld haben und in Paris leben, du liebst mich noch, du liebst mich noch immer, du weißt es nur nicht.«

Sie sah, daß ein paar Blutstropfen aus dem Finger sickerten, den er noch immer feilte. Sie spürte den vertrauten, saugend süßen Schmerz des Mitleids in ihrem Herzen. Zugleich dachte sie, in einen wirbelnden Schwindel hineingerissen, an viele Dinge: Bald ist die Saison vorbei. Was dann, wenn sich weiter kein Engagement findet? Ragnier, die Garschina, Schulden; das Kostüm für den Wiener Walzer ist nicht mehr zu brauchen, auch nicht das Harlekinskleid. Kein Geld für neue, wohin führt es uns? Plötzlich begann sie zu lächeln und streckte die Arme aus. Man hat ja sein Billett in der Tasche, dachte sie und schloß spöttisch erlöst die Augen. Finsternis brach über ihr zusammen. Klirrend, in einem Sprung verlöschte Tonius die Lampe und stürzte ihrem mißverstandenen Lächeln entgegen. Sie rang im Dunklen mit ihm. Sie hörte ihn an ihrem Munde stöhnen wie ein Tier. Und sie lachte hinter zusammengepreßten Zähnen ein nervös ausbrechendes, schluchzendes Lachen.

Da schlug er sie, und es schrie aus ihm: »Aber ich liebe dich, ich liebe dich, ich liebe dich.« Er schlug sie. Und noch einmal sank sie in einer brennenden, kranken, vergifteten Umarmung mit ihm ins Unendliche.

Jimpy Timp schlich trübselig von der Bühne ab; im Arm trug er Bichette, die Lieblingshündin, die leise zitterte; hinter ihm trotteten im Gänsemarsch die anderen Hunde mit gesenkten Nasen. Draußen zerbröckelte ein wenig Applaus in der Luft. Mit Gepolter und Staub vollzog sich der Umbau zur großen Revue. Gleich hinter der zufallenden Bühnentür nahm Jimpy Timp seine geklebte blaue Nase und das groteske Zylinderhütchen ab. Bichette zitterte in seinem Arm. Er brachte die anderen Hunde in ihren Raum, prüfte die Temperatur, beroch den gekochten Reis und schlich ermüdet wieder davon, in seine Garderobe.

Auf der Chaiselongue in der Ecke lag unter einer Wolldecke ein junger Mensch, zu Tode erschöpft von seiner Arbeit an der freischwebenden Stange; es war ein Anfänger, der heftig unter Lampenfieber zu leiden hatte. Timp beugte sich über das blasse Gesicht und sagte: »Es ging gut, Tony, alles all right.« Aber er bekam keine Antwort, nur die geschlossenen Lider zuckten ein wenig. Jimpy Timp setzte sich unter das grelle Licht des Spiegels und begann sich abzuschminken. Von unten her stießen dumpfe Paukenschläge gleichmäßig schütternd an den Raum. Unten begann schon die Revue, der große Ausstattungsschlager. Unten tobte schon mit Schlagwerk und knöchernem Xylophonklang und Trompeten die Musik. Unten stand schon der beliebte Komiker ganz vorn am Souffleurkasten und angelte sich den Couplettext in sein schwaches Gedächtnis. Blasierte Kellner klirrten mit Biergläsern. Im Zuschauerraum warteten hübsche Tische mit gedämpften Lampen auf kleine Soupers, und weißgeschminkte Frauengesichter beugten sich aus den Logen.

Die Bühne war zu klein für den Aufwand, der ins Werk gesetzt war. Die Kulissen wuchsen rosa und hellgrün bemalt bis an die nackten Rohziegelwände der kurzen Hinterbühne. Menschen ballten sich gedrängt. An der Bühnentür stauten sich abgehende Ballettmädchen, ein kleines Heer von Amoren, sehr unbekleidet, mit porzellangeschminkten Gesichtern unter Ringelperücken von unglaubhaftem Blond. Jimpy Timp, der mit Bichette im Arm in das Geschiebe von weichen Hüften und Schultern geraten war, zog die Ellbogen ein. Er blieb im Gang stehen und ließ den rosigen Strom vorbei, der billiges Parfüm und saftige Bemerkungen aus sich warf; treppaufwärts verklang das Getrapp hoher Absätze.

Plötzlich witterte Bichette auf. Plötzlich hob Jimpy Timp zusammenzuckend den Kopf. Er tat ein paar schnelle Schritte, griff hinter einem der Mädchen her, das als letztes die Stufen zu der Ballettgarderobe hinaufwollte. Er stammelte: »Fräulein! Madame! Raffay!«

Das Mädchen stand, es machte eine einzige, erschreckte, eindringliche Bewegung mit beiden Händen zum Mund, es war Ina Raffay. »Mister Timp«, sagte sie leise, und scheuerte mit den Fingern an dem eisernen Treppengeländer, »wir haben uns lange nicht gesehen.«

»Seit London, seit London, Madame, fünf Jahre! Aber wir erkannten Sie sofort, Bichette und ich, sofort. Trotz der blonden Perücke. Haben Sie Ihr Haar noch, das wundervolle, Ina Raffay? Nein, das ist es nicht, was ich fragen wollte. Sind Sie denn nicht in Amerika? Ach, ich spreche Unsinn. Ich dachte, weil man nichts mehr von Ihnen hörte?«

»Sie meinen, warum ich *hier* bin, und so,« sagte sie,

blickte an den kleinen Amorhöschen entlang und auf das rosa Trikot. Sie lächelte krampfhaft: »Eine Wette, Mister Timp. Und ich bitte Sie, zu schweigen.«

»Schweigen, selbstverständlich. Eine Wette also, eine Wette. Es ist gut, Madame. Ich frage nicht; ich – vielleicht – ich könnte vielleicht raten, helfen. Ich bin lange beim Varieté, ich kenne die Stationen. Hinauf, hinunter, hinauf, hinunter. Kennen Sie die Scenic-Railway im Lunapark? Manchmal ist es hübsch, manchmal wird einem übel. Ach, schweige, Jimpy, man hat kein Vertrauen zu dir.«

»Doch. Ich habe Vertrauen«, sagte Ina abgewendet und hielt ihre Hände einem Schatten entgegen, Konradins Schatten mit dem dünnen Haar über den fahl umzirkelten Freundesaugen. »Ich will erzählen«, sagte sie; »vielleicht ist es gut, einmal zu sprechen. Warten Sie in der Kantine, ich habe einen Umzug und dann fünfzehn Minuten Zeit. Aber schweigen, Mister Timp. Ich heiße hier Mila Merz; ein richtiger Ballettmädchenname, nicht wahr? Alle in der Garderobe haben mich gern, weil ich so lustig bin. Mila Merz, es ist eine Rolle, nach der ich oft Sehnsucht hatte.«

Die Kantine lag schläfrig, der Kantineur hatte die Hälfte der Lichter abgedreht und döste hinter seinem Schank. Die Dampfheizung knackte manchmal, es roch nach saurem Bier und Wurst. In einer Ecke diskutierten zwei unbeschäftigte Musiker halblaut. Ein Statist glänzte in rotem Samt und blonden Locken, die Wolltrikots warfen traurige Falten an seinen mageren Beinen. Eine ältliche Person, dick überschminkt, traktierte ihn mit Likör. Bichette drängte sich unter Timps Mantel, er spürte das bißchen zärtliche Tierwärme an sich und lächelte trübe. Dann kam Ina im verkürzten Spreewälderkostüm, und während hinter einer Eisentür dumpfe Blechstöße des Orchesters ordinären Rhythmus gaben, während Jimpy Timp in den nassen Ringen am Tisch nachdenkliche Figuren zog, erzählte sie:

Mit dem Unglück in Paris fing es an, mit dem Augenblick

der Besinnung, der alles verwandelte. Dann kam es, daß Tonius die Delares-Perlen verfallen ließ, seine Freunde zogen sich zurück, sein Vermögen war verbraucht, sein Luxusleben, zum Teil auf Kredit gestellt, brach in sich zusammen.

Die Tournee in Südamerika ließ ihn weiter verrohen, er spielte, verlor, spielte, verlor. Ina schleppte ihn mit sich, sie erhielt ihn, er verbrauchte viel, er machte ihre Tänze schwer und krampfhaft. Die Gagen waren groß, sie rannen aus den Händen wie Staub. Für Arbeit war Tonius nicht zu gebrauchen.

Im prüden Nordamerika reiste er als ihr Privatsekretär mit; er machte gute Figur, aber es entwürdigte ihn noch mehr. Als die Raffay nach Europa zurückkehrte, war die Garschina im Aufsteigen, Ragnier lancierte sie. Ragnier ließ Inas Verträge ablaufen und brachte keine neuen. Es kamen Tanzabende auf eigene Rechnung, sie kosteten viel und brachten kaum genug, die teure Hotelexistenz ohne Schulden zu tragen. Schulden machte Tonius; er saß in Spielklubs, in Hinterzimmern, in versteckten Nischen, er gewann selten, denn er spielte ohne Ruhe und mit geschwächtem Willen. Dann kamen die zweitklassigen Engagements, die Monatsgastspiele an Kabaretts, die Varietés in Magdeburg, Königsberg, Riga. Sie verdarben den Namen. Die großen Institute arbeiteten mit Ragnier, und Ragnier hatte die Raffay kaltgestellt. Er verzog sein Rattengesicht und sagte: »Ich bedaure, Madame. Wenn ich aufrichtig sein soll, ich finde Sie schlecht in Form. Bringen Sie Neues. Ihren Wiener Walzer, Ihren Maskentanz kennt nun schon jeder gebildete Mitteleuropäer. Ihren Mohnblumentanz vertragen wir nicht mehr. Betrachten Sie die Mode: Madonnenscheitel, gesenkte Augen, Präraffaelitenlinien. Poiret lanciert Kleider, so einfach wie Engelshemden. Sehen Sie die Garschina an. Die Garschina ist Mode. Machen Sie es nach, wenn Sie können.«

»Die Garschina ist jung«, sagte Ina, und ihre Mundwinkel

senkten sich wie bei einem betrübten Kind. Jimpy Timp sah sie an, und auch er sah die erste kleine, müd resignierte Falte in dem zur Maske geschminkten Gesicht.

Die Garschina, von ihrer Europareise zurückgekehrt, wurde mit Jubel in Petersburg empfangen. Für sie kaufte die Oper »Die kleine Seejungfrau«, ihr stellte sie zweimal wöchentlich Ballette in das Repertoire. Ragnier faßte die teuflische Idee, zu gleicher Zeit die Raffay im Varieté auftreten zu lassen. Das machte beide Häuser voll. »Ich hatte *auch* Erfolg«, sagte Ina und ließ ihre Hände unter den Tisch fallen. »Auch.« Mister Timp schaute von ihr fort, aus Angst, sie würde weinen. Aber Ina weinte schwer.

Dann kam ein paar Monate nichts. Wovon man lebte, war ein Rätsel. Dann kam ein Engagement in Sofia, in einem Varieté, das mehr ein Tingeltangel war. Die Londoner Saison gehörte der Garschina. Ina tanzte fünfmal in Ostende, Tonius gewann ein paar tausend Francs. Dann ging es überhaupt nicht weiter. Die Engagements, die sich boten, konnte Ina nicht annehmen, wollte sie nicht endgültig ihren Namen ruinieren. »Ich soll im Februar wieder nach Amerika, ich soll an der Metropolitan ›Die kleine Seejungfrau‹ tanzen, man hat es mir versprochen«, sagte sie und glaubte es selbst nicht. Es klang nicht wahrscheinlich, wie sie dasaß, umdunstet vom minderwertigen Geruch der Kantine.

»Tonius drängte nach Berlin, er redete immer dunkel von Chancen, die er hat; der Arme! Nur um zu leben, habe ich mich hier gemeldet, unter falschem Namen. Erkannt hat mich keiner, man sieht hier mehr auf die Beine als ins Gesicht. Wir wohnen bei irgendeiner Frau Kulicke in irgendeinem Hinterhaus und leben von hundertfünfzig Mark im Monat und warten. Das ist alles«, sagte sie und legte mit einer unendlich sprechenden Bewegung die Hände in den Schoß. »Das ist alles.«

Mister Timp schwieg eine Weile, und das erste, was er fragte, war: »Und was macht Türk?«

»Fort«, erwiderte Ina. »Alles fort.«

Mister Timp schwieg wieder, dann schob er mit einer Gebärde seiner Hand über den Tisch das Gesprochene beiseite. »Es ist ein Übergang«, sagte er. »Wir alle kennen das. Man hat einige Monate Pech; man hat eine Zeitlang kein Engagement. Ich kenne das. Ich könnte das Zimmer zeichnen, wo Sie wohnen, der Schrank hat drei Beine, das Waschbecken ist klein und gesprungen, an der Wand sind Flecken von den fetten Köpfen der Mieter, die vorher dort wohnten. Ihr Freund schläft auf einem Patentsofa, Sie geben sich für verheiratet aus, die Frau tut, als glaube sie es, und verlangt zehn Mark mehr für die Miete. Manchmal ist kein Abendbrot da, dann sagen Sie, daß Sie nicht hungrig sind. Es will nichts besagen. Es ist nur ein Übergang. Nächstes Jahr sind Sie in Amerika.«

»Vielleicht«, sagte Ina.

Jimpy Timp nahm ihre Hände in die seinen, die nur aus Nervenbündeln bestanden, und schaute sie an mit dem Blick des Tierdresseurs, einem plötzlich hell werdenden, kalten Blick, der nicht in die Augen zielte, sondern auf den Punkt zwischen den Brauen.

»Allerdings müssen Sie sich von Ihrem Freund trennen, wenn Sie nicht zugrundegehen wollen«, sagte er knapp.

»Ich glaube, das ist nicht möglich, Mister Timp«, antwortete Ina schlaff.

Er schwieg. »Ich habe mir das Kokain abgewöhnt. Man kann auch ohne Kokain leben«, sagte er dann.

»Glauben Sie, daß Tonius mein Kokain ist? Nein, Mister Timp, lange nicht mehr. Ich weiß gut, was Sie meinen: Liebe als Narkotikum, als Mittel zum Rausch, als Tür ins Unendliche, ein Weg zur Flucht. Das war es noch vor einem halben Jahr; jetzt ist auch dieses letzte Stadium vorbei. Ich brauche Tonius nicht. Aber er braucht mich. Das macht die Trennung unmöglich. Er müßte selbst den Weg finden, bevor wir uns gegenseitig aufgefressen haben.«

Bichette schlief unter Jimpy Timps Mantel. Ina sah auf die Hündin nieder, und ein unfaßlicher Neid um solch dumpfes Geborgensein überkam sie. »Ich möchte es gut haben«, sagte sie mit beengter Kehle und wie als Kind. »Ich möchte weg, ganz weg . . .«

Timp schüttelte den Kopf, er dachte: Es ist gut, nur mit Tieren zu leben.

»Sie schlafwandeln, Raffay«, sagte er. »Ich spüre es in allen Nerven. Ich möchte Sie aufwecken. Hören Sie es nicht, wenn man Ihren Namen ruft? Ina Raffay? Ina Raffay!«

Ina hörte es. Es war ein Stachel in dem Klang ihres Namens. Ina Raffay: Eine Fanfare auf roten, grünen, gelben Plakaten. Sie hörte es klingen, wie verschüttete Quellen klingen, noch als sie auf der Bühne stand, noch in der Garderobe, noch in der Untergrundbahn. Noch als Tonius zu Hause unter dem grünen Gaslicht ihr entgegenstarrte und finster sagte: »Spät.«

Das Zimmer war noch trauriger, als Mister Timp es gesehen hatte; in den Winkeln hockte nackte Armut, üble, verbrauchte Luft drang aus der Küche. Auf dem Tisch lag ein halber Laib Brot, in einer Steingutkumme, die an abgeschlagenen Stellen ihre graue Bruchfläche zeigte, schwammen zwei Heringe. Daneben lagen zwei Briefe mit vielen Marken und Aufschriften. Sie waren aufgebrochen. Traumwände waren es, die mit fleckigen Tapeten vor Ina zurückwichen. Ihr gefrorenes Herz taute, sie spürte sich selbst wieder, Tänze rannen unverlierbar durch ihre Glieder.

»Du mußt dich sofort umkleiden«, befahl Tonius, »das schwarze Samtkleid. Ich habe ein Rendezvous in der Bar Louison, alter Kamerad von mir, von Redern, es ist mir sehr wichtig; ich habe versprochen, dich mitzubringen.«

Er nahm ihr die Bluse ab, er zwang sie fast in das Abendkleid, das letzte, das sie besaß. Ihre Haut spürte, wie seine Finger sie haßten; sie lächelte schwindlig dazu.

»In die Bar? Hast du denn Geld?« fragte eine Ina, die

schlafwandelte, indes die wahre Ina Raffay einer sehnsüchtigen Melodie nachging, einem Anfang, einem Erinnern. Tonius lachte, ein überlautes, prahlerisches Lachen, er griff mit verhasteten Fingern in die Brusttasche und warf tausend Mark auf den Tisch. »Geld!« schrie er, »Geld genug! Wenn du artig bist, wird es noch mehr!« Sie sah ihn an und dachte: Du arme, zerbrochene Kreatur. Und sie strich leicht über sein Haar.

»Laß das sein«, sagte er rauh, »was soll es uns noch?«

Sie sah Fieberhaftes in seinen Augen und erschrak: »Woher hast du das Geld?«

»Verdient. Frage nicht. Komm jetzt.«

»Die Briefe, Tonius. Du machst meine Briefe auf?«

Er schwieg; er stand an der Tür und ließ sie in den Angeln schreien, während Ina las. Er fraß ihr Gesicht in sich, dieses Gesicht, blaß und matt vom Abschminken, er haßte das Gesicht, er haßte einen Ausdruck darin, der sich von ihm abwandte. Ina nahm die Briefe, es fiel ein Blatt mit schwarzem Rand zu Boden.

Fräulein Zwillingsbauer teilte in umständlichen, hochachtungsvollen Worten, die bald komisch, bald rührend waren, den Tod des Herrn Raffay mit. Sie mengte die Joszika, das Luder, das die Wäsche gestohlen hatte, die Blumen auf dem Grab und ihre eigene Verlassenheit durcheinander, sie erwähnte das spanische Kostüm, und bot zuletzt in verschnörkelten Wendungen ihre Dienste als Kammerzofe an, weil sie so allein sei, in Schneidern, Bügeln und Frisieren perfekt und das gnädige Fräulein doch an jeden Komfort gewöhnt. »Unterzeichnete würde für das gnädige Fräulein, was immer die kleine Ina bleiben wird, durchs Feuer gehen und bis ans Ende der Welt, als wäre es mein eigenes Kind. Mit vorzüglicher Hochachtung, Irma Zwillingsbauer«, schloß der Brief.

Ina schaute abwesend Tonius an und sah ihn nicht; sie spürte eine harte, warme Hand auf ihrem Haar, jemand sagte: »Sie hat den Schlaf übergangen.« Zugleich fing Ina ein bitteres Lächeln an. Aller Komfort, dachte sie und sah über den trübseligen Raum hin. Sie nahm den anderen Brief und wurde noch etwas blasser: Es war der Vertrag an die Metropolitan Opera. Sie las ihn zweimal durch, sie lachte einmal kurz auf, es klang wie ein Schluchzen. »Nun?« fragte Tonius an der Tür.

»Nichts. Der Vertrag. Es ist also wahr, ich gehe bald nach Amerika.«

Sie sagte: »Ich.« Tonius hörte es und erschrak. Mit einer unbeherrschten Bewegung schob er sie ins dunkle Treppenhaus. Stärker klang in ihr die ferne Melodie, das Motiv der Irin, Sehnsucht, Erinnerung und Anfang zugleich. Farbige Schleier kreisten durch die Finsternis, Tonius' Zigarette, treppabwärts aufglimmend, war weltenweit entfernt. Noch einmal, als Tonius unten ein Auto heranrief, fragte sie beängstigend: »Woher hast du das Geld?« Dann schloß es sich um sie wie eine helle, hohe Glasglocke und machte sie unberührbar.

Die Bar: Der erste Raum feierlich still unter gelben Lampen; eine Reihe von Smokings wie Heuschrecken vor dem Bartisch hockend, dahinter die Mädchen mit verwelktem Lächeln, gelbfrisiert wie das Licht. Flaschen wie Edelsteine aufgereiht, der weiße zeremonielle Mixer dazwischen, exotische Getränke mischend. In Ecken verschlafene Genießer, Strohhalme in schlaffe Lippen geklemmt; Geruch süßer Spirituosen in der Luft und Veilchen. Im zweiten Raum hinter einer spanischen Wand vollführt Geige und Klavier eine verdeckte Musik, aufreizende Musik, welche Frauengesichter entkleidet. Lachen zackt hin zwischen den bunten Kreisen verhängter Lampen.

Ein Herr im schlechten Zivil des Offiziers verbeugt sich übertrieben vor Ina, sein Handkuß ist hinterhältig. Tonius zeigt nachsichtige Besitzermiene; mehr noch: Entgegenkommen. Ina neigt sich über ein Glas, in dem Veilchenblätter in Dunkelrotem schwimmen. »Spezialität der Bar: Louison Drink«, sagt Herr von Redern. Wie schön, wie schön, denkt Ina, vergraben in diesem Zusammenklang von Violett und Rubinrot; sie war lange blind, nun sieht sie zum erstenmal wieder etwas, es ist so stark, daß sie beinahe weint. Plötzlich ist ein Bild da, erst nur ein Herabfallen von roten und violetten Edelsteinketten, dann mehr, eine Bewegung, noch eine, ein silberner Schleier, braune, gereckte Arme, juwelenüberspült, vielleicht ein Bajaderentanz.

Inas Herz klopft in einer herben, lange entwöhnten Freude, es geht seine eigenen Wege. Tonius und der Offizier führen Fachgespräche, flüchtig wundert Ina sich und geht gleich wieder tief hinein in Bilder und Gedanken. Unter dem Tisch bedrängt man sie, Tonius' Hand an ihrer Hüfte gibt verstohlene Zeichen, die sie nicht versteht, Herr von Redern bringt ein warmes Knie heran, er weiß, wie man mit Tänzerinnen umgeht. Die Musik spielt unermüdlich. Geiger und Klavierspieler hinter der spanischen Wand sind halb im Schlaf, ihre Rücken krümmen sich über die Instrumente, aber sie hören nicht auf, die Bar mit Sinnlichkeit anzufüllen. Ein schwefelblaues Opferfeuer inmitten der dunklen Bühne, denkt Ina, vielleicht zwei indische Knaben, kauernd, mit vernackten, krummen Schwertern; die sakralen und die verruchten Gebärden des Opfertanzes wachen auf.

Tonius spricht, spricht gut und interessiert über Geschoßwirkungen. Der Offizier markiert Sachlichkeit, indes sein Schuh an Inas Strümpfen zu scheuern versucht. Manchmal lenkt er ab ins Galante, produziert unverhüllte Bemerkungen. Im Grund müßte Tonius ihn ohrfeigen. Tonius lächelt leer, fast erfreut und kehrt geschickt zu den neuen Geschossen zurück. Ein Zucken seiner Nasenflügel fällt Ina auf, eine befremdende, nervöse Bewegung seiner Hand, vom schwarzen Marmor der Tischplatte widergespiegelt. Sie sieht ihn an. Seine Augenlider zucken, während er nach einer neuen chemischen Sprengwirkung fragt, wie Ina sie bei Artisten zucken sah, in den schwersten Momenten, wo es still im Saal wird, die Musik schweigt, nur die große Trommel dumpf wirbelt.

Herr von Redern gibt die Auskunft.

Wieder bewegt sich Tonius' Hand greifend über die Tischplatte. Zugleich sieht Ina dieselbe Hand prahlerisch einen Tausendmarkschein unter das grüne Gaslicht zu Hause neben die zerbrochene Steingutschüssel werfen. Sie schaut ihm in die Augen und erblaßt. Auch er wird plötzlich weiß unter ihrem Blick, nur seine Stirn behält die abgezirkelte Röte über der Nasenwurzel.

Ein Spion also, denkt sie; der Gedanke kommt nicht ganz bis zu ihr, er fliegt als etwas Grelles, Scharfes vorbei. Die Glasglocke schließt sich wieder um sie. Die Musik spielt noch immer. Bewegung geht durch den Raum, im dritten Saal tauchen Damen auf, ein freier Platz öffnet sich zwischen den Tischen, man zeigt den Modetanz. Herr von Redern wird immer munterer, er kauft Rosen und türmt sie vor Ina auf, er zerdrückt die offenen Kelche scherzhaft an ihrem Hals. Tonius sitzt apathisch wie nach erschöpfender Arbeit. Drinnen streuen die Tänzerinnen ihre gezirkelten Gebärden um sich, jemand singt den Rhythmus mit, jemand lacht unbeherrscht. Eine sieht aus wie das schöne Fräulein Olga aus dem Tanzinstitut. Rocksäume schwingen hin, aus Lackschuhen stoßen Reflexe.

»Ich möchte auch tanzen«, sagt Ina hungrig wie als Kind. Herr von Redern klatscht in die Hände, seine Augen fressen Stück für Stück von ihrem Körper. Tonius legt seine Hand leicht auf den schwarzen Samt ihres Kleides, ein Stuhl fällt um, Wirbel nimmt Ina auf. Sie spürt nur ihren eigenen Körper, der aus langer Stumpfheit aufwacht, sich endlich wieder sättigt im Tanz. Tonius, über sie gebeugt, versteht sie falsch.

»Du bist außer Rand und Band«, sagt er.

»Ja«, sagt Ina, die führt.

»Hast du Lust?« flüstert er in ihren Mund; es klingt unrein.

»Nein«, sagt sie und lächelt abwesend und spürt nur, wie schön dies Zurückneigen ihrer Hüften ist.

»Hast du Lust nach anderen Männern?« fragt er mit glimmenden Augen. Sie schüttelt den Kopf. »Du lügst«, sagt er, »ich spüre dich, ich kenne dich, du willst etwas, was ist es? Sage, was willst du? Soll ich dich küssen? Soll ich dich in ein Hotel bringen? Soll ich dich schlagen? Wo bist du? Du gehst fort von mir. Ich erlaube dir alles, was du willst. Gefällt dir mein Kamerad? Willst du ihn heute nacht mitnehmen? Es ist mir recht. Es ist mir recht. Sag, ob du das willst?«

»Kennst du gar nichts anderes, du?« sagt sie und schwingt im Tanz hin, leichter und leichter werdend.

Er zeigt die Zähne wie ein Tier. »Mach mir nichts vor, spiel' kein Theater«, sagt er. »Wir beide kennen uns zu genau. Ich spüre ja, wie du zitterst, wie du betrunken bist. Mich willst du nicht. Welchen willst du? Den, oder den, oder den? Du sollst mich ansehen, du sollst mir Antwort geben oder ich bringe dich um.«

Haß bricht aus ihm. Haß bricht aus ihr. Die Musik spielt unermüdlich. Der Tanz geht weiter.

»Spion bist du schon«, sagt Ina hell, »nun willst du noch Zuhälter werden.«

Seine Finger sind in sie verkrampft, mit brennenden Augen starren sie einander an und tanzen. Inas Haar knistert. Die Musik spielt. Im Kreis steht man und bewundert das schöne Paar.

»Du hast mich zu dem gemacht, was ich bin, Kanaille«, sagt er leise; dann schweigen sie beide. Die Musik holt Atem.

»Das war unser letzter Tanz, Tonius«, sagt Ina, aus seinen Armen gleitend.

Herr von Redern stürzt los und schleppt sie im Tanz mit sich; er drückt seine Gliedmaßen in sie hinein, er klebt seine

Hände auf ihre Haut, er atmet ihr heiße Stöße ins Gesicht. Sie schüttelt ihn von sich. Die Musik spielt unentwegt, die Bar tobt, alles tanzt, Gerüche hängen schwer und aufreizend, die Drinks kochen in allen Gliedern. Ina blickt schwindlig um sich, sie legt den Arm um die schwarze Tänzerin, die dem schönen Fräulein Olga gleicht. »Willst du?« fragt sie und führt; sie lächelt dem Geruch von Schminke und Puder und Schweiß entgegen, dem vertrauten Geruch der Garderobe, der wieder Heimat in sich zu tragen beginnt. »Bist du vom Geschäft?« fragt die Schwarze und gibt sich der Führung hin. Es wird still im Saal und leer. Der Kreis weitet sich um den Tanz, Farben taumeln hin, aus dem gezirkelten Maß der Mode reißt Ina den Tanz steil hinauf in die Improvisation. Händeklatschen, Rufen; Blumen stürzen durch die Luft, nur mehr der Rhythmus der Musik zackt durch das Gewirr und pocht an Sohlen und Gaumen.

»Die Raffay!« schreit jemand. Ina erwacht, schaut um sich. »Die Raffay!« brüllt es. »Die Raffay! Die Raffay!« Der erste Schreier steht hoch auf einer Samtbank, er schwingt eine flache Schale, er reißt einen enormen schwarzen Mund auf und glänzt wie geölt. Gesichter drängen an sie heran, viele glaubt sie zu erkennen, man reißt ihre Hände zwischen die Menschen und schüttet Küsse darauf, man lädt Blumen in ihre Arme. Einer singt ein Lied, es kann Lejeune sein, der bittere Sänger aus Paris, irgendwoher zielt der konzentrierte Blick Jimpy Timps, auch Birkenfeldt ist da oder irgendein anderer mit schüchternen Augen, der die Luft küßt, zentimeterweit über ihrer Hand. Ein Mensch sitzt rückwärts an einem Tisch, man kann das Gesicht nicht sehen, er hat es in die Hände vergraben; aber die Hände kennt Ina, sie sind gelb von Nikotin, es sind Walt Meinarts Hände. Vielleicht träumt sie es nur, daß Fernand an der spanischen Wand lehnt und sie anlächelt mit der unbeschreiblichen Stille seines Lächelns.

»Masken, Masken, Masken«, sagt Ina. Die Musik spielt

unermüdlich. Ina löst sich aus dem Taumel, greifenden Händen, Stimmenwirrnis los. Eine Tür fällt hinter ihr zu. Am Nachthimmel stehen Sterne über der Stadt.

Im Tiergarten ist herbe Luft, die aufweckt, Laternenlicht rinnt grün zwischen kahlen Bäumen, letztes Laub fault bitter unter den Sohlen. Herr von Redern ist verschwunden, Tonius geht neben Ina her, es liegt leere, weite Luft zwischen ihnen, sie schweigen lange. Dann sagt Ina und sinkt auf eine Bank: »Du willst mir etwas sagen, Tonius?«

Er setzt ein paarmal an; es liegt ein Schimmer seiner alten Beherrschtheit in seiner Stimme, als er fragt: »Du fährst allein nach Amerika?«

»Ja, Tonius.«

Er atmet nicht. Er sagt: »Ist es ganz vorbei, Ina?«

»Ja, Tonius. Ganz vorbei.«

»Du kennst dich noch nicht ganz, Ina. Du weißt nicht, wie du die Liebe entbehren wirst.«

»Wenn es Liebe ist, das zwischen uns«, sagt Ina, »dann habe ich es satt, satt, satt.«

Er bringt seinen Atem an ihr Gesicht. »Du brauchst den Mann, Ina«, flüstert er.

»Wenn ich ihn brauche«, sagt sie, »dann werde ich ihn nehmen. Das ist nicht wichtig. Wir Frauen ruinieren unser Leben damit, daß wir den Mann für wichtig halten. Anderes ist wichtiger.«

»Anderes? Was: Anderes?«

»Anderes«, sagt sie versunken und schaut in das Laternenlicht, das im Morgengrauen zu verblassen beginnt. »Du verstehst es nicht: daß man die Elfen sehen kann.«

Ihre Augen verhängen sich, und leiser fügt sie hinzu: »Oder die Sehnsucht. Oder die Arbeit. Oder ein Kind.« Sie weiß nicht, aus welchen Tiefen es sie anrührt, daß sie dies Letzte sagt, daß sie Tränen hat.

Tonius greift nach ihr. »Ein Kind, Ina? Ein Kind. Gib mir noch eine Nacht, du sollst es haben.«

»Von dir?« sagt sie und lächelt nur. »Von dir? Du bist ja wurmstichig.«

Es reißt ihn zu einer jähen Bewegung, sie hört seine Zähne zusammenschlagen.

»Laß nur«, sagt sie still. »Den Griff nach dem Revolver kenne ich nun schon, er wirkt nicht mehr. Du bringst mich nicht um, du bringst dich nicht um. Laß es gut sein, Tonius. Geh jetzt. Ich möchte allein sein.« Sie ist etwas ungeduldig; wenn sie die Augen schließt, sieht sie schon den neuen Tanz, den vor dem Opferfeuer. »Ich danke dir auch für alles, Tonius. Ich glaube, du gehst nun.«

Er steht noch. »Ich gehe schon; au revoir«, sagt er dann; es ist eine sinnlose Angewohnheit aus der Pariser Zeit. »Wenn ich dich verließe, wie du mich verläßt«, fragt er leise, »was würdest du tun, Ina?«

Sie lächelt in den grünen Himmel auf, von dem die Sterne fortziehen. »Ich würde mich erschießen«, sagt sie. »Aber ich bin nicht du, Tonius.«

Er sagt nichts mehr. Er geht davon. Sie haben vergessen, einander die Hand zu geben zum Abschied. Baumschatten schluckt ihn ein, Feuchtigkeit rinnt fröstelnd ins Dämmern. Ina hält den Atem an und horcht. Es ist sehr still. Vielleicht klingt ein Schrei; vielleicht fällt ein Schuß. Sie wartet fast darauf. Lange Zeit vergeht. Aus der Ferne klingt etwas, es ist der runde, dumpfe Schlag, mit dem im Spätsommer reife Frucht ins Gras fällt.

Dann ist die Stille noch tiefer als vorher. Ina faltet die Hände, ohne es zu wissen.

Dann wacht in Wipfeln eine kleine Vogelstimme auf.

Dann kommt ein grauer Mann und löscht jede zweite Laterne aus.

Opferreigen

Es war sehr still in der Kajüte. Ein Wasserglas klirrte so zart und regelmäßig in seinem Nickelring, daß man es überhörte; es schläferte ein wie Grillenstimmen über Mittagswiesen. Ina lag ganz reglos im Bett, nur mit ihrem dünnen Kimono zugedeckt. Hitze schoß feucht aus allen Poren, ihre Stirn sog Kühlung aus einer Eiskompresse. Man näherte sich der Höhe von Aden. Das Schiff glitt winzig über die schräge, schwarze Metallscheibe des nächtlichen Meeres, eine silberne Straße blieb hinter ihm.

Ina öffnete träge die Augen und sah lange auf Fräulein Irma Zwillingsbauer hin, die sich unter dem Licht nähend über etwas Weißes beugte. Das säuerliche Gesicht war klein geworden, gebräunt von der Indienreise, das graue Haar hielt an der Stirnlöckchenfrisur der Jugend fest. Sie spürte Inas lächelnden Blick und schaute auf. »Ist jetzt das Kopfweh besser? Jetzt soll die Gnädige aber schlafen«, sagte sie.

»Kann man denn schlafen in dieser Hitze? Und du kannst nähen? Du bist brav. Ich könnte keinen Finger rühren. Horch, auch die Schiffsmusik spielt; die armen Menschen!«

»Der Margaretenwalzer! Den haben wir oft gehabt in der Tanzschule. Erinnert sich die Gnädige noch? Wie der alte Konradin noch gelebt hat?«

»Ja – der alte Konradin«, sagte Ina und schloß die Augen wieder; es war Süßigkeit in der Ferne kaum vernehmbarer Musik. »Die Tanzschule! Du trägst immer so ein Stück

Heimat mit dir umher, nicht? Das tut mir gut. Du bist so ein Schneckenwesen, das nur Fühler aus seinem Haus streckt. Wie lange reist du jetzt mit mir? Was hast du alles gesehen? Aber eigentlich lebst du noch immer in deiner Tanzschule. Wenn ich dich ansehe, möchte ich immer Limonade haben, wie als Kind. Und dann auch möchte ich, daß du mich bedauerst, wie damals.«

»Jetzt wird's bald fünf Jahre, daß der selige Herr Papa tot ist. Ja, was haben wir inzwischen gesehen! Amerika und Japan und Indien! Kein Mensch zu Hause würde es glauben«, sagte Irma, schüttelte das weiße Kleid zurecht und tat es in den Kabinenkoffer.

»Fünf Jahre. Ich möchte wissen, wie oft du gedacht hast: ›Schkandal!‹ Wir haben allerhand erlebt, alte liebe Schnekke.«

Unvermutet wurden Fräulein Zwillingsbauers kleine Backen rot. »Was soll ich mir denken?« sagte sie. »Ich denke mir, es ist das Blut vom Herrn Papa selig. Das kenne ich. Der war auch so: Heut' eine nehmen und morgen eine wegschmeißen. Aber schlecht war er dabei nicht. Er hat halt andere Sachen im Kopf gehabt, ihm war das nicht so eine Wichtigkeit wie unsereinem, der sein Leben darangehängt hat.« Sie wechselte die Kompresse und strich mit ihrer harten Hand verstohlen über Inas Stirn und das aufgebäumte Haar. Leiser setzte sie hinzu: »Wär mein Kind am Leben geblieben, es hätte dasselbe Blut gehabt und hätte auch so mit den Männern herumgeschmissen wie die Ina.«

Ina antwortete nicht. Etwas später sagte sie, ohne die Augen zu öffnen: »Morgen geht Mister Ramley an Land; dann ist das auch vorbei, Irma.«

Fräulein Zwillingsbauer machte einen kleinen Mund, sie verschluckte Säuerliches und erwiderte: »Das war auch nichts. Das war nicht der richtige Mann für die Ina, und das war kein richtiges Verheiratetsein. Das kann mir nicht gefallen mit diesen Amerikanern: heiraten, scheiden lassen, auf eins, zwei drei. Wir haben kein Kind, wir haben keine Ordnung, wir haben nicht einmal eine Wohnung gehabt während der ganzen Ehe. Wir haben geheiratet, wir haben eine Weltreise gemacht mit einem fremden Herrn, wir lassen uns scheiden: Das war alles. Das ist keine Mode für mich; in den Hotels immer getrennte Zimmer und eine Sprache, wo sich die Eheleute ›Sie‹ sagen. Ein Skandal! Also geht der Mister an Land, und wir fahren weiter! Und was wird jetzt mit der Gnädigen?«

»Das mußt du nicht fragen, wenn ich tot bin vor Hitze. Was wird jetzt? Wahrscheinlich dasselbe wie vorher. Tanzen, Erfolg, Eisenbahn, Schiff, Hotel. Halbausgepackte Koffer, Journalisten, Verehrer. Manchmal schläft man unter Moskitonetzen und manchmal nicht, sonst ist es auf der ganzen Welt dasselbe. Es schmeckt mir nicht mehr. Wie noch die Garschina mir Konkurrenz machte: da war es noch etwas, da hat man noch was gespürt. Seit sie unten ist und ich oben, macht es keinen Spaß mehr, das Tanzen. Ich habe zu viel Erfolg gehabt in diesen fünf Jahren, das macht den Ehrgeiz stumpf. Und ohne Ehrgeiz schmeckt es nicht. Geh jetzt schlafen, Irma, es ist spät. Nein, gib mir noch den Spiegel her. Und frag' mich nicht, was werden soll. Gute Nacht.«

»Horch«, sagte sie, als Irma schon an der niedrigen weißen Tür stand. »Hörst du das Schiff arbeiten? Spürst du es zittern? Nein, man spürt es nicht mehr, man ist gewöhnt daran. Unten sind Heizer, unten glüht es, es verbrennt, es stampft, es treibt, man weiß es nicht mehr. Aber dann auf einmal ist es ganz still. Gib acht, morgen, wenn wir in den Hafen laufen, dann schweigt es. Dann hört all die Anspannung auf, es wird alles so glatt und leicht, als ob eine Entzündung sich löst, ist es, als ob Kopfschmerzen aufhören; so ist es. Das liebe ich. Das ist der Moment, wo ich das Schiff liebe und das Meerfahren. Nun, gute Nacht, Irma, du machst ganz dumme Augen. Schlaf gut.«

Die Schiffsmusik klingt einen Augenblick stärker und entfernt sich wieder mit dem Zufallen der Tür. Ina greift nach dem Spiegel, bräunlich und ermüdet kommt ihr Gesicht ihr entgegen. Dreißig Jahre, denkt sie und sucht nach Falten. Um den Mund ist etwas von Sättigung, die Augen sind schattiger als früher, sie decken sich gerne mit den schweren, violetten Lidern der Delares zu, aber sie können auch noch suchen. Die Haut hat ein reifes und mürbes Schimmern, nur die Stirn ist noch dieselbe, die schöne gebuchtete Kaiserinnenstirn.

Die Kabinendecke drückt; die Hitze ist unerträglich, die Luft legt sich auf die Lippen wie ein warmes, nasses Tuch. Im Nickelring zirpt das Wasserglas. Schritte tasten an der Tür. Es könnte sein, daß Ralph Ramley noch einmal käme, sich nach einjähriger Ehe zu verabschieden, ohne die Maske weltmännischer Kameradschaftlichkeit. Es wäre schade, wenn er es täte. Es war eine nette Zeit mit ihm, eine luxuriöse Zeit, ohne Sentimentalität und ohne Aufregung. Ina löscht das Licht. Die Schritte stehen und entfernen sich. Ralph Ramley tut nichts Geschmackloses. Morgen wird er sich höflich verabschieden, er wird einen weißen Anzug tragen und Geschäfte in Aden vorschützen, einem Ort, in dem niemand Geschäfte hat. Ina spürt schon, daß sie sich in einem Jahr sein helles, regelmäßiges Gesicht nicht mehr zurückrufen können wird.

Sie wartet, bis es ganz still ist im Gang, dann nimmt sie einen weichen Bordmantel über den Kimono und verläßt die Kajüte. Die Schiffsmusik ist entschlafen. Im halben Licht des Ganges huscht eine Stewardeß, sonst ist es ganz ruhig. Auf Bord liegt Dunkelheit, der Himmel ist durchsichtig, unendlich gewölbt, die Sterne sind sehr groß in seiner Tiefe. Silber rinnt in der Schwärze um das Schiff. Die Luft zittert. Es ist ganz ruhig und leer überall. Ina zieht einen Liegestuhl an die Reling, sie legt den Kopf weit in die Arme zurück und kreuzt die weißen, nackten Füße. Sie schaut in den Himmel hinauf, bis er sie aufnimmt, bis sie als Wolke hinsegelt in seiner kreisenden Tiefe.

»Du hast das große Geheimnis nicht vergessen«, sagt Fernand; er steht neben ihr an der Reling im weißen Ärztekittel, und sein gestilltes Gesicht ist durchsichtig überschimmert vom Widerschein des Meerleuchtens.

»Welches Geheimnis, Fernand?«

»Das Geheimnis der Kinder und der Weisen; aus sich selbst fortzugehen in das Unendliche.«

»Kindlich bin ich nicht und auch nicht weise. Eingesperrt bin ich in mich und suche immer. Immer ahne ich das Leben wie ein Haus mit hundert Türen in die Unendlichkeit und öffne eine nach der andern, und keine ist die rechte.«

»Friedloses Herz, friedloses Herz. Kennst du das Bibelwort nicht: Und machen ihnen viel vergebene Unruhe?«

»Viel vergebene Unruhe, das ist es, Fernand. Arbeit, Kunst, Tanz, Ehrgeiz, Liebe, Leidenschaft: Viel vergebene Unruhe. Ich möchte das Wichtige tun und tue das Unwichtige. Was aber ist wichtig?«

»Du fragst wie ein Kind: Was ist wichtig? Nichts, kleine Schwester, nichts ist wichtig. Und alles. Geboren werden, sterben, wiedergeboren werden, ist uns das Wichtige. Der Ewigkeit ist es unwichtig. Es gibt nichts, was das ewige Gleichmaß stören würde.«

»Die Ewigkeit! Ich denke nicht an die große Ewigkeit! Was ist *mir* das Rechte, mir, meiner eigenen Ewigkeit? Muß alles wie Sand aus den Fingern rinnen? Ist nichts, das mir die Hände füllen könnte und das Herz? Sind wir alle auf dem falschen Weg, daß wir so gehetzt sind, so glücklos, so ohne Stille. Weißt du nicht, daß wir das Leersein spüren wie eine Krankheit? Ich möchte einmal glücklich sein, in meinem innersten Wesen glücklich, nur einen Augenblick. Warst du schon glücklich, Fernand?«

»Ich war schon unglücklich«, sagt er und lächelt unbegreiflich. »Glücklich bin ich fast immer.«

»Wo kommst du her, daß du das sagen kannst?«

Er macht eine vage Bewegung. »Von unten«, sagt er. »Von weit – ich werde dir vielleicht einmal davon erzählen. Ich gehe den Weg und du den andern. Ich habe das Eigene abgetan und lebe aus mir hinaus. Du suchst dein Eigenes und lebst in dich hinein. Am Ziel werden wir uns treffen.«

»An welchem Ziel?«

»In der großen Stille, Schwesterseele.«

Ich träume, denkt Ina; alles ist so aufgelöst, so durchsichtig und unwirklich, der Mond hebt sein schlafendes Antlitz aus dem Meer, davon rinnt Silber in die Luft, und weit draußen werden Wellen sichtbar mit Kronen aus Mondstaub. Die Perlmutterknöpfe an Inas Mantel glänzen, sie reibt daran, sie spürt ihre glatte Kühle, sie sieht ihre nackten weißen gekreuzten Füße, und daß Fernands Gestalt einen Schatten wirft.

»Kannst du mir deine Hand geben?« fragt sie unsicher; er lächelt wie über ein Kind. Sie spürt seine Hand, es ist der vertraute Strom von Willen und warmer Kraft, der aus ihr kommt.

»Bist du denn wirklich da, Fernand? Wo kommst du her? Ich sah dich nie auf dem Schiff.«

»Ich war in Indien, ich habe dort viel gearbeitet, in den Pestbaracken und auch sonst. Auf dem Schiff kannst du mich wenig sehen, ich fahre da unten im Zwischendeck. Ich habe viel Arbeit, ich komme nur manchmal nachts herauf.«

»Ist es möglich? Kann man Zwischendeck fahren? Und wohin reist du? Kann ich, kann ich dir vielleicht helfen?«

»Ich glaube nicht, Ina. Wir haben unten Typhus, ja, das wißt ihr nicht, euch in der ersten Kajüte sagt man nichts Unbequemes. Ich helfe den beiden Schiffsärzten im Lazarett. Aber du kannst da wohl nicht helfen. Ach, Ina, ich verstand dich falsch; du willst *mir* helfen, mir persönlich? Du hältst mich für arm und in Not? Nein, ich brauche nichts. Ich fahre nach Wien, mein Vater ist gestorben, ich bin der

Erbe, es ist ein großes Vermögen da, das muß richtig verwendet werden.«

»Wie sonderbar, daß ich nicht träume, Fernand. Du bist wirklich bei mir. Dann kannst du mir auch sagen, wo Türk geblieben ist? Damals?«

»Er kam zu mir, und ich brachte ihn in die Rue Caillot, du weißt. Er war dem Knaben ein guter Freund; jetzt ist er lange tot.«

»Und der Knabe, Fernand?«

»Der Knabe ist Handwerker, er macht Bucheinbände, wunderschöne Dinge. Er ist froh und zufrieden, mehr als wenn er heute in der Fabrik Caillot stünde. Frémart hat ihm seine Glieder genial ersetzt, es ist eine neue Erfindung, eine Arbeit von Jahren; ich durfte ihm etwas dabei helfen. Es kommt jetzt vielen Verstümmelten zugute.«

»Du bist gut, Fernand. Du springst für fremde Schuld ein; du kannst das, weil du keine eigene hast.«

Fernands Gesicht veränderte sich, als er mit emporgestrecktem Kinn in den Himmel schaute. Fast wurde es das inbrünstige, flehende Knabengesicht von einst. »Ich ohne Schuld, Ina? Ich ohne Schuld? Ich habe große Schuld, ich war eigensüchtig, ich habe gelogen, mich angelogen und noch einen Menschen, und es hat schlimm geendet; schlimm, schlimm genug. Soll ich dir erzählen? Soll ich dir von meiner Frau erzählen?«

Ina griff mit beiden Händen unbeherrscht nach ihm. »Du hast eine Frau?« fragte sie, und noch einmal: »Du hast eine Frau?«

»Kennst du diese kleinen indischen Witwen?« fragte er versonnen; er hielt seine rechte Hand mit der linken fest, es war eine Bewegung von stärkster Anspannung zur Ruhe. »Kennst du sie, diese Zwölfjährigen, Dreizehnjährigen? Am Morgen schleppen sie viel zu schwere Wasserkrüge, sie tragen keine Ringelblumen im Haar, man schlägt sie zu Hause, die armen kleinen Lasttiere, es ist ein elendes, elendes Leben. So war meine Frau. Sie liebte mich, sie verließ ihre Kaste, und viele Wiedergeburten erst und viele schwere Leben werden sie dahin bringen, wo sie war. Ich hatte Mitleid mit ihr, und deshalb nahm ich sie. Nein, ich lüge noch immer. Ich hatte Mitleid, ja, auch das, und es war bitteres Unrecht, daß ich ihr Mitleid für Liebe gab. Sie hatte deinen Gang, Ina, sie ging, wie du als Dreizehnjährige gegangen bist: Das war es. Ich kannte keine Frau, und das war wie ein dunkles, tiefes Loch in mir, das vieles auffraß und mich vieles nicht verstehen ließ. Und darum nahm ich sie; es sollte uns besser machen, aber es machte uns schlechter. Ich habe schwere Schuld, Ina.«

»Ich habe dir oft gebeichtet, Fernand«, sagte Ina sehr zart. »In Wirklichkeit, in Gedanken, in Träumen. Es ist schön, daß auch du etwas zu beichten hast. Ich habe dich lieb, weil du nicht heilig bist, nicht einmal du. Und kann ich deine Frau kennenlernen?«

»Du kannst sie sehen, wenn du mit mir hinunterkommen willst. Sie ist heute nacht gestorben«, sagte er. Es klang unbewegt. Der Mond breitete sein Licht weit aus, Luft und Wasser waren voll davon, und im zerfließenden Schein lag etwas wie Freude in Fernands Gesicht.

»Kannst du so still sein, Fernand?« fragte Ina leise.

»Sie ist ihren Weg gegangen. Sie wird wiedergeboren werden, vielleicht als Blume, vielleicht als Kristall, denn sie war gut und sanft. Sie wird einen neuen Weg gehen.«

»Wiedergeboren werden, einen neuen Weg gehen. Das klingt schön«, sagte Ina sehnsüchtig.

»Man muß dazu nicht sterben«, antwortete Fernand still, und sein Blick senkte sich in sie ein wie ein Keim. Sie neigte den Kopf, er schmerzte nun nicht mehr, er war nur sehr müde und suchte Ruhe in ihren Händen. Es war lange still. Einmal hob Fernand die Hand, als wollte er über ihr Haar streichen, über dies vorgebeugte Haupt; er tat es nicht. Er sagte, und es war fast unhörbar: »Mir ist heute nacht ein

Kind geboren, eine Tochter. Sie lebt. Sie soll Ina heißen wie du und aussehen wie du, sie soll suchen wie du und ich, und finden, was wir nicht gefunden haben.«

Etwas klopfte an Inas Herz, daß es sich öffnete, daß es Tränen hergab, einen erlösenden Zug von Tränen, die an ihren Fingern herabrannen, glitzernd im Mondschein und verblassend mit ihm, der fern ins Uferlose schwand.

Als Ina den Kopf hob, war die Reling leer. Ein Lufthauch atmete ihr Kühlung an die geschlossenen, ernsten Lippen. Östlich ahnte das Meer schon im unwesenhaften Schimmer den Morgen.

Der erste Mensch, den Ina in Genua traf – sie saß in der Halle des Hotels, schaute unschlüssig in ihre Handflächen und dachte: Was nun? –, war der Prinz von Birkenfeldt. Sein Gesicht erkannte sie nicht, es war ein tropenbraunes, frühaltes, leicht angestrengtes Gesicht, wie es Lungenkranke haben; aber seinen Handkuß erkannte sie, und es wurde ihr heimatlich und ruhig, als seine Lippen die Luft über ihren Fingern berührten. Der Prinz kam aus Kairo, wo er die Winter verbringen mußte, und kehrte in seine kleine Residenz zurück, um etwas seinen Pflichten als Regent nachzukommen. »Die armen Birkenfeldter«, sagte er mit seinem angestrengten Lächeln. »Ich bin kein Prinz für sie, sie möchten einen Schneidigen, einen, der reitet und jagt und im Winter auf dem Schloßteich Schlittschuh läuft. Da hat das ganze Volk seine Freude dran. Mein Onkel war so einer, und mein Neffe wird auch so werden. Inzwischen muß ich sehen, mit meinem bißchen Lunge durchzuhalten, bis der Prinz majorenn ist. Ich baue den Leuten ein Museum und kaufe einen Holbein für die Galerie und bringe das Birkenfeldter Porzellan wieder hoch, aber ich glaube, es hat niemand Freude daran, außer mir selbst, und vielleicht noch Doktor Hunold, mein Freund und Berater.«

Doktor Hunold, drei Schritte hinter dem Prinzen stehend, brachte seine Verbeugung an, auch ein Adjutant war noch da, irgendein Baron mit einem höflichen und unzufriedenen Gesicht. Der Prinz fragte Ina nach ihrem Ziel, aber sie konnte nur die Achseln zucken.

»Ist ihr Birkenfeldt schön, Hoheit?« fragte sie. »Es ist ein rechter Heimwehname: Ein Feld mit Birken. Ich weiß noch, an was ich dachte, als ich ihn das erstemal hörte, als Kind in der Geographiestunde: an einen langen Zug von weißen Birken einen Hügel hinauf; wie Mädchen in Schleiern war es.«

»Es ist viel Ehre, daß Ihre Geographiestunde Notiz von meinem kleinen Ländchen nahm«, erwiderte der Prinz und errötete leicht. »Und was Sie als kleines Mädchen dachten, darin steckte gewiß schon immer die ganze Ina Raffay. Ob Birkenfeldt schön ist? Wer kann sagen, wie die Heimat aussieht? Sie sind ein Großstadtkind, gnädige Frau, da ist es vielleicht anders.«

»O nein. Auch ich habe eine Heimat, und auch in meiner Heimat rauschen die Birken«, sagte Ina versunken.

»Hunold kann Ihnen besser erzählen, wie Birkenfeldt aussieht, er hat ein dickes Buch darüber geschrieben.«

»Birkenfeldt ist schön«, begann Doktor Hunold sogleich zu zitieren, »das Land ist schön, und am schönsten ist die Stadt. Das alte Schloß schläft über seine Bastionen gebeugt, auf dem Teich segeln still die Schwäne, im Schloßgarten stehen ganz alte Bäume, das Gras wird nicht gemäht, es ist tiefgrün und hoch und schattig. Auch Birken sind da, gnädige Frau, sie wandern einen Wasserlauf entlang bis zur ›Favorita‹. Das ist ein helles Rokokoschlößchen, früher waren dort die fürstlichen Mätressen einquartiert, jetzt steht es leer. Es hat einen entzückenden Saal mit chinesischen Tapeten, wir haben im Vorjahr eine Ausstellung deutscher Miniaturen dort gemacht, heuer soll Birkenfeldter Porzellan ausgestellt werden, altes und neues. Vielleicht kommen Sie einmal zu uns, gnädige Frau, und sehen selbst. Es ist eine Dornröschenstadt, die im Traum liegt. Nur am weißen Turm das Glockenspiel ist wach und spielt jede Stunde sein kleines verstimmtes Stückchen ab.«

»Sie sind ein Dichter«, sagte Ina mit unmerklichem Spott. Hunold hob abwehrende Hände, und der Fürst sagte: »Er ist Schriftsteller; er kann über alles schreiben, und gut. Leider hat er zu viel Ehrgeiz, das haben Dichter nicht.«

Ina sah den ehrgeizigen Hunold an; er war ein großer Mensch, alles an ihm war groß. Der Körper, die Füße, die Hände, der Kopf, und an dem Kopf wieder waren Stirne, Mund und die hellen, aufmerksamen Augen besonders reichlich ausgefallen. Er hatte eine ruhige, tiefe Stimme.

Fräulein Zwillingsbauer tauchte auf, sie machte ihre verschrobene Tanzschulverbeugung vor den Herren und reichte Ina Sonnenschirm und Handschuhe. Genua kochte lichtüberschüttet, in Terrassen an das Bergrund gelehnt. Hafengeruch schwamm in der Luft, und die wachen, schnellen italienischen Stimmen zackten in den Straßen. Der Prinz ging mit Ina voraus, von der Seite sah sie sein schmales Gesicht, und daß an den eingesunkenen Schläfen die Adern überanstrengt pochten. Er schwieg nachdenklich, auch Ina sprach wenig. Drei Schritte zurück machte Doktor Hunold seine kulturhistorischen Anmerkungen, der Adjutant warf blaue Offiziersblicke in schwarze Frauengesichter.

Abends unter dem verhängten Licht des leeren Teeraums sagte der Prinz: »Ich bin glücklich, Sie wieder in Europa zu wissen, gnädige Frau. Sie tanzen zu sehen, war immer ein Gewinn, eine Bereicherung, mehr noch – eine Beglückung für mich. Ich habe es schwer entbehrt und erwarte so ungeduldig wie ein Kind Ihr erstes Auftreten.«

Ina schaute in sich hinein, und es wurde einen Augenblick still, als sie sagte: »Ich glaube, daß ich nicht mehr tanzen werde, Hoheit!«

»Sie sind müde?« fragte dann Doktor Hunold vorsichtig;

er sprach wie zu einem kranken Kind, das einschlafen soll. Ina schaute seine breiten Hände an und den großen Brustkasten und antwortete gehorsam: »Ja, ich bin müde, auch das. Und es kommt mir nebensächlich vor, zu tanzen, ich glaube nicht mehr daran. Oder nein: Ich muß nicht mehr tanzen. Und etwas, das man nicht tun muß, als wäre man verflucht dazu, das ist ja nicht mehr Kunst. Ich werde nicht mehr tanzen.«

»Wie können Sie den Tanz nebensächlich nennen?« sagte der Prinz heftig; es war sonderbar, wie sehr ihn dies erregte. Er hat Fieber, dachte Ina, seine Augen glänzten, die ganze, schmale Windspielgestalt schien zu zittern. »Der Tanz wertlos? Der Tanz ist die beste Blüte, die unsere Zeit gebracht hat, die einzige vielleicht! Sehen Sie unsere Künstler an, ich kenne viele, ich habe Freunde unter ihnen; durch sie alle geht der Riß, die Spaltung, die Unvereinbarkeit von dem, was sie leben, und dem, was sie schaffen. Und sehen Sie daneben sich selbst an, gnädige Frau, diese Vollkommenheit, dieses Ebenmaß, dieses Harmonische Ihrer Existenz. Sehen Sie Ihre Hand an, die eine Teetasse hebt. Sie enthält, was wir alle entbehren: die Vereinigung von Kunst und Leben.«

»Das Harmonische meiner Existenz«, sagte Ina verhalten lächelnd und setzte die Teetasse hin; alle sahen jetzt auf ihre Hand, das dünne Porzellan klingelte zart.

»Sie werden nicht mehr tanzen; gut, Ina Raffay. Sie werden nicht mehr tanzen. Aber sie werden trotzdem vollkommen sein. Sie werden über die Straße gehen, und man wird still und froh werden, wie man wird, wenn man Glocken hört. Sie brauchen nur ruhig zu sitzen wie jetzt und zuzuhören, eine Hand auf der Lehne und den Ellbogen auf das Knie gestützt: Und man wird beglückt sein, als sähe man zum erstenmal einen Menschen, der lauscht. Was Sie in Jahren in sich ausgebildet haben, ist unzerstörbar: Sie sind schön, Ina Raffay.«

Obwohl jetzt eine starke, abgegrenzte Röte von den Schläfen zum Mund des Prinzen lief, sprach er ohne einen Schimmer von Empfindung oder Galanterie, er war sachlich wie vor einem Bild. Hunold warf von der Seite her einen wachen, aufmerksamen Blick in sein Gesicht. »Schade, daß man eine Raffay nicht kaufen und nach Birkenfeldt bringen kann wie einen Holbein«, sagte er in einer Mischung von Beflissenheit und behutsamem Tasten. Der Prinz schickte ihm einen raschen Blick zu; plötzlich schwiegen alle.

»Darf man rauchen?« fragte der Adjutant verlegen.

»Meine Stadt liegt an der alten Römerstraße«, sagte der Prinz gesammelt nach einer Pause. »Noch immer graben wir Münzen und Urnen aus. Ich glaube, daß unsere Menschen noch von damals her eine glückliche Mischung im Blut haben; es ist ein schöner Schlag mit geraden Nasen, breit in den Schultern, schmal in den Hüften. Ich wünschte, ich könnte den Zug weißer Mädchen in grünen Schleiern wahr machen, den Birkengang entlang, wie Sie ihn gedacht haben, gnädige Frau.«

Mit einem Ruck setzte er sich gerade und sah in ihre Augen: »Wollen Sie mir dabei helfen?«

»Ich? Wie kann ich das?« fragte Ina benommen, sie neigte sich vor, alle Köpfe neigten sich zueinander in den Schein der Lampe, selbst der Adjutant starrte aufgeschreckt seinem Herrn auf den Mund.

»Sie sollen mir die schönsten Kinder des Landes erziehen; es wird scharf ausgewählt bei der Aufnahme. Knaben und Mädchen, Bauernkinder und die Kinder unserer alten Familien; nicht älter, als daß sie noch biegsame Glieder und Seelen haben. Sie wohnen in der ›Favorita‹, sie schwimmen unter den Birken, sie laufen über die Wiesen, sie werfen Ball in der Palästra, sie lernen, was wir alle verlernt haben: Wie schön und wichtig der Körper ist. Sie werden schön und stark und harmonisch in jedem Muskel, sie wachsen glücklich auf und in der Märchenluft, die immer um Sie ist, gnädige Frau. Nun, alle sagen, ich bin ein Träumer. Aber Doktor Hunold ist ein praktischer Mann; er könnte alles mit Ihnen besprechen und auf feste Füße stellen.«

»Kinder um mich haben«, sagte Ina versunken. Sie konnte sie schon sehen: Sie hatten feste, runde Glieder unter der Blumenhaut, die kleinen Hände faßten einander, die Füßchen hoben zierliche, rosige Zehen aus Wiesen, in denen Tau lag. Unter einer Birkengruppe strebten Mädchen mit aufgereckten Armen ins Licht. Alle hatten Kränze im Haar, allen fiel Widerschein des Himmels in die Augen. Eine drehte sich und schwang eine Kette aus roten Beeren, eine lange Kette. Ina erkannte sie; sie soll nie kürzer werden, dachte sie verwischt; es soll kein grauer Geiger den Kindern spielen; sie müssen ihren endlosen Sommer haben.

»Würden Sie mir Kinder anvertrauen? Gerade mir, Hoheit?« fragte sie, es war Schmerzhaftes dabei.

»Ihnen. Gerade Ihnen«, antwortete der Prinz.

»Es wäre schön«, sagte sie verwirrt. »Ich muß nachdenken. Haben Sie Geduld, Hoheit.«

»Geduld kann ich nicht haben«, sagte der Prinz nervös. »Geduld haben Leute, die achtzig Jahre alt werden. Unsereiner hat keine Geduld.«

Unsereiner, dachte Ina. So lange wie ein Wimpernzucken dauert, lag ein roter Zettel ganz klar vor ihren Augen, darauf stand: 40. So lange wie ein Wimpernschlag war etwas Flatterndes da, eine Angst, eine Sehnsucht, eine Ahnung, Unerfülltes sei noch zu erfüllen.

Sie lächelte. Sie sagte: »Ich will.«

Als Hunold in der »Favorita« ankam, um die Kunstgeschichtsstunde der Großen zu halten, saß der Prinz schon auf seinem gewohnten Platz am Wiesenhang unter dem alten Apfelbaum, der kleine grüne Früchte um sich streute. Wiesenabwärts stand Ina im kurzen weißen Gewand und warf ihre leichten, schwebenden Gebärden in die Sommerluft wie spielende Vögel. Der Hang war bestickt mit den hellen Körpern der nackten Kinder, die eifrig und gesammelt die Bewegungen wiederholten. Aus den hohen, runden Fenstern der »Favorita« flatterte Mozartmusik. Vom Bach her kam Lachen der badenden Knaben, unter den Buchen stand einer in einer Haltung von scheuer und trotziger Grazie und blies auf einer Rohrflöte unbeholfene Töne.

»Der Herrgott selbst hilft nach mit seinem böcklinblauen Himmel!« sagte Hunold und machte seine Verbeugung; aber der Prinz war ungesprächig. Er saß da und sah aus wie einer, der träumt. Auf der Terrasse konnte Fräulein Zwillingsbauer lange ihr ermunterndes Geklapper mit Tellern vollführen: Er wollte nichts hören. Bis Ina herankam, umdrängt von den Kleinsten, und sagte, daß sie nun müde und hungrig seien. Hernach gab es Milch und Erdbeeren und erste Kirschen. Es war eine Luft und eine Sonne am Hügel hinter dem Haus, die jauchzten und jauchzen machten.

So war nun Ina Raffays Leben. Sie legte es manchmal vor sich hin, besah es von allen Seiten und wunderte sich, wie es nun aus lauter so frohen und einfachen Dingen bestand. Sie hörte Bäume rauschen, sie sah den Wind über Wiesen tanzen, ihren Händen reifte Obst entgegen, und Kinderwärme drängte sich an sie. Abends ging sie durch den Saal und hörte sie in ihren weißen Betten atmen, es war ein Klang voll Beglückung und Frieden, der dennoch Sehnsucht weckte. Immer schossen Schwalben vom geschwungenen Barockdach des Hauses silbern in die Luft, immer zogen Schwäne ernsthaft den Wasserlauf entlang, und Pappeln schwätzten in der Dämmerung. Lange hatte sie nur Saison gehabt, jetzt spürte ihr Leben, unter einen weiten Himmel hingebreitet, wieder Jahreszeiten. Im Sonnenschein sprang Duft aus dem Wiesenhang und Regen hängte Schleier in die Buchenwipfel. Vielleicht sogar geschah es, daß in einer Mondnacht die Elfen wieder tanzen würden.

Sie stand manchmal nächtlich am hohen Fenster ihres Zimmers und schaute in die blauen, zerrinnenden Wiesen hinaus, doch es regte sich nichts. Sie legte ihre Hände aufs Herz: da klopfte es und lebte wieder. Sie ging hinaus, lehnte ihren Rücken an den Stamm einer Birke, die rührte sich leise im Schlaf; es war ein süßes Erschrecken, daß auch in dem Baum so zartes Bewegen geschah. Sie nahm ihn schwesterlich in die Arme und mußte weinen. Sie sehnte sich.

Es zog sie wieder zu den Kindern hinein, sie lagen still in ihren Betten und atmeten schlafend. Ina liebte sie, alle zusammen, und jedes einzeln in seiner Art. Die Kleinsten wusch sie selbst am Morgen und Abend, sie pflegte die seidene Haut und die Haare. Die Wärme und der Aprikosenduft der kleinen Körper machte sie froh, wenn sie die Kinderarme um ihren Hals fühlte, dann spürte sie ein neues, heftiges, befremdendes Glück, das sie fast weinen machte. Manchmal erlaubte sie sich, ein Kind zu küssen; dann schämte sie sich. Auch davor schämte sie sich, ihnen Märchen zu erzählen; sie wußte viele, sie kamen ihr entgegen aus Blumen, Tieren, Dingen. Aber sie erzählte sie nicht den fremden Kindern. Sie alle hatten helle, wache, aufmerksame Augen wie Mila Merz oder Doktor Hunold. Sie schaute sie an, ob nirgends das Suchende wäre aus ihrem Blick und Fernands Blick: Aber es blieben fremde Kinder.

Der Prinz, schweigsam unter dem Apfelbaum sitzend, hatte manchmal das Sehnsüchtige, Suchende, Ertrinkende in seinem schmerzlich angestrengten Blick. Aber mit ihm sprach Ina nicht viel.

In Birkenfeldt schüttelte man mißbilligende Köpfe. Man war Extravaganzen gewohnt. Man machte die Mode mit, wie man die ganze ästhetisierende Epoche mitmachte, weil der Prinz den Ton angab. Ihm war es ernst, die andern spielten nur. Man schickte die Kinder in die »Favorita«, denn die Aufnahme galt als Auszeichnung, und sie schienen gut zu gedeihen. Aber man dachte sich seinen Teil dabei.

Zu oft sah man den Prinzen bei schönem Wetter den Wasserlauf entlanggehen zur »Favorita«, die Hände in den Taschen, das schmale Gesicht den Wipfeln hingehalten. Man sah an Regennachmittagen den fürstlichen Wagen durch den Wald fahren und den rückwärtigen Weg nach der »Favorita« nehmen. Fräulein Zwillingsbauer deckte den Teetisch mit Birkenfeldter Porzellan, Ina breitete Mappen aus, in denen sie Anregungen zu Stellungen und Bewegungen gesammelt hatte.

Auch Doktor Hunold kam oft, manchmal brachte ihn der Prinz mit, öfters tauchte er allein auf. Ina fand bald, daß zwei verschiedene Hunolds bei ihr verkehrten. Der eine war ein herzerfreuend einfacher, geradliniger und lieber Mensch; wenn Ina ihren raffinierten Tag hatte, wie er es nannte, wenn sie aus einer dunklen Unruhe heraus ungeduldig, sprunghaft war, getrieben von etwas, das sie noch nicht begriff, dann lachte er sie nur aus mit seinem tiefen, herzlichen Lachen, und es war gut. Er erzählte die einfachen Geschehnisse seiner Kindheit. Sein Vater war Gärtner in einem holsteinischen Schloß gewesen, seine Mutter starb früh. Wildenten flogen im Schilf auf, der Kibitz rief, die Lindenallee klang wie ein Glockenmeer im Bienensummen, in Bruch und Knick reiften die Haselnüsse. Dann kam die schwere Zeit, wo es ihn trieb, vom Garten weg, von den Beeten, den Bäumen, dem See; wo er ein feiner Herr werden wollte und seinen harten Kopf daran setzte, zu studieren. Vom Studium und der Großstadt sprach er nicht. »Es war eine böse Zeit«, sagte er und sonst nichts.

Ina sah indes seine Hände an, griff auch im Gespräch nach ihnen, sie waren so groß und warm und breit; sie machten Lust, den Kopf an seinen riesigen Brustkasten zu legen und einzuschlafen; es mußte der ruhigste und sicherste Ort der Welt sein.

Der andere Hunold war gänzlich anders. Der andere Hunold war eine einzige, steil gespannte Linie von Ehrgeiz und Betriebsamkeit. Er ging mit geballten Fäusten und verbissenen Zähnen auf sein Ziel los: Karriere zu machen. Karriere um jeden Preis und auf welchem Gebiet immer. Er konnte alles. Er hatte ein unheimliches Wissen in seinem geräumigen Schädel zusammengetragen. Es gab Zeiten, wo er Tag und Nacht arbeitete wie ein Lastpferd, taub und blind für alles andere. Er hatte eine tragikomische Korrespondenz mit hundert Zeitungen; er schrieb, bekam keine Antwort, schrieb wieder, schickte Manuskripte ein, bekam sie ungelesen zurück, schickte ein, bekam sie gelesen zurück, schickte unentwegt ein, wurde angenommen. Da und dort tauchte sein Name auf am Fuß von Aufsätzen über alle Dinge der Welt. Er zwang seinem klobigen Kopf Finessen ab, er schliff sich zu, er fand den Stil, der Erfolg hat. Der Prinz beklagte sich: »Der Ehrgeiz verdirbt mir ihn; der Ehrgeiz frißt ihn auf, und es ist keine gute Sorte Ehrgeiz. Was will er werden: Chefredakteur, Minister, Kaiser? Weiß er nicht, was Macht für eine klägliche Sache ist? Er wird sein Bestes verkaufen um ein Gericht Linsen. Er sollte lieber Gedichte machen.«

Ina nahm es leichter. »Es ist eine Maske«, sagte sie, »und eine noch dazu, die schlecht sitzt, sie wird leicht abfallen. Vielleicht ist es, weil er viel im Schatten gelebt hat, eine harte Jugend geht ihm nach.«

Sie nahm sich Hunold vor. »Haben Sie nie ein Gedicht gemacht?« fragte sie.

»Nein«, sagte er mit seinem tiefen Lachen, »ich und Gedichte! Ich schreibe ohnedies genug Unsinn zusammen.« Er hatte den Tag, wo er der gute Hunold war. Er schaute Ina an und wurde ernster. »Machen kann ich alles, auch Gedichte, wenn es sein muß«, sagte er, »aber es genügt, wenn ich gemachte Sachen in Zeitungen und Büchern habe. Gedichte macht man nicht, da muß man Eigenes sagen.«

»Nun?« fragte Ina und wartete. Es war an einem späten Nachmittag, Schwalben schnitten stahlblau in den Himmel.

»Ich bin nicht der Mensch, der über Eigenes sprechen kann«, sagte er, und seine Augen bekamen einen Ausdruck, den Ina nicht kannte. »Ich bin ein zugesperrter Mensch. Wenn ich etwas spüren würde, etwas Großes, ganz tief und stark, ich würde kein Wort davon sprechen können.«

»Sie sagen, wenn Sie etwas spüren *würden*«, sagte Ina hartnäckig, »spüren Sie denn nichts? Haben Sie nie etwas gespürt, etwas Großes, tief und stark?«

»Und was sollte es sein, gnädige Frau?«

»Sie haben heute Ihr viereckiges Format, Hunold. Man stößt sich an und bringt Sie nicht von der Stelle. Was? Eine Musik, eine Stimmung, eine Frau.«

»Ich bin unmusikalisch«, sagte er. »Ich habe für das Ausleben von Stimmungen nie Zeit gehabt. Ich habe vom fünfzehnten bis zum dreißigsten Jahr arm in elenden Großstadtvierteln gelebt, eingesperrt wie in einer Büchse. Ich kenne keine Frau.«

»Wieso?« fragte Ina unschlüssig.

»Ich kenne keine Frau, einfach. Im biblischen Sinn. Ich kenne keine Frau. Es ist wie mit den Gedichten. Das Große war noch nicht da; an Kleines verzetteln kann ich mich in solchen Dingen nicht.« Er schloß den Mund wie einen Dekkel, es kam nichts mehr heraus.

Das war es, was Ina Unruhe schaffte. Sie ging umher und dachte darüber nach: Er kannte keine Frau. Da war ein Mann, groß und stark und einfach wie ein Tier und war unberührt. Sie kannte viele Männer, und es war nichts an ihnen, das zu besonderer Hochachtung nötigte. Sie waren alle eigensüchtig, irgendwie haltlos, irgendwie unterlegen und keinesfalls ernst zu nehmen. Aber Reinheit war etwas Ernsthaftes. Es machte ihr Respekt, daran war nichts zu ändern; auch daran nicht, daß ihre erfahrene Phantasie sich Bilder baute und Träume von seltsamer Art. Sie dachte sich die Frau aus, die erste, die er umarmen würde. Ein Mädchen, unberührt wie er, groß und gesund, vielleicht eine

Bäuerin, eine Friesin, mit Haaren gelb wie Lindenblüten und blaugrauen Meeraugen, und die dann ein wunderbares Kind bekam. Man konnte sie beneiden, ganz tief und geheim.

Ina Raffay war dreißig Jahre alt. Schlafendes rührte sich. Unbegriffene Muttersehnsucht bedrängte sie. Sie kannte das Singen ihres Blutes, es hatte lange geschlafen, nun erschrak sie vor ihren Gedanken. Es trieb sie um, nachts, hinaus in die Wiesen, hinein zu den warmen, schlafenden Kindern. Sie tastete über ihre Köpfe, über die kleinen, träumenden Hände, das machte Sehnsucht, Sehnsucht. Sie schlich zurück in ihr Zimmer, legte sich hin und schloß die Augen. Da waren die Bilder wieder. Der Mann, das Kind. Das Kind vor allem.

Fräulein Zwillingsbauer mußte an vielen Abenden Brom ans Bett bringen; sie saß da in der schwarzen Seidenschürze, welche die gleiche zu sein schien wie in der Tanzschulzeit, und brachte mit trockener Stimme ihre kleinen Weisheiten vor. Sie sollte von ihrem Kind erzählen, von der Zeit vorher, von der Geburt, von allem; das konnte sie nicht.

»Es war lieb«, konnte sie nur sagen, »es war so klein und so lieb; ganz klein war es.« Das war alles, was sie wußte.

»Ich möchte ein Kind haben«, sagte Ina; sie sagte es ganz hell, und es wurde ihr leichter dabei.

»Möcht' nur wissen, von wem?« fragte Fräulein Zwillingsbauer nicht sehr erstaunt; ihre vertrocknete, verkümmerte Mütterlichkeit verstand.

Ina schloß die Augen und griff mit den Armen hinter sich über die Kissen, sie umfaßte die Delphinköpfe des alten Mätressenbettes, und in den Kerzenschein hinein, der gelb auf ihre Lider tropfte, sagte sie: »Er müßte groß sein und stark und einfach; es müßte ein Mann sein, der eine Frau wie mich nicht nimmt.«

Fräulein Zwillingsbauer tat, als überhörte sie; sie hob Inas weggeschleuderte Wäsche vom Boden auf und sagte nichts; aber sie hatte ihre eigenen Gedanken und Erfahrungen. Generationen junger Männer waren im Tanzinstitut an ihr vorbeigegangen. Sie dachte: Es gibt feine Männer wie der selige Herr Raffay, die tragen immer Lackstiefel. Aber die andern tragen sie nur, wenn sie verliebt sind. Der Doktor Hunold, das ist kein feiner Mann. Wenn man ihm in der Stadt begegnet, hat er alte Treter an. Aber zu uns kommt er in Lackstiefeletten und putzt sie noch eine Stunde, bevor er ins Zimmer geht. Der Doktor, das ist ein Heimlicher.

An einem Regentag im September kam der Prinz, um sich zu verabschieden; er fuhr den Winter über nach Kairo, Hunold und der Adjutant begleiteten ihn.

Fahnen in Birkenfeldt, grünweiße Fahnen über dem Schloß, Girlanden in den Straßen, Schüsse am Morgen, die pflaumenblaue Birkenfeldter Livree dienert an breiten Kutschenschlägen, vom weißen Turm blasen Trompeten, das Glockenspiel klingelt verschlafen dazwischen, die gelben Husaren reiten zum Exerzierplatz, der junge Prinz ist majorenn geworden, er ist ein Schneidiger, er trägt die Paradeuniform, er wird reiten, jagen und auf dem Schloßteich Schlittschuh laufen, das ganze Volk hat seine Freude dran. Der Prinz legt in seiner stillen Weise die Regierung nieder, er sieht schlecht aus, der Winter in Kairo hat wenig genützt, der Sommer in Birkenfeldt hat viel geschadet; er ist sehr müde und fiebert ein wenig. Er spricht davon, gleich nach den Feierlichkeiten zu verreisen, unbestimmt, wohin, unbestimmt, auf wie lange.

Die »Favorita« gibt ein Abschiedsfest, die Kinder werden entlassen, der neue Prinz hat das Gebäude für eine Kadettenanstalt bestimmt. Den Wasserlauf entlang wandeln schwarzbefrackte Gestalten mit kleinen Kästen unter dem Arm; es sind die fürstlichen Kammermusiker, die Gluck spielen sollen.

Für den Prinzen steht unter dem Apfelbaum der gewohnte Korbstuhl, Ina will von dem traditionellen rotsamtenen Fauteuil nichts wissen. Aha! denken die Birkenfeldter und starren den Korbstuhl an; er ist in ihren Augen eine Intimität. Fräulein Zwillingsbauer in der brettsteifen schwarzen Taftschürze, die sie nur bei Tanzschulfesten trug, rennt im letzten Augenblick herbei und legt wenigstens ein Kissen in den Stuhl. Dann kommt der Prinz, er sieht schlecht aus, er sieht aus wie geschminkt mit seinen glänzenden umränderten Augen und den roten Wangen im durchscheinenden Gesicht. Er setzt sich, hinter der Efeuwand gibt der Orchesterdiener mit seinem Taschentuch ein Zeichen, der alte Hofkapellmeister wischt sich den Schweiß, noch bevor er anfängt, und dann hebt er sein kurzes, dickes Taktstöckchen.

Die Musik macht es sehr still umher, nur die Birkenblätter plaudern ein wenig, und eine Amsel im Gebüsch fängt lauter an zu singen. Zuerst geschieht gar nichts, die Birkenfeldter sehen den Hang hinab, vielleicht sehen sie ihn zum erstenmal in Wahrheit mit der ganzen Schönheit von Busch und Baum und Wiese. Dann ist plötzlich eine Nymphe da, eine ganz junge, zärtlich schlanke, scheue, die aus dem Buchenschatten tritt, die Arme weitet und dem Wind entgegenläuft. Sie winkt, und aus dem Wald kommen andere, blonde, braune, schwarze, kindliche, sie wehen in Schleiern daher, sie heben sich ins Licht, sie fassen einander zum Reigen, sie sind froh und leicht, und ihre Haut hat Sonnenfarbe. Aus dem Gebüsch brechen Knaben, die Nymphen fliehen, die Knaben spannen Pfeile und schleudern Bälle, sie toben, sie turnen, sie klettern an Bäumen, sie werfen sich ins Wasser, wo ernsthafte Schwäne gelassen zusehen. Die Musik hat kleine, sehnsüchtige Flügel bekommen, auf der Wiese stehen nackte, kleine Kinder, die werfen goldene Bälle in die Luft und fangen sie wieder, es steigt Stille und zarte Rührung und eine unbeschreibliche Heiterkeit aus ihren Bewegungen.

Von der Terrasse kräuselt Rauch empor, da steht ein Altar, da erhebt eine weiße Priesterin den braunblassen Kopf mit den schweren Augen und tritt Stufen hinab. Sie tanzt nicht, sie geht nur mit ihrem Kaiserinnengang in die Wiesen hinein und steht dann, und eine große Stille geht von ihr aus. Sie hebt die Arme, sie grüßt den gewölbten, herbstblassen Himmel, die rötlich überschimmerten Buchen, den schweren Apfelbaum, die Wiese, die lila überstickt ist von kleinen Blumen. Die Kinder kommen wieder, die Knaben, die fünfzehnjährigen Nymphen, sie fassen sich an den Händen und schließen sich zum Reigen, und ihre jungen Gesichter sind ganz ernsthaft vor Erregung. Sie bringen Kränze an den Altar aus Laub und Frucht und Blüten; einen hebt die Priesterin hoch, er ist aus dem zarten Lila der Wiesenblumen geflochten, es ist ein Herbstzeitlosenkranz, den sie auf den Altar legt. Sie beugt sich, die Kinder drängen sich enger um sie, der Opferrauch steigt auf, er riecht süß und bitter zugleich.

Ist das mein letzter Tanz? denkt Ina Raffay, während sie die Hände auf warme Kinderköpfe legt.

Da sind Tränen, schon wieder Tränen. Sie macht eine einzige, kurze, unbeherrschte Bewegung mit dem Schleier nach den Augen, ihr Herz tut ihr so weh. Niemand bemerkt es, nur der Prinz beugt sich eine Sekunde vor und streift sich mit der langen, dünnen Hand über die Stirne. Dann ist das Fest aus.

Die Musik schweigt. Der alte Hofkapellmeister legt sein Stöckchen fort und horcht noch einen Augenblick in die Luft, man hört wieder die Amsel singen. Die Musiker pakken ihre Instrumente ein; die Kinder gehen ins Haus, und Fräulein Zwillingsbauer nimmt sie in Empfang und streicht ihnen mit ihren harten, mütterlichen Händen die Haare aus den heißen Wangen. Weil der Prinz noch auf seinem Korbstuhl sitzen geblieben ist, versonnen hinschauend, sitzen auch die Birkenfeldter da, schweigsam, ein wenig ratlos, ein wenig gerührt. Es dämmert schon. »Befehlen Hoheit den Wagen?« fragt der Adjutant sanft und ungeduldig.

»Nein, ich möchte zu Fuß gehen. Wo ist Hunold? Er soll mich begleiten.« Aber Hunold, der Ehrgeizige, der Beflissene, ist verschwunden.

Endlich erhebt sich der Prinz, er steht lang und gebrechlich da mit seinen vorhängenden, überlasteten Schultern, und schickt dem Kreis der Birkenfeldter ein zielloses Lächeln zu. In der Allee drängen sich schon die altmodischen Equipagen des Adels, es wird lauter, die Amsel singt noch immer, aber man hört sie nicht mehr, bis das Wiesenrund geleert ist und der letzte abziehende Birkenfeldter noch einen diskreten Blick zurückwirft.

Der Prinz steht noch immer unter dem Apfelbaum, und Ina Raffay steht noch immer oben an der Treppe.

Dann ist es still.

»Ich danke Ihnen«, sagt der Prinz, und seine Stimme klingt krank, ein wenig heiser, ein wenig vertrocknet. »Es war schön. Ich danke Ihnen. Ich habe vorher nicht gewußt, daß Abschiednehmen so schön sein kann. Ich habe viel gelernt von Ihnen, viel, gnädige Frau.«

Ina kommt die Treppe herab und sagt nichts; sie ist verstimmt, weil einen Augenblick lang die Empfindung sie überwältigte und ihr den reinen, zielbewußten Aufbau des Kunstwerks unterbrach. Sie denkt: Ich bin keine Künstlerin mehr, ich bin eine Dilettantin; und das brennt ein wenig. Mechanisch fragt sie: »Hoheit verreisen schon morgen?«

»Ja, ich verreise. Und Sie? Was haben Sie für Zukunftspläne?«

»Ach, ich«, sagt Ina ziellos und streift Gedanken von der Stirne fort, »das ist noch unklar. Hier kann ich nicht bleiben; hier war es schön. Jetzt kommen wieder die Hotelzimmer an die Reihe und die ewig gepackten Koffer und die Telegraphendrähte vor den Coupéfenstern. Vielleicht fahre ich nach Spanien, Studien machen, ich kenne es noch nicht.

Wahrscheinlich muß ich wieder zu tanzen anfangen, ich bin ja nichts weniger als reich. Ich habe mir noch kein Bild gemacht, was werden soll. Ich werde mich sehr, sehr nach den Kindern sehnen, das ist gewiß. Nun, das alles ist nicht so wichtig, man hat ja sein Billett in der Tasche.«

Es schien, als hätte der Prinz kaum zugehört, er schaute abwesend über ihre weiße Gestalt hinaus. »Ja«, sagte er, »nun wollen sie also hier schneidig sein und Kadetten herpflanzen; diese armen, kleinen Kerle mit den hohen Uniformkragen. Auf der Terrasse wird exerziert, die Tapete im chinesischen Saal wird grau getüncht, und dann drillen sie die Buben bis zum Selbstmord. Wenn ich an meine eigene Kadettenzeit denke: Gliederschmerzen und Untauglichkeit und sechzehnjährige Verzweiflung und überall graue Wände, graue Wände.«

Er hustete ein wenig. »Dann sah ich Sie, Ina Raffay«, sagte er und schaute in eine Ferne. »Ich habe mich heute deutlicher noch daran erinnert als sonst. Sie trugen ein weißes Kleid wie jetzt, und eine Perlenschnur; es war im Haus Ihres Onkels, wissen Sie es noch? Damals hatte ich zum erstenmal das Gefühl, daß Geträumtes lebendig werden kann; daß es Schönheit gibt in unserer verflachten, rohen, häßlichen Zeit. Dieses Gefühl war es, das aus dem kränklichen, unzulänglichen, falsch erzogenen Kadetten einen Menschen machte. Von Ihnen habe ich den Weg, Ina, von Ihnen das Ziel, von Ihnen die Kraft, aus meinem bißchen zerbrochenen Leben noch etwas zu machen. Ich danke Ihnen dafür, ich danke Ihnen, Ina Raffay. Wenn ich jetzt verreise und nicht mehr wiederkomme, dann bleibt doch der Holbein in der Galerie, und die guten Porzellanmodelle, und die Kinder, die zwei Jahre in der ›Favorita‹ lebten und Unverlierbares bekommen haben.«

Plötzlich fängt er zu lächeln an, es ist etwas Seltenes in seinem Gesicht, das stets eine Müdigkeit zu überwinden hat. »Verzeihen Sie«, sagt er, »ich rede und rede und bin sentimental; es ist ja keine Kleinigkeit, Abschied von der Heimat, Abschied von Ihnen. Hören Sie die Amsel? Sie singt schon den ganzen Tag: Niewieder, niewieder. Es ist mir immer, als hätte ich Ihnen nicht genug gedankt, nicht genug, nicht für alles. Nun also: Leben Sie wohl, gnädige Frau. Vielleicht, daß am andern Ufer alles nur Schönheit ist.«

Ina steht ganz still, nur die weißen Falten ihres Kleides zittern ein wenig, sie weiß nicht, was es ist, das sie so weich macht, so viel bloß, daß jedes Wort sich ganz tief ins Herz hineindrückt. Auch sie hört jetzt die Amsel singen.

»Sie kommen nie wieder, Hoheit?«

Der Prinz lächelt stärker. »Es ist nicht anzunehmen«, antwortet er mit seiner heiser gewordenen, kranken Stimme.

»Leben Sie wohl«, sagt Ina und hebt ihre Hände aus den Falten des Kleides, wo sie sich bisher still hielten. Und dann, noch im letzten Augenblick, als der Prinz schon seine Lippen neigt und die Luft über ihren Fingern küßt, fragt sie atemlos, was sie nicht fragen will: »Begleitet Doktor Hunold Sie, Hoheit?«

Wie blaß sie in der Dämmerung ist, denkt der Prinz, und erwidert: »Hunold? Nein. Bei mir ist keine Karriere mehr zu machen; er ist ins Politische abgeschwenkt und hat den Knopf von Fortunens Mütze zu fassen gekriegt. Er übernimmt ein großes Blatt in Frankfurt, es ist eine große Position. Ich habe ihn hingebracht, dort paßt er jetzt hin, zu mir nicht mehr. Er hat nichts von mir gelernt. Er sieht mir sterben zu, seit Jahren sieht er mir sterben zu und hat nicht daran gelernt, wo das Leben wertvoll ist. Maske, meinen Sie? Vielleicht. Aber sie fällt nicht ab, die Maske, sie frißt sich in den Menschen hinein, sie frißt sein Wesen auf. Der Erfolg wird ihn noch mehr aushöhlen. Denken Sie an mich, Ina, später einmal, wenn Sie nach einem Menschen greifen und eine leere Hülse an Ihr Herz nehmen.«

Ina machte eine einzige hilflose Bewegung. Ihr Herz erschrickt, es ist wie überrannt davon, daß der Prinz so selbstverständlich von Dingen spricht, die es sich nie eingestanden hat. »Ich hoffe, daß Hoheit irren, in jeder Beziehung«, sagte sie formell. Der Prinz verbeugte sich tief, er neigt sein schmerzlich angestrengtes Gesicht noch einmal über ihre Hände, tiefer und tiefer. Aber diesmal küßte er sie nicht, er legt seine Stirn mit den schmalen zuckenden Schläfen in ihre Finger, wie in ein Bett zu wunderbarer Ruhe. Eine Sekunde lang spürt sie alles, die feuchte Fieberhaut, unter der sich die Knochen abzeichnen, die tiefe Müdigkeit, und wie gerne er stirbt und Ruhe hat. Aber in ihr ist alles Unruhe und aufgewühltes Gefühl.

Die Kinder schlafen zum letztenmal in ihren Betten, an der Tür stehen die Sandalen in Reihen, wie kleine Soldaten an der Wand hängen die kurzen Kittel. Fräulein Zwillingsbauer gähnt und zählt Teller und Gläser und Löffel ab. Auf der Terrasse stehen Stühle übereinandergetürmt, das sieht ungastlich aus. Ina geht im Haus herum, hin und her getrieben, sie möchte am liebsten die Kinder aus den Betten reißen, möchte sie auf dem Schoß halten, die Großgewordenen, und ihre Arme um den Nacken spüren. Sie steht im chinesischen Saal und legt den heißen Kopf an das kalte Porzellan der riesigen Vasen, sie geht wieder auf die Terrasse und schaut über die Wiesen hinaus, in zielloser Erwartung. Hunold hat sich nicht verabschiedet. Fräulein Zwillingsbauer klappert mit dem Abendbrot an ihr vorbei und sagt vielwisserisch: »Jajajaja!«

»Ich will nichts essen, Irma«, sagt Ina.

»Der Abschied liegt der Ina im Magen«, sagt Fräulein Zwillingsbauer und klappert davon. Gleich drauf taucht ihre besorgte Nase wieder in der Tür auf. »Die Gnädige hat ihre Nerven?« vermutete sie, »Brom nehmen? Pfefferminztee? Den Kimono anziehen? Ein laues Bad?«

»Nein, laß nur, Irma, ich weiß nicht, was in mir steckt. Nerven? Ich laufe immer herum, als hätte ich etwas versäumt, vergessen, das Beste, das Wichtigste. Man wird älter, weißt du. Früher dachte man: Es kommt noch, das Eigentliche. Jetzt schaut man sein Leben an und denkt: Ist das alles? *Das?*«

»Ich mein' immer, die Ina hat eher zu viel erlebt«, sagt Fräulein Zwillingsbauer vorsichtig und streift ihre Schürze zurecht.

»Ach nein«, sagt Ina. Sie steht an dem hohen, runden Fenster und atmet lauen Herbstgeruch und denkt: Erlebt hat nur die Haut; nur das Gehäuse. Den Kern hat es noch nicht getroffen. Wohin, wohin mit dir, Wanderseele? fragt es in ihr.

»Nächste Woche kommen schon die Tischler und die Anstreicher«, sagte Fräulein Zwillingsbauer säuerlich. »Hat die Gnädige sich entschlossen, was werden soll?«

»Möchtest du, daß wir nach Spanien reisen? Recht weit weg? Ich denke mir das hübsch. Vielleicht haben dort alle Menschen solche Augen wie ich, und solche Füße. Und tanzen können sie.«

»Hat denn die Ina Geld für solche Reisen?«

»Nein, Geld habe ich keins. Gott weiß, wo alles geblieben ist, was ich in meinem Leben verdiente. Das bleibt an den Hotels hängen und an den Kostümen und an den Agenten. Aber reisen möchte ich jetzt. Wenn ich schon nicht aus meiner Haut fahren kann, so möchte ich wenigstens reisen. Weit weg von den Leuten, die einen nervös machen. Oder sollen wir uns in eine hübsche Stadt setzen, Frankfurt zum Beispiel, und eine Tanzschule aufmachen? Raffays Tanzinstitut? Was meinst du?« sagt Ina und ist ganz voll Bitterkeit und Lachen über sich.

»Wenn der Doktor Hunold jeden Tag kommt, macht er die Gnädige nervös. Und wenn er ein paar Wochen lang nicht kommt, macht er die Gnädige auch nervös«, sagt das erfahrene Fräulein Zwillingsbauer, scheinbar außer allem Zusammenhang, und gleich ballt Ina die Hände.

»Geh schlafen und laß mich jetzt in Ruhe«, sagt sie und wandert im Zimmer herum.

Da ist die Qual eines Jahres wieder, da ist er wieder, dieser große, viereckige Mensch, vor dem man Respekt hat, der unruhig macht, wenn er da ist, und sehnsüchtig, wenn er fortbleibt; und der selbst immer gleich ist, unberührbar, eingekapselt in sich, in seine Arbeit, seinen Weg, seinen Ehrgeiz. Er spürt es scheinbar nicht, daß Ina eine Frau ist, er ist der erste, der es nicht spürt. Aber sie spürt den Mann in ihm so stark, wie bei keinem zuvor. Sie schaut in sich hinein und belauert sich, und in all dem Brennen und dem Zorn und der Bangigkeit, lacht sie sich aus und denkt: Ein Backfisch würde es Liebe nennen. Dieses Ausschließliche, ganz Einfache, ganz Starke, ganz Neue. Die große Liebe, die unglückliche Liebe; aber eine Ina Raffay ist ja so erfahren.

Sie verlöscht die Kerze, das glatte Holz der Treppe streift ihre Sohlen, die kühlen Steinfliesen der Terrasse. Nachtwind rauscht stärker in den Zweigen, greift nach der Seide des Kimono, an ihre warme Haut. Über dem Wald ist ein Wetterleuchten aufgestanden; manchmal faltet eine schnelle Helligkeit Waldlichtungen auseinander, ferne Wipfel, den weißen Turm weit über der Stadt. Vom Glockenspiel schwimmt Mitternachtsklang daher, zitternd und wie im Traum. Der Himmel hat keine Sterne, aber die Wolkennacht ist voll einer durchsichtigen Helle.

Da liegt ein Mensch in der Wiese. Er liegt sonderbar da, hingeworfen auf sein Gesicht, die mächtigen Schultern an die Erde gepreßt, die Arme weit hinausgestreckt, die Finger in nasses Gras verwühlt. Ina erkennt ihn gleich, und es ist seltsam, daß sie im ersten Augenblick nur die ungeheure Ausdruckskraft dieser Bewegung, dieses hingeworfenen, durchgerüttelten Körpers sieht.

Dann aber jagt es sie brennend hin zu ihm und fragt erstickt aus ihr: »Du? Du? Du? Was ist mit dir? Was fehlt dir? Du?«

Hände, heiße, taufeuchte Hände klammern sich an ihre nackten Füße, zerbrechen ihr fast die Gelenke, ein Gesicht, unkenntlich geworden im Sturm des Gefühls, hebt sich empor, stammelt, schluchzt, erstickt fast daran: »Ich liebe dich! Wie ich dich liebe, wie ich dich liebe! Ich kann nicht mehr, ich kann jetzt nicht mehr!«

Sie steht ganz überschüttet da; sie begreift ihn nicht, sie begreift sich nicht. Es bricht etwas aus ihr, das hat stärkere Gewalt als alles, was sie kennt. In Wipfeln saust es, die Wiese flammt, es reißt sie an die Erde zu ihm, sie flüstert und stammelt, überwältigt wie er: »Ist das möglich? Mich liebst du? Mich? Ist das wahr? Warum hast du geschwiegen? Mich liebst du?« Sie küßt seinen offenen, ertrinkenden Mund, seine Augen, sie lacht glücklich mit einem neuen, tiefen Glockenton, der ihn wahnsinnig macht: »Seit wann liebst du mich? Seit heute? Seit einer Stunde?«

»Immer, immer, immer! Hast du es nicht gewußt? Ich kann nicht sprechen, es ist zu stark, es ist stärker als ich.«

»Du Stummer, Zugesperrter«, flüstert sie und bettet ihn in ihr Haar. Aber er kann nicht zärtlich sein. Es strömt Gewaltsamkeit aus seinen Händen, und ewig Gedämmtes begräbt überflutend sie und ihn. Ina versinkt im Atem der Erde, eine ungeheure Kraft ist über ihr, reißt sie in Wirbeln mit sich, macht sie neu und nie berührt. Ein Schrei bricht aus ihr, den sie nicht weiß: »Gib mir ein Kind!«

Weiße Flammen. Urweltstimmen. Gewölbe wachsen unendlich über sie hinaus. Ein Regen von Sternen fällt in ihren Schoß.

In einem kleinen Haus an der holsteinischen Küste gebar Ina Raffay ihren Sohn. Möwen flogen vor dem Fenster, der Tag hob sich rosenfarben aus dem Meer, das Kind schrie seinen ersten Schrei in die Welt, und Ina schaute mit weit offenen, verwandelten Augen in die Sonne. Als sich die Hebamme mit dem ernsthaften, holzgeschnittenen Friesengesicht über sie beugte, da sagte sie ein wunderliches Wort; sie sagte: »Jetzt bin ich sterbensglücklich.«

Das kleine Wunder schlief; es atmete; wenn man es anrührte, war es warm und lebendig. Es konnte trinken, bewegte winzige Finger, Füßchen wie Blumenblätter. Es konnte blaue Augen öffnen, dem blauen Himmel entgegen; es konnte tagelang ganz still sein und dann mit einemmal seinen kleinen, hellroten Gaumen aufreißen und schreien, unbändig und hartnäckig und ganz erstaunlich. »Der richtige Martin Hunold!« sagt Ina und lachte. Es lag so winzig da in seiner Bauernwiege und füllte die ganze Welt aus.

Alles war neu. Ina stand auf, ihr trainierter Körper überwand leicht die Arbeit des Gebärens, da war ihr alles neu und in sich gestillt. Sie nannte die Erde Mutter und die beladenen Kirschbäume Schwestern; es war alles so unteilbar eines. Sie spürte den Strom, der aufstieg und Blut wurde, grünes Blut in den Pflanzen und rotes Blut in ihr und Milch für ihr Kind.

Der kleine Martin Hunold war ein tüchtiger Mann mit feinem aufgesteilten blonden Miniaturschöpflein über den staunenden Augen; er trank und schlief und schrie und wuchs. Der große Martin erschien erst nach vierzehn Tagen. Der internationale Pressekongreß in Brüssel hatte ihn festgehalten. Er stieß mit seinem großen Kopf an die niedrigen Balken des Zimmers, und Ina lachte glücklich. Er nahm sie in den Arm wie ein klägliches kleines Paketchen und trug sie in den Garten hinaus; seine Zärtlichkeit war im Format seiner ungefügen Hände gehalten. Das schüchterne »Mammut« nannte ihn Ina. Sie liebte ihn, sie liebte ihn, sie mußte lachen, ihr neues, tiefes Lachen, wenn sie ihn nur ansah, diesen großen, in sich verhaltenen Menschen.

Sie begriff ihn besser, seit sie seine Heimat kannte; immer stand der schwarzblaue, unbewegte Strich der stillen Ostsee am Himmel, uralte Linden wanderten in langer Allee zum Gutshof, landeinwärts lag der See, auch er ohne Ufer. Die Wiesen dehnten sich gleichmäßig grün, es wuchsen kleine Blumen hier, aber der Kiwitt rief im Ried, und die Möwen lachten und kamen mit ihren verschmitzten Gesichtern bis an die Fenster. Der unbewegte Himmel wurde niemals ganz blau, die Nacht war schweigsam und nordisch hell. Ina lag an Martins Schulter gebettet, und das Gefühl von Heimat und Fremde zugleich floß ihr wunderlich in eins.

»Mein Mann«, flüsterte sie. Das Wort war ausgefüllt bis an den Rand; sie hatte es nie zuvor gesprochen. Martins Kraft war darin, diese Kraft im Schweigsamsein und die Kraft im Losbrechen, seine warmen, breiten Hände, das Komische und das Rührende in ihm, seine geraden, einfachen Gedanken zu guten Zeiten, der fremde Geruch seines Körpers und das Fremde, unbegreiflich Männliche seines Herzens. Auch das Kind war mit in dem Wort: Mein Mann. Aber das Ehrgeizige, das Zielstreberische, Betriebsame, die Maske war nicht darin.

Ina wähnte den ehrgeizigen Hunold begraben zugleich mit der erfahrenen, raffinierten, bewußten Ina Raffay.

»Die Ina singt«, sagte verwundert Fräulein Zwillingsbauer, die in der Küche am offenen Herd hantierte. »Jetzt kenn' ich sie von klein auf, aber sowas hab' ich nie gehört: Die Ina singt!«

Sie sang; sie saß im Garten, das Kind lag nackt auf einem Tuch im Gras mit seinen sonnenbraunen, runden Gliedern und krähte Mücken an und spielende Sonnenstrahlen, und Ina sang. Sie hatte die tiefe, gebrochene, ungeübte Stimme eines Knaben, halb rührend klang es und halb spaßhaft. Das Kind wendete seine Augen angestrengt der Mutter zu und lachte zum erstenmal. Dünne Glocken zogen vom Dorf her; es roch nach Teer und weitem Wasser. Das Gitter klinkte auf und zu, und da stand Martin und ließ einen silbrigen Fisch ins Gras fallen und breitete weit die Arme aus.

An diesen Augenblick mußte Ina später noch oft denken, in der Stadt, und noch in Jahren, als das Traurige kam.

In der Stadt war alles anders. In der Stadt verwandelte sich Martin Hunold schnell und unheimlich aus einem Menschen in einen Chefredakteur. In der Stadt wohnte man in hohen Zimmern und dunklen Tapeten, vor den breiten Flügeltüren waren schwere Portieren. Ina haßte Portieren, aber Hunold fand sie unerläßlich zu einer standesgemäßen Lebensführung. Irgendwo saß in seinem holsteinischen Bauernschädel unverwüstlich der Respekt vor dicken, haltbaren, soliden Dingen. Die Möbel waren teuer und ernsthaft, er suchte sie in seiner schweigsam dickköpfigen Art zusammen, und Ina hatte den Verdacht, daß die Einrichtung so angeschafft wurde, wie er sie einmal als kleiner Gärtnerjunge bei der Schloßherrschaft bewundert hatte. Man besaß auch einen Garten, ein kümmerliches Stückchen Gras von drei Quadratmetern Umfang, auf dem zwei Taxusbäumchen ihr Schattendasein verbrachten. Doch auch einen wirklichen Baum hatte man, einen alten Ahorn hinter dem Hause, der seine Zweige vor dem Fenster des Kinderzimmers bewegte, rotgolden im Herbst, silbern im Winter, hellgrün, wenn die Sonne wiederkam. »Baum« war das erste Wort, das der kleine Martin erlernte; er streckte seine kleinen Arme zum Fenster und rief das Lebendige, Freundliche draußen an, noch bevor er Vater und Mutter sagen konnte. Das zweite Wort, von einem seligen Jauchzen begleitet, galt einer Blume, einer roten Hyazinthe in Inas Zimmer. »Er ist ein Wald- und Wiesenkind«, sagte sie und dachte an die erdverwachsene Stunde, da sie ihn empfangen hatte.

Ob Doktor Hunold noch daran dachte, war sehr ungewiß. Ina betrachtete den von Geschäften gejagten, sehr fremden, nicht ganz sympathischen Herrn, mit dem sie nun verheiratet war, und blieb geduldig. Sie liebte ihn ja hinter seiner Maske. Er war schon einmal echt, er wird wieder echt werden, dachte sie und wartete lächelnd.

Im Kinderzimmer, zwischen bunten Wänden, wuchs ihr indessen eine Welt auf. Da erwachten blaue Augen zum Sehen, da griffen kleine Hände nach den gemalten Märchenbildern an der Wand, da formte ein ungeschickter Mund, in dem die ersten Zähnchen prangten, Worte und Fragen. Der kleine Martin wuchs und gedieh. Bald stand er auf strammen braunen Beinchen, bald tapste er los, ins Leben hinein, das ihm bunt und warm entgegenkam.

Über ein Jahr war das Kind alt, als es den Vater zum erstenmal sitzen sah, an ihm hinaufkrabbeln konnte, sein Gesicht anfassen und sich mit dem nähergerückten befreunden. Es war nach Tisch, in Hunolds Arbeitszimmer; vorher hatte man Gäste gehabt, belgische und englische Kriegsberichterstatter, die nach dem Balkan reisten, wo schon wieder etwas los war. Die Fenster standen offen, eine Drehorgel spielte fern, im Zimmer schwamm der Geruch von Zigarren und Mokka. Hunold hatte zum erstenmal das Kind auf dem Schoß, er saß bequem zurückgelehnt, und seine beiden Hände waren gefüllt und zufrieden, ohne daß er es klar wußte. Die Linke lag auf der Lehne des breiten Klubstuhls und spürte das kühle, glatte Leder, die Rechte umfaßte die warme, kräftige Kniescheibe des Buben. Hunold atmete tief und sagte: »Hübsch ist es bei uns.«

Ina, die am Bücherschrank stand und die gebrauchten Landkarten forträumte, wandte den Kopf über die Schulter und nickte lächelnd. Der Mann sah das Anmutige, Einzigartige ihrer Bewegung und sah es doch nicht; schon war es ihm selbstverständlich geworden, daß diese schwebend beschwingten Gebärden sein Besitz waren.

»Wann glaubst du also, daß wir an die See können?« fragte Ina und nahm damit ein Thema auf, das seit Wochen zur Diskussion stand.

»Vorläufig nicht, wie du siehst; ich muß noch hierbleiben. Du hast es ja gehört: Es ist fast sicher, daß wir eine Krise bekommen. Die Sache am Balkan.«

»Seit du eine Zeitung hast, gibt es eigentlich immer Krisen. Du kannst nicht zu Hause essen, du kannst kein Buch lesen, du kannst nicht spazierengehen: Es ist eine Krise da. Der Kanzler, der Minister, die Partei, die Richtung, die äußere Politik, die innere Politik: Alles wackelt immerfort. Man könnte glauben, die ganze Politik besteht nur aus Krisen!«

»Ja, das könnte man glauben«, sagte Doktor Hunold vergnügt.

»Es ist ein trauriges Geschäft, deine Politik; ich werde nie begreifen, was all das mit dir zu tun hat, mit dir innen, mit deinem Leben. Früher, da hattest du noch Zeit, manchmal bei mir Tee zu trinken; in Birkenfeldt.«

»Ja, in Birkenfeldt!« sagte er und lachte nachsichtig wie über etwas Kindliches, längst Überwundenes.

»In Birkenfeldt hattest du noch Augen, Martin, du konntest eine Wiese sehen, einen Himmel. Das Unwirkliche hast du ja nie gesehen, es würde auch schlecht zu dir passen; aber auch für das Wirkliche wirst du blind. Nein, Martin, es ist hohe Zeit, daß wir an die See kommen, in das kleine Haus; es ist notwendig, daß du dir den Kopf wieder an Bauernbalken stößt.«

Hunold schaukelte das Kind vorsichtig auf den Knien und erwiderte sachlich: »Ich werde nächste Woche nach Berlin müssen; aber fahre du mit dem Kind und der Zwillingsbauer an die See. Vielleicht kann ich nachkommen, wenn es keine Verwicklungen gibt.«

»Sicher gibt es Verwicklungen; Verwicklungen gibt es immer. Und dein ›Vielleicht‹ kenne ich; vielleicht heißt: Nie.« Sie trat hinter seinen Stuhl, und eine Hand auf seine Schulter legend, sagte sie leiser: »Ich war so geduldig, dies ganze Jahr; ich habe so auf den Sommer gewartet. Glaube mir, wir brauchen ihn.«

»Aber die Krise!«

»Martin, vielleicht bin auch ich in einer Krise«, sagte Ina

hell, sie lächelte schüchtern und hatte dabei Tränen in den Augen; das bemerkte er nicht. Er sagte bedächtig:

»Und wenn du mich nun von meiner Arbeit fort nach Holstein geschleppt hättest, was soll das helfen? Ich habe den Kopf so voll, von wichtigen Dingen.«

Wichtige Dinge? dachte Ina spöttisch und traurig, und sagte: »Ich möchte wieder mit dem Kind im Garten sitzen und singen; das wäre wichtig.«

»Das kannst du auch ohne mich, Ina, Liebe.«

Die Drehorgel spielte näher und machte den Kleinen leise jauchzen. Ina wandte ihr Gesicht von Hunold fort und sagte langsam: »Ach nein. Ohne dich kann ich nicht singen. Du mußt durch die Gartentür kommen und einen dicken Fisch gefangen haben und ihn fallen lassen.«

Er sah den verträumten, kindlichen Blick nicht, mit dem sie in die Luft hin jenes Bild baute, das ihr unlöslich zur Vorstellung des Glücks geworden war, und er sagte zwischen Zärtlichkeit und Ungeduld: »Du bist kindisch, Liebe.«

Sie ließ nur die Hand fallen, und nach einer Weile sagte sie still: »Ich glaube, du hast mich nicht richtig lieb.«

Er stand heftig auf, von etwas im Ton angerührt, trat mit dem Kind auf dem Arm zu ihr und hob ihr gesenktes, sich verschließendes Gesicht zu sich auf; er schwieg noch einen Augenblick, bevor er sagte: »Ich habe dich richtig lieb, Ina. Ich habe dich ja geheiratet.«

Es war etwas sonderbar Kämpfendes, Ernsthaftes, Drohendes in seinem Blick und auf der eckigen, großen Stirn; es dauerte einen Atemzug, bevor Ina begriff, und dann verstand sie alles. Seinen Kampf und das Widerstreben und die verbissen ausweichende Überwindung vor jener Nacht in Birkenfeldt, und was es den Schweigsamen nachher gekostet haben mochte, sie ganz zu sich und in sein Leben zu nehmen. Sie nahm ihm das Kind aus dem Arm, es war Schutzsuchendes in der Bewegung, mit der sie es an sich drückte. Einen Pulsschlag lang sah sie sich so, wie er sie sah: Ina Raffay, die Tänzerin, die nackte Frau im Rampenlicht, die Abenteurerin, aus einer unbekannten Vergangenheit auftauchend; und doch die Mutter seines Sohnes. Und doch die Frau seines Hauses. Das brannte wie eine Beleidigung und beglückte zugleich.

Ein wenig schwindlig trat sie an das offene Fenster; das Kind streckte die Arme hinaus nach den Klängen der Drehorgel. Während Ina da stand und wunderlich lächelte, sah sie die Kurve ihres Lebens: Aus Traum und Reinheit sinkend in Enttäuschung und Enttäuschung; bis in die Tiefen verstrickt in das Erlebnis der Sinnlichkeit, bis auf den Grund gelangt, in jener Zeit in Berlin. Und trotzdem immer steil nach aufwärts gezogen durch die Arbeit der Seele, das Werk, die lustige Künstlerschaft. Versandend dann in Routine und Virtuosität und Gleichgültigkeit und äußerem Aufstieg. Aufgeweckt in einer verwischten, vielleicht nur geträumten Nacht inmitten des Meeres. In sich gewendet, sich wieder hebend in Jahren der Stille und neu geworden, noch einmal geboren in Mann und Kind. Sie sah den Bogen ihres Lebens, und in ihr fragte es: Angefüllt mit jedem Erlebnis, das eine Frau zu erleben vermag, tief im Glück und dennoch unzufrieden, Seele?

Tief im Glück und dennoch unzufrieden, antwortete die Seele.

Die Bilder entrollten wie Perlen von einer zerrissenen Kette. Ina durchwanderte Jahre, und als sie zurückkehrte, hatte die Drehorgel ihr Stück noch nicht beendet, hatte der Mann seinen ernsthaften Blick noch nicht von ihr genommen. Wir sind nur Inseln und werden einander nie kennen, dachte sie, aber sie sprach es nicht aus. Sie streckte die Hände über eine Leere hin, ihm entgegen und legte mit einer sonderbar zärtlichen, stolzen und dabei sklavenhaften Bewegung ihre Stirn, die unverwischbar adlige Kaiserinnenstirn, auf den Rücken seiner breiten Hand.

Dann brachte Fräulein Zwillingsbauer die Nachmittagspost, dann wurde von der Redaktion angerufen, dann waren Depeschen aus London da.

Übrigens ging Ina nicht mit dem Kind allein an die See. Es war nun so mit ihr geworden, daß eine Luft, in der ihr Mann nicht lebte, schwer zu atmen ging, ein Haus ohne ihn war trostlos, ein Tag ohne ihn nahm kein Ende. Die prophezeite Krise trat ein, er reiste nach Berlin, kam verstimmt zurück, reiste wieder ab ins Industriegebiet, konferierte, beriet, diktierte Leitartikel durch das Telefon, überredete, hatte Erfolg. Nachher merkte Ina, daß er um ein paar Stufen höhergekommen war, sein Name begann nun eine Macht und eine Zukunft zu bedeuten, was er sprach, und was er schrieb, wurde herrischer, kürzer, zusammengefaßter in der Form. Manchmal erschrak sie: Nun hatte er seine Aufrichtigkeit verloren. Er bog alles nach seinem Zweck, und wenn er riesige Perspektiven aufbaute, sah sie zu klar das kleine Ziel, den persönlichen, engen Ehrgeiz, der Antrieb zu allem war.

Einmal sprach sie es aus, nach einer Gesellschaft, in der jeder seinen eigenen Nutzen gesucht, Doktor Hunold alles auf seine Seite gezogen hatte: »Ich glaube, du hast dich in die Politik gesetzt wie in ein Auto, um schneller vorwärts zu kommen. Am Herzen liegt es dir ebensowenig wie die Dinge, über die du früher schriebst; aber was liegt dir wirklich am Herzen? Macht? Macht hast du jetzt, ja, die Aktien steigen und fallen auf dein Kommando. Mir ist es unheimlich, daß wir so schnell reich werden, es macht mir Angst um dich.«

»Ich denke, du findest es hübsch, reich zu sein?« sagte er oberflächlich lächelnd.

»Es ist mir im Grund gleichgültig; Armsein oder Reichsein.«

Er lachte in sich hinein und schaute ihr fast spöttisch zu, die in Valenciennesspitzen vor dem großen Spiegel stand und mit dem Schildpattkamm durch ihr Haar strich. »Du Verwöhnte!« sagte er spielerisch und ohne Ernst. Im Spiegel sah sie ihn auf und ab gehen, sich entkleiden, die Arme dehnen, stehenbleiben und ernster werden. »Du kennst Armsein nicht, dir kann es gleichgültig sein. Aber ich habe die Armut geschmeckt, manchmal träume ich noch von dem Loch, in dem ich wohnte, von dem Fraß, den ich schluckte, von der Hetze und der Entwürdigung, in der ein armer Kerl lebt. Das kennst du nicht, du, seidene Frau.«

Ina schaute versunken in den Spiegel. Ich kenne Armsein und Reichsein, dachte sie, aber es hat nichts mit mir zu tun oder mit dem Leben oder mit dem Glück. Im Spiegel lag schief und schwankend das Zimmer mit den breiten, geöffneten Betten, der große Mann ging im Schlafgewand hin und her und zog die Uhren auf, die kleine Pendüle in der Ecke, dann die Weckuhr und zum Schluß die goldene Taschenuhr, die er sorglich in ein Etui hing; sie tickten alle so eifrig und dienstbeflissen, das Bett seufzte metallen, als er sich hinlegte, dann griff er mechanisch nach einer von den Broschüren auf dem Nachtschrank; sie alle waren in häßliche, geschäftsmäßige Farben geheftet, grüngrau, gelbbraun, schmutzigweiß. Ina ließ die Hände aus ihrem Haar sinken. »Es ist alles wieder so wirklich geworden«, sagte sie leise und klagend. Nachher stand sie noch lang im dunklen Nebenzimmer am Bettchen des Kindes, ihr Herz zitterte vor Zärtlichkeit, und ihre Hände tranken sich Glück aus dem schlafwarmen Haar des kleinen, träumenden Martin Hunold.

Fräulein Zwillingsbauer nahm manchmal Gelegenheit, unzufrieden den Kopf mit den ergrauten Stirnlöckchen zu schütteln. »Es ist nicht gesund, wie es die Ina mit dem Buberl treibt«, äußerte sie und machte das Zitronengesicht.

Ina lachte dazu. »Nicht gesund?« sagte sie. »Aber schau ihn doch an!« Er stand in seiner kleinen Badewanne und war prächtig anzusehen mit dem festen, runden Körperchen und dem eigenwillig aufgesteilten Schöpflein über der kleinen Stirn, die schon anfing, Spuren Hunoldscher Eckigkeit zu zeigen. »Er hat alte Augen«, behauptete Fräulein Zwillingsbauer dickköpfig. Er hat die Delares-Augen, dachte Ina. Sie lagen unter schweren Lidern, sie waren blau, aber sie wechselten die Farbe wie Landschaften unter wandernden Wolkenschatten, und manchmal lag schon ein wunderbares, abgewandtes Suchen in ihnen, das wirklich über sein Alter ging. Sonst war er wild, unbändig, eigensinnig; vor allem; wenn er sich damit beschäftigte, ein Spielzeug zu zerbrechen, stand ihm eine stille, hartnäckige Gründlichkeit zu Gebote, die Ina lachen machte. Er glich in vielen Dingen dem Vater, aber er war ein Mutterkind.

Im Frühjahr wurde ein Auto angeschafft. Vorbereitungen zu den Wahlen, bei denen er als Kandidat aufgestellt war, gaben Doktor Hunold viel zu schaffen. Ständig war er unterwegs, besuchte Gutsbesitzer, leitete dörfliche Versammlungen, lernte strebsam sogar den Dialekt der Gegend, nach Hause kam er höchst unregelmäßig. Ina lebte ihren Tag nun ganz im Kinderzimmer, zwischen den Bildern von Dornröschen und Schneewittchen, es wuchs eine Leere in ihr, die nur das Kind auszufüllen vermochte.

Es begab sich aber, daß Doktor Hunold in diesem Sommer wahrhaftig Zeit fand, nach Holstein in das kleine Haus zu reisen. Wieder saß Ina im Garten, das Kind spielte nackt im Gras, das Gartengitter klinkte, Hunold kam vom Fischfang, und wieder nahm er sie in die Arme. Aber sie sang nicht mehr, die Stunde hatte nicht das Schwingende, den perlmutternen Glanz, sie schwamm nicht zitternd hin wie Glockenton. Zum erstenmal begriff es Ina stark, wie Glück so fern von allem Wesenhaften, Greifbaren ist, so ganz nur Luft, zauberisches Gefühl. Wann war ich glücklich? fragte es in ihr; sie schaute in Vergangenes.

Ein Morgengang am Wasserlauf entlang, ein Ritt im Bois; fern am Rand ihrer Gedanken stand ein durchsonnter Tag auf, Turmfalken hingen im Blau, alle Dinge der Welt glänzten. Ferner noch rauschten Birken über eingesunkenen Steinen; wie war ihre Stimme stumm geworden so lange Zeit; und dann stand in Dunst und Abendsonnenschein ein kleines Mädchen, noch war der feuchte Duft der Wiesen unvergessen, und oben im Himmel zerging ein selig aufwärtsfliehender Punkt, ein roter Luftballon. Ina wachte auf und lächelte und dachte, daß der kleine Martin bald einen Luftballon haben müsse, und wie es sein wird, wenn er zum erstenmal die Sehnsucht erlebt. Er saß auf der Erde und fütterte seinen Bären mit Sandkuchen. Sie kniete neben ihm hin und drückte sein Köpfchen an sich. Sie spürte, daß alle Freude und alles Zukünftige ihres Lebens nur mehr in diesen kleinen, erdbeschmutzten Knabenhänden lag.

Auf dem Boden des Hauses stand ein Schrank, in dem waren die alten Kostüme verschlossen. Ina fragte nach dem Schlüssel. »Der ist verlorengegangen«, antwortete Fräulein Zwillingsbauer und schaute an ihr vorbei. Ina schwieg, aber sie fand einen anderen Schlüssel, der das störrisch knirschende Schloß öffnete, und dann saß sie oft stundenlang vor dem Schrank im Halbdunkel, leer blickend, fast ohne Gedanken. Spinnweben wehten grau vor den Dachluken, gestorbener Duft stieg auf, sie tauchte ihre Hände in die Seide und ließ sie baden. Ihr Leben hing da in dem Schrank. Das grüne Kleid der ersten Tänze, Irins Jungfrauengewand, der verlarvte Harlekin, das Mohnblumenkleid mit verblichenem Rot; dann die Gewänder aus aller Welt, eine Wirrnis von Farben und Stoffen. Und dann das weiße Priesterinnenkleid, das sie ausgezogen hatte, bevor sie in einer Gewitternacht die Stufen hinabgestiegen war, die zur Wiese führten.

Ina Raffay war fünfunddreißig Jahre alt. Sie war nicht glücklich. Schlimmer: sie war auch nicht unglücklich. Sie war stumpf, gleichgültig geworden, in die Wirklichkeit gesunken. Manchmal rüttelten Träume an ihr Herz. Der Mann im schwarzen Mantel erschien, verbeugte sich, präsentierte sein Billett, auf dem stand: 40. Es ist gut, sagte sie gesättigt und schlaff, aber sie hatte noch immer das Entsetzen vor dem Unheimlichen seiner Hände, die er verbarg. Fernand rief nach ihr, er klopfte an ihr Haus mit den Portieren und den gediegenen Möbeln. Eine Tasse Mokka? Eine gute Zigarre? fragte Doktor Hunold geschäftsmäßig aus seinem breiten, besitzerhaften Klubstuhl.

»Wie hast du dich verloren«, sagte Fernand. ›Wie hast du dich verloren‹, fragte ihr Herz. Die toten Kleider im Schrank sagten es, und die Türen, die sie schloß: ›Wie hast du dich verloren.‹

Sie ging die Bodentreppe hinab, hinunter ins Souterrain und besprach mit der Köchin das Menü für die nächste Gesellschaft. Das Telefon ging. »Der Herr Doktor läßt sagen, er kann nicht zum Essen kommen, die Gnädige möchte allein speisen«, verkündigte Fräulein Zwillingsbauer. Was macht sie für ein unverschämtes Gesicht? dachte Ina nervös und sagte: »Dann will ich mit dem Kind essen.«

Das Kind aber hatte schon gegessen, es schlief, und sie durfte nicht ins Kinderzimmer. Es quälte sie, daß sie vor dem Kostümschrank den Mittagskuß des kleinen Martin versäumt hatte.

Sie aß, schrieb ein paar höfliche Briefe, begoß ihre Blumen. Nachmittags mußte sie zu einer Sitzung des Frauenvereins; es wurde von schwarzseidenen Lorgnondamen Wohltätiges und Unsinniges geredet, das Ina unruhig machte bis zur Unerträglichkeit; sie hatte Kopfschmerzen, sie entschuldigte sich und brach früher auf. Es war ein lauer Herbsttag, in den Gassen dämmerte es schon, nur die Kirchtürme hatten noch Sonne. In den Anlagen trieb schläfriges Laub daher, von einem Haus hing eine schlaffe, schwarze Fahne, die ihr ein unbestimmtes, quälendes Gefühl erweckte. Sie ging eiliger, sie hoffte das Kind noch bei seinem Nachmittagsspaziergang anzutreffen, aber sie suchte sein rotes Mäntelchen vergebens. Dabei fiel ihr die Farbe der schönen, böhmischen Rubingläser ein, die sie bei einem Trödler in der Altstadt gesehen hatte; aus Langweile sammelte sie neuerdings allerhand kleine alte Dinge. Sie bog in enge Gassen ein, Giebel neigten sich gegeneinander, Torbögen führten in Höfe, aus denen säuerlicher Geruch von Obstwein stieg. Sie ließ sich die Gläser zeigen, prüfte mit dem Daumennagel den Schliff, hielt eines lange in der Hand. Die kühle Glätte beruhigte etwas in ihr, das quälte. Sie kaufte das Glas, sie wollte es Hunold schenken, er hatte ein so farbloses Leben.

Vor dem Tor der Redaktion zögerte sie noch einen Augenblick; am Dach begann schon die Lichtreklame in den noch fahlgrünen Himmel zu funken, unten drängten sich Köpfe vor den letzten Nachrichten und Bildern. Im Flur war Schmutz von vielen Schritten und eine warme, bittersüße Luft, die Rotationspressen arbeiteten im Keller und stießen ihr regelmäßiges Poltern an die Mauern. Setzerjungen rannten wichtig auf den Treppen und ließen Fahnen und Manuskripte in der Zugluft wehen. Das Vorzimmer der Redaktion war trüb beleuchtet, auf einer abgenutzten Lederbank saßen graugelbe Menschen, die abwechselnd gähnten, mit Gesichtern, die vom langen Warten eingesunken waren. Der Diener brachte tiefe Verbeugungen zum Vorschein. Der Chef war abwesend, wollte aber vor Schluß des Blattes zurück sein. Das Blatt war fertig, man wartete auf ihn. »Ich werde auch warten«, sagte Ina ziellos.

In Doktor Hunolds Zimmer war eine kalte, eingesperrte Luft. Sie öffnete das Fenster, die Lampe überm Schreibtisch schüttete grünes Licht in den fröstelnden Raum. Es roch nach Staub, Papier, kalten Zigarren; sonderbar nahm sich eine Portiere vor der Tür des nackten Zimmers aus. Ina lächelte und dachte: Armer Mensch. Der Feuilletonredakteur erschien, sie zu begrüßen; zur halboffenen Tür steckte der Musikkritiker seinen Kopf herein und machte ein weltmännisches Gesicht, als er Ina fand; er trank manchmal bei ihr den Tee und hatte eine kleine Schwärmerei für sie. »Was wollen Sie, Gnädigste, wir sind Sklaven«, sagte er im Ton eines veralteten Konversationsstückes. »Nachmittags geistliche Musik im Dom, abends Museumskonzert, nachher noch ein Akt ›Götterdämmerung‹, dann Nachtreferat. Thomas Brandt dirigiert selbst seine ›Meer-Symphonie‹, der gute alte Herr. Es fällt ihm nichts mehr ein, nichts. Er kann einem leid tun mit seinen Ganztonfolgen und seiner chromatischen Durchgangsharmonik. Das können heute schon die Kinder in den Windeln. Er ist alt geworden.«

»Ja?« sagte Ina und schaute lächelnd in den roten Reflex, den ihr Rubinglas auf die fleckige Schreibtischplatte schüttete. »Ist Thomas Brandt ein alter Herr geworden? Ich habe ihn lange nicht gesehen, zuletzt in Amerika. Ich hätte eigentlich Lust, hinzugehen. Ich könnte nach Hause telephonieren.«

Im Telephon hörte sie zuerst einen langen, hohen, sonderbar gezogenen Ton, der ihren Nerven weh tat, dann kam Fräulein Zwillingsbauers Stimme und sagte zögernd: »Vielleicht kommt die Ina lieber bald nach Hause, das Kind gefällt mir nicht.«

»Was ist los?« fragte Ina und hielt den Atem an.

»Er weint immerfort. Er will die Mutter. Er gefällt mir nicht.«

Er weinte. Ina erkannte den hohen Ton, er klang so kläglich und arm im Telephon. »Ich komme sofort«, sagte sie und hatte schon das Konzert und Thomas Brandt vergessen. An der Tür stieß sie mit Hunold zusammen.

»Ach, du bist es? Große Ehre!« sagte er schwerfällig.

»Kann ich das Auto haben, es ist etwas mit dem Kind los«, rief sie und lief schon davon.

»Wie überspannt die Frauen sind!« sagte Doktor Hunold zu seinen Redakteuren. »Wenn Berlin ruft, umschalten nach hier, ich muß vielleicht heute noch hinfahren.« Er nahm das rote Glas, das auf dem Tisch stand, drehte es unschlüssig hin und her in den Händen und schob es dann weg. Auch das Fenster schloß er wieder. Er brauchte Ruhe zum Arbeiten.

Der kleine Martin saß auf seinem Spielteppich und weinte, als Ina eintrat; er hielt den Kopf trostbedürftig in das unverwüstliche Fell seines kleinen Bären Tet vergraben; am Boden waren Bauklötzchen zu merkwürdigen kleinen Gebäuden aufgeschichtet; eine Kuh stand auf drei Beinen daneben und schaute stumpfsinnig. Fräulein Zwillingsbauer rührte am Tisch Limonade zurecht, sie hatte einen faltigen, besorgten Mund.

Ina warf die Handschuhe ins Zimmer und hob das Kind auf; gleich legte es gestillt sein Köpfchen an ihre Brust. Sie griff es an, es fieberte nicht, aber es war ein wenig grau um die Augen und atmete sonderbar schnell. »Tut dir was weh?« fragte sie, aber er machte sein hartnäckiges Gesicht, und sie wußte, daß er dann stumm war wie sein Vater.

»Er sagt, es ist ihm etwas Schlechtes in den Mund geflogen«, berichtete Fräulein Zwillingsbauer und näherte sich mit dem Limonadenglas; da stieß das Kind einen kurzen, heiseren Schrei aus, und seine Augen ängstigten sich. »Er ißt nicht und trinkt nicht«, klagte sie.

Ina sagte mit dem sicheren Gefühl der Mutter: »Er wird Halsschmerzen haben und will nicht schlucken. Es kann nichts Schlimmes sein, er hat kein Fieber, es kann nichts Schlimmes sein.« Ihre Hände zitterten ein wenig, als sie ihn entkleidete, doch als sie den festen, braunen, entblößten Körper sah, lächelte sie getröstet. Er sah so gesund aus, nur das Steilschöpflein zeigte einige Betrübnis und hing welk in die kleine Stirn. Noch auf ihrem Arm schloß er die verweinten Augen und schlief ein. Ina legte ihn zu Bett und telephonierte den Arzt. Doktor Bentheim war nicht zu Hause, er war ins Museumskonzert gegangen und würde gleich morgens kommen.

Sie ging zurück ins Kinderzimmer, Martin schlief, im Dunkeln hörte sie ihn schnell und unregelmäßig atmen, es war ein fremder, beängstigender Unterton dabei. Das Haus lag sonderbar stumm. Fräulein Zwillingsbauer hatte Filzschuhe angetan und schlich in der Diele herum. Sie wischte Staub, es war eine sinnlose Beschäftigung am Abend. Ina schaute ihr stumm zu, sie begriff die harten, verrunzelten Hände gut, die ihre Unruhe zu betäuben suchten. Sie selbst hatte ein Buch in der Hand und las nicht.

Das Telephon klingelte, und Hunolds eilige Stimme kam daher: »Bitte, Kind, laß mir den Koffer packen, der Chauffeur wird ihn abholen. Ich muß noch mit dem Nachtzug nach Berlin.«

»So plötzlich?«

»Ja, ganz plötzlich; es ist wichtig.«

»Kannst du es nicht verschieben, Martin? Ich glaube, das Kind wird krank. Mir ist so ängstlich«, sagte Ina, und einen Augenblick war ihr kindlich bang nach der Ruhe, die von Hunolds breiten Händen ausgehen konnte und von seiner tiefen Stimme.

»Nein, verschieben, das geht nicht; es ist zu wichtig. Ich kann dir das am Telephon nicht so erklären. Was ist es mit dem Kind? Hat es Fieber?«

»Nein.«

»Schmerzen?«

»Nein, ich weiß nicht, vielleicht Halsschmerzen; es spricht nichts.«

»Was macht es denn?«

»Es schläft.«

Durch das Telephon kam Hunolds tiefes Lachen. »Du bist verrückt, Ina«, sagte er, »du bist überspannt mit dem Buben. Er hat kein Fieber, er hat keine Schmerzen, er schläft. Morgen früh wird er gesund aufwachen. Und deshalb soll ich nicht nach Berlin fahren? Aber Kind!«

»Du fährst das dritte Mal in diesem Monat. Wenn ich dich

nun bitte, ich bin ängstlich, ich spüre alle Nerven in mir, ich bitte dich!«

»Du bittest mich, wie kindisch, Ina. Es geht um die wichtigsten Dinge! Du hättest keinen Abgeordneten heiraten dürfen.«

Ich habe keinen Abgeordneten geheiratet, dachte Ina, und das machte ihre Lippen hart und schmal. »Es ist gut, Martin«, sagte sie. »Der Chauffeur kann den Koffer holen. Depeschiere mir, wann du wiederkommst.«

»Depeschiere du mir, wie es dem Kind geht!« rief er noch in das Telephon; aber da hatte sie schon abgehängt. Er zuckte die Achseln und drehte das Licht in seinem kahlen Redaktionszimmer aus. Das Letzte, das er sah, war der aufzuckende Reflex des Rubinglases auf seinem Tisch.

Es wird nichts sein, es hat kein Fieber, dachte Ina. Er hatte kein Fieber. Sie stand noch eine Weile an seinem Bettchen, bevor sie sich hinlegte. Er zuckte manchmal zusammen, und sein Atem war fremd und ungleich; aber er schlief. Auf der Erde standen die drolligen kleinen Häuschen, die er gebaut hatte, und Tet, der Bär, und die dreibeinige Kuh bestaunten sie mit starren Augen. Ina lächelte. Morgen wird er weiterbauen, dachte sie, es ging etwas Tröstendes von dem Spielzeug aus.

Aber am Morgen hatte der kleine Martin Fieber. Doktor Bentheim kam und rieb die Hände mit den kurzgeschnittenen Nägeln und sprach ablenkend vom gestrigen Museumskonzert, während er das hartnäckig stumme Kind untersuchte, das schwer nach Atem rang. Ina hielt den kleinen Martin ans Licht, und ihre Kiefer schmerzten, als der Arzt ihm mit einem Messer die trotzigen kleinen Zähne auseinanderstemmte und den Hals untersuchte.

Doktor Bentheim hob sein Gesicht nach einer Weile empor, die Pupillen in seinen gewölbten Augen zitterten ein wenig, aber sonst war es unbewegt. »Ja, nun«, sagte er. »Wir werden eine kleine Spritze geben.«

»Was ist es? Diphtheritis?«

»Ja.«

Ina legte das Kind ganz still weg. Sie war ein wenig schwindlig geworden. Sie trat ans Fenster und schaute sonderbar leer hinaus. Der Herbst hatte die ersten Blätter vom Ahornbaum gestreift. Im Souterrain sang die Stimme der Köchin langgezogen einen Operettenschlager. »Ist es schlimm?« fragte Ina, sich ins Zimmer zurückwendend.

»Das wollen wir nicht hoffen, gnädige Frau«, antwortete Doktor Bentheim vage; er kam sich immer wie ein Scharlatan vor, wenn er seine berufsmäßigen Tröstungen vorbringen sollte. Der kleine Martin schrie nicht einmal, als er ihm die Spritze in das Ärmchen stach, er lag apathisch, aber mit einem merkwürdig alten, gesammelten Ausdruck da. Ina schien es, als hätte er alle Kraft darauf gespannt, zu atmen, immer wieder zu atmen, so schwer es auch ging.

»Abends komme ich wieder; empfehlen Sie mich dem Herrn Gemahl«, sagte Doktor Bentheim und verschwand.

Das Kind fieberte und schwieg und kämpfte um sein bißchen Atem, Stunde um Stunde. Ina saß am Bett und schaute in das kleine, ernsthaft angestrengte Gesicht mit den geschlossenen Augen und den heißen Wangen. Sie hielt das Händchen, und unter den Fingern jagte der Puls und jagte. Sie legte die andere Hand auf das Herz des Kindes, sie fühlte den atemlosen, gehetzten Schlag, und in ihr war ein so wacher und schneidend harter Schmerz wie nie zuvor im Leben. Die Stunden schlichen gebückt und langsam hin. Es dämmerte, es wurde Nacht, es wurde grauer Morgen und wieder Tag. Manchmal flüsterte Ina dem Kind Zärtlichkeiten zu, es schien nicht zu verstehen, einmal öffnete es halb die Lider und drehte seinen fremd gewordenen Blick in die Augenwinkel nach der Mutter. Manchmal riß es ihn empor, sitzend rang es nach Luft, selten einmal brach ein Schrei aus ihm. Schweiß bedeckte das kleine Gesicht, auf dem Verfall seine Züge um Mund und Nase zeichnete.

Doktor Bentheim erschien und verschwand, er versuchte zu helfen und half doch nicht. Die Köchin sang nicht mehr. Irma schlich manchmal herbei, klapperte ganz leise mit Tellern, murmelte: »Die Ina muß was essen, die Ina muß schlafen.«

Aber Ina saß nur, hielt die Kinderhand fest in der ihren, und alles in ihr war äußerster, krampfhaft gespannter Wille. Sie hatte nie solche Angst gespürt, nie solchen Schmerz, nie solchen Willen. In der Nacht stand der Mann im schwarzen Mantel vor dem Haus, an den Stamm des Ahorns gelehnt und wartend. Bisher war er Freund gewesen, Vertrauter, Bild aus Träumen, Ahnung eines Tanzes. Nun hatte er seine unheimlichen Hände enthüllt und war zum Feind geworden. Sie kämpfte mit ihm, gebannt am Krankenbett sitzend, starr wie in einem Krampf des Willens. Auch das Kind kämpfte. Es litt furchtbar. In wilder Anstrengung eroberte es sich Atemzug um Atemzug. Manchmal kam eine kurze Zeit der Stille, fiebrigen Hinschlafens. Dann löste sich Ina ein wenig und dachte: Es ist ja nicht möglich, es ist ja nicht möglich.

Einmal fiel sie selbst in überreizten Schlaf; im Traum ging sie wieder durch die Anlagen, schläfriges Laub trieb dahin und sank von den Bäumen. Sie dachte: So viele Blätter fallen, so viele Kinder sterben. Die schlaffe Trauerfahne hing aus Wolkenhöhen bis auf ihren Weg. Sie suchte das rote Mäntelchen und fand es nicht, sie ging alle Wege, und immer wieder hing das schlaffe, traurige Schwarz vom Himmel, es war kein Rot zu sehen. Männer mit schweren Schultern beugten sich auf die Straße und hoben eine Last, eine hohe Frauenstimme klagte tierisch; Ina erschrak schuldig und konnte sich qualvoll nicht erinnern, wo sie dies schon einmal erlebt hatte. Sie erwachte.

Das Kind saß im Bett und röchelte nach Luft; seine Augen waren angstverzerrt und aufgerissen. Sie spürte ihre eigenen Augen trocken und weit werden vor Entsetzen. Aber es ging noch einmal vorüber.

Irma schlich wieder durchs Zimmer, sie trug ein Staubtuch in der Hand und bückte sich mechanisch und wollte die kleinen Spielsachen wegräumen: Den Bären, die dreibeinige Kuh, die merkwürdigen Häuschen aus Bauklötzchen. Ina fuhr heftig empor. »Nicht!« rief sie. »Nicht! Es muß alles so stehen bleiben; wenn er aufsteht, soll er weiterbauen.« Fräulein Zwillingsbauer schüttelte stumm den Kopf und verschwand schweigend. Sie wußte nicht, daß Ina sich stundenlang in diese Häuschen hineingesehen hatte, in dieses unvollendete Werk der kleinen Hände und der kleinen Seele. Die Häuschen lebten für sie, sie sprachen Trost und Hoffnung aus, mehr als alle andern Dinge. Er *mußte* gesund werden und sie vollenden.

Auch Doktor Bentheim gab Hoffnung, viel Hoffnung, obwohl seine Pupillen dabei in den gewölbten, kurzsichtigen Augen zitterten. »Weinen Sie nicht, gnädige Frau«, sagte er, »das sind so die Kinderkrankheiten.« Aber Ina dachte gar nicht daran, zu weinen; in ihr war alles hart wie Eisen.

Mit Doktor Hunold wechselte man Depeschen; manchmal ließ er Ina ans Telephon holen, und sie gab ihm wie schlafwandlerisch Auskunft. Der Apparat summte zu dem Ferngespräch, die Telephondamen sprachen dazwischen, Hunolds Stimme war dünn und fern und gänzlich fremd. Zu ihr konnte Ina nicht reden. »Komm nach Hause«, war alles, was sie vorbrachte. Er wollte nach Hause kommen, es war nur noch eine einzige wichtige Besprechung abzuwarten. Wichtige Dinge, hörte Ina und lächelte schief und hart. Er wollte täglich kommen und kam nicht. »Ist denn Gefahr?« fragte er, wenn Ina drängte. »Nein«, sagte sie. Eine verzweifelte Angst und Hoffnung hielt sie davon ab, Gefahr zu denken, Gefahr auszusprechen. »Ich komme trotzdem, ich fahre heute abend noch. Der Teufel soll das ganze Ministerium holen!« sagte er in Berlin. »Küß mir den Buben. Überanstrenge dich nicht; reg dich nicht zu sehr auf; das sind so Kinderkrankheiten. Ich komme noch heute.«

»Schluß?« fragte die Telephondame. »Ja«, sagte Ina. Sie wußte nicht, daß Hunold Herzklopfen hatte, und wie zärtlich und angstvoll er inmitten aller Geschäfte an sie und das Kind dachte. Er wieder ahnte nicht, wie weit sie schon von ihm fort war, und daß sein Kind den letzten Kampf focht.

Es war in einer lauen Regennacht, daß es im Krankenzimmer stiller wurde. Das Kind rang nicht mehr um Atem, es wurde nicht mehr in Stößen emporgeworfen, es riß nicht mehr diese heiseren, abwehrenden Schreie aus sich. Es lag mit Augen, die fast geschlossen waren, in deren Spalt die Pupillen dunkelten, und seine kleinen Finger zuckten wie bei einem Tier, das von Verfolgung träumt. Um elf Uhr war noch Doktor Bentheim dagewesen, hatte ziemlich schweigsam und forschend das Kind betrachtet und etwas von Krisis gemurmelt. Übrigens hatte er regelmäßige kleine Mengen schwarzen Kaffees verordnet; um dem kleinen Herzen die Arbeit zu erleichtern, wie er erklärte, während er sich die Hände wusch. Auch Ina trank etwas schwarzen Kaffee; ihr eigenes Herz fühlte ein Versagen, eine Schwäche nach all der Anspannung, die sich zum erstenmal löste, da es ihr schien, dem Kinde ginge es besser.

Sie trat ans geöffnete Fenster und sah hinaus. Der Ahornstamm glänzte naß im Laternenlicht, die Luft war wie ein feuchtes, warmes Tuch. Es regnete nicht mehr, die abgefallenen Blätter schwammen zusammengesunken in großen Lachen, die schwarze Nacht spiegelten und grünen Widerschein des Krankenzimmers. Ina atmete tief. Nicht mehr sahen ihre überreizten Nerven den Mann im schwarzen Mantel am Ahornstamm lehnen. Seit Tagen spürte sie zum erstenmal, wie müde sie war, daß ihre Augen brannten und ihre Knie unsicher einsanken vor Schwäche. Das Kind atmete still. Ihr Wille entspannte sich, am Fenster sitzend schlief sie ein.

Eine fremde, hohe, heisere Stimme erweckte sie. »Mutter«, flüsterte das Kind; es war das erste deutliche Wort seit

Tagen. Es lehnte halb aufgerichtet in den Kissen, und die Augen in dem winzig und fremd gewordenen, zerstörten Gesicht tasteten ihr mit einem geklärten, uralten, wissenden Ausdruck entgegen. Eine nie gekannte, ungeheure Zärtlichkeit warf sie über das kleine Bett hin, sie stammelte und wußte nicht was, sie riß die kleinen Hände an ihren Mund und küßte sie maßlos. Das Kind sah still und ernsthaft zu. »Mutter, bleib du bei mir«, flüsterte es angestrengt. Sie bettete den kleinen Körper zurecht, noch immer schlug Fieberhitze aus den Gliedern, aber Ina konnte schon wieder lächeln.

Der kleine Martin machte eine wunderliche Bewegung. Er tastete nach ihren Händen, und als er sie gefunden hatte, zog er sie an sein Köpfchen und drängte Schläfen, Stirn und Augen in ihre Innenfläche. Es war eine ganz unkindliche, fast männliche Zärtlichkeit und Ruhesehnsucht in der Bewegung, die Ina tief empfand.

Einen Herzschlag lang sah sie ihr Kind erwachsen, es war ein junger Mensch mit schönem, eigenwilligem Gesicht, ein großer Sohn, der lebte und sich niederbeugte und seinen blonden Kopf in ihre Mutterhände preßte. Einen Herzschlag lang stieg heftiges, unbekanntes Glück aus diesem Bild, dann war es vorbei. Dann fiel der kleine Kopf matt zur Seite, dann verloschen die Augen wieder, dann schattete Unheimliches, Fremdes über das Gesicht, und die abgemagerten Kinderhände sanken schlaff.

Niemals, schrie etwas in der Welt, niemals. Niemals, schrie es in Inas Herzen. Alle Dinge schrien es, das zerwühlte Bett, die atemlose Uhr, die grünverhängte Lampe, die kleinen Bauklötze. Niemals. Niemals.

Im Morgengrauen steckte Irma den Kopf zur Tür herein und sah stumm nach dem Kinderbett. »Er schläft«, flüsterte Ina, die eine Hand auf dem Kinderherzen liegen hatte. Er schlief. Er atmete noch. Das Herz schlug noch. Fräulein Zwillingsbauer, der schon ein Kind gestorben war, ging die

Treppen hinunter, blind vor Tränen, und telephonierte an Doktor Bentheim.

Ina saß am Bett mit verkrampften Zähnen, eisigen Lippen, ihr Blut strömte aus ihr fort wie aus einer Wunde. Alle Kraft war in der Hand geballt, die auf dem Kinderherzen lag. Einmal rauschten die Zweige des Ahorns im grauen Morgenschauer; einmal sang ein Vogel einen kleinen Ruf. Einmal bäumte das Kind sich schwach empor und fiel wieder in die Kissen.

Viel später versuchte Ina ihre Hand von dem verstummten Herzen fortzuziehen. Unendliche Weiten waren zu durchwandern. Die Hand war schwer, unbeweglich, kalt, ein verkrampfter, toter Gegenstand. Sie glitt über die stillen, geschlossenen Kinderlippen, sie atmeten nicht mehr, aber sie waren noch warm. Die Kissen waren noch warm.

Eine Welt stürzte ein. Ina sah ihr zu und sagte wirr lächelnd: »Das ist ja nicht möglich, das ist ja nicht möglich.«

Auf der Straße pfiff jemand eine bedächtige Melodie. Milchkannen rasselten. Ein Auto hielt. Ina Raffay stand taumelnd auf, und es war ihr, sie würde irrsinnig. »Denk an das Unendliche, Seele, Schwesterseele«, sagte Fernand. Rauschen. Schwärze. Ein Kreisen von Licht. Erlösung.

Das Schlimmste waren nachher die unbenützten Spielsachen im erstorbenen Zimmer. Tet, der Bär, die dreibeinige Kuh und die kleinen, unvollendeten Häuschen.

Der Tanz mit dem Mantel

»Die Nerven, gnädige Frau«, sagte Doktor Bentheim und rieb sein blaues Kinn; der scharrende Ton schien Ina unerträglich. Vom Glasschrank ging spitziges Funkeln der Operationsbestecke aus. Aus der Nickelwölbung des Sterilisators kam ihr Gesicht ihr entgegen, verzogen und lächerlich ausgebuckelt. Vor den Fenstern stand streifiger, undurchsichtiger Regen. Ina lehnte sich zurück und schloß die Augen im dumpfen Wunsch, nicht aufstehen und sich verabschieden zu müssen. Es war in letzter Zeit so mit ihr, daß jede Kleinigkeit sie einen unendlichen Aufwand an Energie kostete. Doktor Bentheim warf einen hurtigen, wissenden Blick in ihr erschöpftes Gesicht, auf den Zug von den unruhigen Nasenflügeln zum Kinn und wiederholte: »Die Nerven, gnädige Frau! Sie haben damals beim Tod Ihres Kleinen einen Schock erlitten, den Ihr Nervensystem nie ganz überwunden hat. Ich hätte im Interesse Ihrer Gesundheit sehr gewünscht, wenn ein anderes Kind nachgekommen wäre. Es hätte Ihren Schmerz erleichtert.«

»Vielleicht«, sagte Ina. »Erleichtert, vielleicht. Aber wer sagt Ihnen, daß ich meinen Schmerz erleichtert haben wollte? Nein, das nicht, das gerade nicht. Im Schmerz habe ich das Leben gespürt, vielleicht war es das einzige Mal, wo ich es ganz in allen Tiefen gespürt habe. Es war etwas Großes, es hat mich noch einmal gerufen, nun, ich kann Ihnen das nicht so sagen. Jetzt aber?« Die Hände fielen ihr hoffnungsleer herab. »Es ist das Schlimmste, daß auch Schmerz blasser wird, zergeht. Es ist alles nur in den Sand geschrieben. Und ein Schmerz, der nicht fruchtbar wird, ist eine schlimme Krankheit, Herr Doktor.«

»Sie sollten Ablenkung suchen, gnädige Frau.«

»Ablenkung? Nein! Nein! Sammlung, Sammlung, Sammlung!« antwortete sie heftig. »Aber Sammlung braucht Kraft; und die habe ich verloren.«

»Sie müssen sich zusammennehmen, gnädige Frau; Sie haben Pflichten, und angenehme Pflichten. Ihr Haus, Ihre Stellung, Ihre Ehe.«

»Und so weiter«, sagte Ina Raffay. Doktor Bentheim schwieg und dachte an Doktor Hunold, den Unermüdlichen, der neuerdings vier führende Blätter zu einem Konzern vereinigt hatte und eines Tages Minister sein würde. Auch Ina dachte an ihn. »Sie werden eines Tages nach einem Menschen greifen und eine leere Hülle an ihr Herz nehmen«, sagte jemand in der Ecke. Sie blickte sich rasch um. Aber nur erster Dämmerungsschatten war dort und eine Standuhr, die etwas seufzte und tieftönig eine Stunde kundgab. Viele Schleier hingen im Zimmer. Ina erhob sich angestrengt.

»Immerhin würde ich Zerstreuung und etwas Arbeit für die beste Medizin halten«, bemerkte Doktor Bentheim und schabte sein Kinn. »Die Nervenkrisis, die Sie schildern, ist am Ende der Dreißigerjahre nichts Seltenes. Stumpfheit einerseits, unbegründete Erregungszustände auf der andern Seite, Müdigkeit, eine gewisse Verwischung der Traumgrenze, Dämmerzustände. Es sind mehr oder weniger Symptome, die mit Ihren Jahren zusammenhängen und sich wieder geben werden. Vielleicht verreisen Sie einmal; wenn es kälter wird, käme Sankt Moritz in Betracht, etwas Schneesport.«

»Schnee«, sagte Ina, von einer schwachen Sehnsucht angerührt; sie sah kühle, reine, blauweiße Stille. »Übrigens wollte ich Ihnen noch eine Kleinigkeit zeigen«, fügte sie unschlüssig hinzu und nestelte an ihrer Bluse. »Aber Sie müssen mich deshalb nicht auslachen. Ein kleiner Schönheitsfehler, so eine kleine harte, unebene Stelle an der Brust; Sie dürfen nicht lachen, ich frage nicht aus Eitelkeit; ich bin nur so gewohnt, meinen Körper äußerlich unter Kontrolle zu halten. Ich habe schon Massage versucht.«

Doktor Bentheim näherte seine kurzsichtigen, sachlichen Augen der bräunlichen Haut, die nichts zu sehen gab als ihre matte Glätte. Er drehte einen Reflektor an, und seine Finger mit den kurzgeschnittenen Nägeln begaben sich ans Untersuchen.

»Haben Sie Schmerzen?«

»Nein.«

»Ist es lange her, daß Sie diese Sache bemerkten?«

»Ich weiß es nicht mehr«, antwortete Ina träge. Die Standuhr tickte laut; auch die Regentropfen konnte man nun in der Stille mit einem dünnen, stechenden Laut ans Fensterglas fallen hören.

Doktor Bentheim hob nach einer Weile sein Gesicht empor; in den gewölbten Augen zitterten die Pupillen ein wenig, sonst war es unbewegt. Ina hatte schon einmal diesen Blick gesehen. »Tja«, sagte er und hielt seine Hände unter die Warmwasserleitung.

»Es ist also keine Kleinigkeit?« fragte Ina und stand sehr gerade neben ihrem Stuhl; sie fror ein wenig im Nacken, aber sie war nicht mehr so müde wie vorhin, es hingen auch nicht mehr so viele Schleier im Zimmer.

»Für den Arzt gibt es keine Kleinigkeit, gnädige Frau. Es wäre jedenfalls gut, einen Spezialisten zu befragen. Natürlich sollen Sie sich deshalb keine Sorgen machen, gnädige Frau.«

»Lieber Doktor, füttern Sie mich nicht mit Redensarten. Das liegt mir nicht und ist sehr überflüssig. Ich mache mir keine Sorgen. Was ist es also?«

Der Arzt schaute in ihre gesammelten Augen, es war ein merkwürdiger Ausdruck von Spott und noch etwas Unerklärliches darin, und er sagte kurz und gehorsam: »Ich halte es für eine Neubildung.«

»Krebs also?«

»Es gibt auch gutartige Neubildungen. Übrigens, selbst wenn es Krebs wäre, so ist das in seinen Anfängen durchaus reparabel. Ein Spezialist wird Ihnen sagen . . .«

»Es muß operiert werden.«

»Das möchte ich nicht unbedingt behaupten. Es sind in letzter Zeit erstaunliche Resultate mit Bestrahlungen erzielt worden. Ich habe da eine Broschüre über die Behandlung mit Mesothorium von Professor Delares in Wien.«

»Fernand«, sagte Ina und atmete tief. Oft hatte er sie angerufen, in Träumen, in verwischten Stunden der Nacht: Nun rief sie ihn. Eine dunkle, kreisende Kraft nahm sie sekundenlang auf. Kleine Schwester? antwortete es ihr fern und zugleich in ihrem Innern. Dann sah sie Doktor Bentheim wieder, der eine Schreibtischlampe angedreht hatte und in Broschüren kramte.

»Delares in Wien«, wiederholte er. »Der das wunderbare Buch ›Vom Sterben‹ geschrieben hat. Ein kolossaler Kerl, Delares in Wien. Ich werde mit dem Herrn Gemahl sprechen. Vielleicht wäre eine Reise zu Professor Delares das Beste. Nur müßte es bald sein.«

»Bald, bald«, sagte Ina und hielt ihr Damenlächeln vor sich hin. »Aber bemühen Sie sich nicht weiter. Mein Mann hat wenig Zeit, ich spreche lieber selbst mit ihm. Es ist mir lieber, – ich bitte Sie darum, – ich benachrichtige Sie dann.«

Doktor Bentheim küßte ihr die Hand und öffnete die grün gepolsterte Tür. Merkwürdige Frau, dachte er. Sie hat damals nicht geweint. Sie ist heute nicht blaß geworden. Und sowas klagt über schwache Nerven!

Unten wartete das Elektromobil im Regen. Ina schickte es fort und schritt in die graue, streifige Feuchte hinein, sie hielt der Luft ihre Lippen mit einem sonderbar trinkenden und befreiten Lächeln entgegen. Es war ihr, eine warme, feste, im letzten vertraute Hand führe sie; es war ihr, eine Tür öffne sich; es war ihr, ein Weg ginge wieder aus der Wirklichkeit in heimatlichere Bezirke ihrer Seele. Unter einer frühen Laterne sah sie den Mann im schwarzen Mantel stehen, sie nickte ihm zu. Er nickte wieder, vertraulich und nicht ohne Freundschaft. Er sah Herrn Javelot ähnlich und auch dem toten Konradin. Ein kleines Mädchen stand auf geneigten, abgeschliffenen Dielen und sagte ergeizig: Ich will auch sterben. Dann sah Ina eine Bewegung, ein einziges weitgespanntes Auffliegen und Wiederverhüllen des schwarzen Mantels. Die Bewegung stand vor ihr in der Luft und machte ihr Herz klopfen. Eine Melodie wachte auf, die einfache, helle, verklärte Melodie des Lebens, unter der ein Trauermarsch seinen dunklen Kontrapunkt hämmerte. Ein blauer Schmetterling hob sich in die Weite, Seelchen nannten sie ihn in Amrun. Der letzte Tanz, sagte es in Ina und lächelte der unbeschwert ineinanderfließenden Welt zu, die in ihr auferstand.

Es war spät und dunkel, als sie vor ihrem Hause ankam wie von einer weiten Reise. Sie tastete nach dem Klingelknopf umher und fand ihn lange nicht, so fremd war ihr dies Haus; sie lachte darüber. Aus dem Souterrain quoll Licht auf die nassen, mageren Taxusbäumchen, unten stand inmitten der geleckten Küche die Köchin und schnitt kaltes Fleisch in Scheiben. Ina sah neugierig in das Fenster wie in ein unbekanntes Haus. Auch über das viele blankgeputzte Messing der Garderobe lachte sie verwundert, indes das Stubenmädchen ihr vorwurfsvoll die durchnäßten Überkleider abnahm. Im Eßzimmer stand Fräulein Zwillingsbauer und röstete Toast auf einer kleinen elektrischen Maschine. Im Ankleideraum klaffte ein Lederkoffer, bereit, die säuberlichen Stapel von Wäsche und Toilettegeräten aufzunehmen, die auf den Stühlen lagen.

Hunold stand mit eingeseiftem Gesicht vor dem Spiegel und rasierte sich. Ina setzte sich still in eine Ecke, schlang die Hände um die Knie und sah aufmerksam zu. Sie hatte die kleine, befremdende Welt der handfesten Dinge vor sich wie ein Spielzeug. Man war krank, man konnte aufstehen und fortgehen, sie lassen, wie einmal der kleine Martin seine Bauklötzchen verlassen hatte. Doktor Hunold packte sein Rasiermesser weg und begann, sich Toiletteessig ins Gesicht zu spritzen. Er war ziemlich dick geworden und hatte etwas Elefantenmäßiges in seine Bewegungen bekommen. Auch das Gesicht hatte gelitten, es war nun bewußt auf wirkungsvolles Germanentum frisiert, und die großen Züge, zu beruflicher Undurchdringlichkeit verpflichtet, waren fast ausdruckslos geworden. Ina sah diese Veränderungen zum erstenmal mit äußerster Deutlichkeit, weil gleichzeitig ein gänzlich anderer Martin Hunold eine Gartenpforte aufklinkte und weit die Arme öffnete, weit, weit.

In sich gewendet sagte sie: »Ist es nicht sonderbar? Wenn ich die Augen schließe, kann ich genau einen Baum sehen, den ich in meiner Kindheit kannte, es war eine verkrümmte Föhre. Ich sehe noch jeden Riß und Knorpel in der Rinde. Aber wenn ich an das Kind denke, da verschwimmt alles, da ist alles unklar. Kann ein Mensch denn vergessen, wie sein Kind aussah?«

Ohne hinzusehen, erwiderte Doktor Hunold: »Du bist nervös; du solltest endlich zu Bentheim gehen.«

»Ich war heute dort.«

»Nun?« fragte er und legte Strümpfe in den Koffer.

Sie gab darauf keine Antwort, sondern fragte: »Verreist du denn schon wieder?«

»Hast du das vergessen? Wir sprachen gestern fast eine Stunde davon. Ich muß nach Hamburg zum Stapellauf der ›Helgoland‹. Alle Welt wird dort sein, es hat auch politische Bedeutung.«

Sie schloß die Hände fester um ihre Knie und sagte:

»Hättest du etwas dagegen, wenn ich inzwischen nach Wien reisen würde?«

»Was willst du in Wien?«

»Es sind mir zwei Miniaturen von Daffinger angeboten, die mich interessieren. Ich könnte auch die Kunstgewerbeausstellung ansehen wegen eines Damenzimmers, diese Dinge sind ja doch in Wien am schönsten. Übrigens hat mich Bentheim an einen Arzt dahin empfohlen.«

»Was meinte Bentheim denn?«

»Nichts Besonderes, Nerven, das gefährliche Alter«, sagte Ina und lächelte entschuldigend. Hunold ließ das Kofferschloß einschnappen und schaute Ina kopfschüttelnd an.

»Wie man Nerven haben kann, das werde ich mein Lebtag nicht begreifen«, sagte er.

»Wenn du also nichts dagegen hast, so würde ich auch noch heute den Nachtzug nehmen«, beschloß sie. Ihre Handflächen lagen jetzt aufwärtsgewendet zu ihm gekehrt, als erwarteten sie noch etwas. Aber Doktor Hunold hatte nichts dagegen. Er wunderte sich nur flüchtig, fragte nichts mehr und ging hinunter, um den Fahrplan nachzusehen und die Abendblätter zu lesen.

Als etwas später Fräulein Zwillingsbauer im Ankleidezimmer erschien, stand Ina am Fenster und schaute schweigsam hinaus in das dunkle, gleichmäßige Regenrauschen. Sie empfand es stark wie lange nichts, sie spürte den Abend an ihr Herz klopfen mit seinem Gewühl der Wolken droben und dem ruhigen, feuchten Rauschen über Gras und Dächer. Worte aus einem vergessenen Gedicht standen in ihr auf und sangen eine Melodie, die einst von Thomas Brandt komponiert war. »Lieber Abend, gib dich meiner Seele, gib, daß mir dein dunkler Himmel leuchte.«

»Ich verreise, Irma«, sagte sie, ohne sich ins Zimmer zurückzuwenden. »Bitte, packe mir den kleinen Koffer und das Necessaire, du weißt ja von früher, was ich brauche.«

»Reist die Gnädige mit dem Herrn Doktor fort?«

»Nein. Allein«, erwiderte Ina und verließ das Zimmer. Gib den Regen, der dir sänftigend hernieder, durch die Wipfel und an meinen Schläfen rann, gib dich ganz mir, Abend, daß ich wieder, endlich wieder weinen kann, sang es. Im Flur war gedämpftes Licht. Ina stand noch einen Augenblick vor der Tür der Kinderstube und schloß dann auf. Drinnen hing tote Luft. Kein Atem klang im Dunkel. Der Schalter knackte, aus verstaubter Lampe rann trübes Licht. Gestorbenes stand wesenlos im Raum, das kleine Bett schlief mit starren, glatten Kissen. Tet, der Bär, staunte aus weißen Porzellanaugen auf die kleinen Häuser, die das Kind einmal ersonnen und gebaut hatte. Ina ging ans Fenster und öffnete es, behutsam, um Schlafendes nicht zu wecken. Draußen im Ahornbaum lebte das Regenrauschen wie ein tiefer Gesang. Neue Luft strömte und griff mit Händen nach Inas Stirn. Sie kniete am Bett hin und legte den Kopf in die kleinen Kissen; es war kein Duft mehr da. Sie lag mit geschlossenen Augen, es kam kein Bild, kein Gesicht; nur Flecken schwammen hin, das rote Mäntelchen, der bestickte Saum eines Kittels, eine kleine, erdbeschmutzte Knabenhand. Ina Raffay erhob sich, kniete zwischen Tet und der dreibeinigen Kuh nieder, nahm mit leiser Hand Baustein auf Baustein von den kleinen Häusern und legte sie still in die geöffnete Schachtel.

Das Fenster blieb offen stehen und auch die Tür des geleerten Zimmers. Fräulein Zwillingsbauer hantierte noch im Ankleideraum und sah Inas Gesicht an, als die den Baukasten in ihren Koffer legte. Sie mußte etwas Sonderbares gesehen haben, denn sie sagte: »Bist du denn krank, Ina?« und wußte nicht, daß sie »Du« sagte. Aber Ina schüttelte mit ihrem versunkenen Lächeln den Kopf. Sie dachte: Auch Krankheit ist nur eine von den hundert Türen; man geht hindurch und steht dann auf der anderen Seite, unbegreiflich fremd und abgetrennt vom Leben der anderen. Ohne daß sie es wußte, ballte sich schon in ihr das Durchlebte der letzten Stunden zum Tanz, zu jener verklärten Abschiedsmelodie, unter der ein Trauermarsch seinen Kontrapunkt hämmerte.

Dann schlug eine Uhr, Doktor Hunold rief, die Mädchen liefen mit Koffern, die schweren Portieren fielen zu. Im Ausschnitt der Haustür stand noch Fräulein Zwillingsbauer, und deutlich sah Ina inmitten alles Verwischten zwei Tränen sich in Runzeln verlaufen. Das Auto rollte, Doktor Hunold sprach umsichtig von einem Kreditbrief bei einer Wiener Bank, der Bahnhof fröstelte, mit Menschen angestopft, im kalten Licht der Bogenlampen; Gedränge nahm sie auf, Rauch stieß lärmend aufwärts an Gewölbe von Glas und Eisen, fern zergingen Menschen wie Schatten, Lichtsignale kletterten über Schienen.

Dann stand Ina im lau durchwärmten Gang des Schlafwagens; im Licht, das auf den Perron fiel, sah sie Hunold besorgten Gesichts mit dem Schaffner verhandeln und Trinkgeld in eine beflissen geöffnete Hand schieben. In diesem Augenblick war es, daß sie noch einmal aufwachte, wie von einem Stoß getroffen. Mein Mann, sagte es ganz tief in ihr, und ihre Kehle füllte sich mit Weinen. Doktor Hunold schaute sie verwundert an, als sie wieder neben ihm auf dem Bahnsteig stand und ihn an beiden Händen in den Schatten zog.

»Es war doch einmal etwas ganz Großes mit uns beiden«, sagte sie leise und abgerissen. »Wir haben einander sehr lieb gehabt, Martin. Ist denn gar nichts davon übriggeblieben?«

»Kind, Kind«, antwortete er mit seiner ruhigen, tiefen Stimme. »Was sind das für Fragen? Du bist überreizt. Am liebsten ließe ich dich gar nicht abreisen.«

»Hast du mich denn lieb, Martin?«

»Ich habe dich doch . . .«

»Du hast mich geheiratet, ich weiß. Du hast mich geheiratet, gegen deinen Willen, es war einmal stärker als du. Aber jetzt, Martin? Jetzt kannst du ohne mich sein, sage mir das.«

»Das sind Fragen wie von einem Backfisch!« sagte er ungeduldig. Das gefährliche Alter; und kein Kind da, dachte er, unangenehm berührt. Ina ließ seine Hände los. »Einsteigen!« riefen die Schaffner. Hunold nahm seine Frau in den Arm, sie spürte seinen großen, warmen Mund, es war eine große Fremdheit dabei. Schon stand sie wieder jenseits der Tür in ihrer Welt.

»Geh gleich zum Arzt und depeschiere, was er sagt!« rief Hunold noch zum Fenster hinauf.

»Ja«, sagte Ina.

»Hast du dein Billett auch in der Tasche?«

»Ja. Ich habe mein Billett in der Tasche«, antwortete sie, seltsam erheitert. Schon glitt der Bahnhof fort, blieb zurück, eine große Hand winkte noch, abwechselnd in Licht und Schatten des vorbeirollenden Zuges getaucht, dann schlug Nachtluft und Regen ans Fenster. Ina schaute zurück, bis die Stadt noch einmal erschien, mit hohen Dächern gegen den Wolkenhimmel gestellt und spiegelnden Lichtern tief im Main. Die Räder hämmerten ihren Rhythmus über die Brücke, er klang, er nahm Ina auf, er wurde zu jenem Trauermarsch unter der Melodie des letzten Tanzes.

Mit den mechanischen Griffen der Vielgereisten brachte Ina ihr Gepäck und das Abteil für die Nacht in Ordnung und legte sich hin. Der Zug sang sein Eisenlied in die Dunkelheit. Sie lag lang ausgestreckt, sehr gerade, einen Arm unter den Kopf gestützt; dann hob sich ihre rechte Hand, schlug den Kimono zurück und tastete über die kranke Brust. Es war kein Schmerz da, es war nur diese kleine, winzige Stelle unter der glatten Haut, ein wenig hart, ein wenig unelastisch und befremdend. Noch hielt der Mann im schwarzen Mantel seine grauenhaften Hände verhüllt. Noch war es ungewiß, welche Welt von Qualen und Schmerzen zu durchleben war, bevor das Letzte kam.

Ina lag ganz still, die Hand auf das Kranke gepreßt, sie biß die Zähne zusammen und atmete schwer und zitternd. Doch ihr Herz klopfte, sie spürte es auferstehen in einem Schmerz von saugender Süße. Der Zug sang. Sei ruhig, kleine Schwester, sagte Fernand in der Ferne und neigte sich über sie; sei ohne Angst. Du sollst schlafen. Sie seufzte einmal auf und fiel in tiefen, traumlosen Schlaf.

Als Fernand seine Untersuchung beendet hatte, wandte er sich fort und trat ans Fenster. Sie stand noch mit entblößtem Körper inmitten des großen Raumes und fror in benommener Erregung. Die tiefblauen Wände strahlten Ruhe aus, sparsame weiße Möbel fingen schräge Herbstsonne auf, ein großes Landschaftsbild trug Luft und Weite in das Zimmer. An den hohen französischen Fenstern erkannte Ina erst den früheren Musiksalon des Hauses Delares wieder. Angekleidet trat sie neben Fernand und suchte seinen Blick, der lächelnd an den schweifenden Schwalben hing. Einmal war ein Meer von Flieder im Garten gewesen, jetzt gingen Genesende in den weißen Kitteln der Anstalt zwischen dem dünnen, herbstlichen Gesträuch. Fernher sang Geräusch der Stadt, der Jugendstadt, die noch immer mit silbernem Stift in den blauen Herbsttag gezeichnet stand.

Fernand nahm Inas Hand in die seine, sie wartete, bis sie sich ruhig geworden spürte und ihre Stimme Festigkeit hatte, zu fragen: »Nun? Fernand?«

»Warum bist du so spät zu mir gekommen«, sagte er ohne Frage im Ton. »Zu spät, Fernand?«

»Wir werden operieren müssen.«

»Ja? Und dann?«

»Dann ist alles wieder in Ordnung, so hoffe ich. Bist du mit der Operation einverstanden? Sie ist nicht schwer.«

In Inas Gesicht trat ein angestrengter Ausdruck. »Warte noch, laß mich nachdenken«, flüsterte sie. Am Schreibtisch stand ein blühender Zyklamenstock. Sie zupfte fast gedankenlos ein paar bräunlich welkende Blüten zwischen der dunkelroten Fülle hervor und ließ sie zum Fenster hinausflattern. Fernand sah ihrer Hand zu und nach einer Stille fragte er: »Hast du denn Angst, Ina?«

»Angst, nein«, sagte sie und fügte etwas später ausatmend hinzu: »Nicht vor der Operation.«

»Und wovor denn?«

»Vielleicht, vielleicht vor dem Gesundwerden«, sprach sie zögernd in einen Zug von Gedanken hinein; er sah auf, ohne Überraschung.

»Und wenn ich nicht operiert werde, was geschieht dann?«

»Dann stirbst du«, sagte er und schaute in ihre verdunkelten Augen.

»Bald?«

»Bald, Ina. In einem halben Jahr vielleicht; längstens in einem Jahr.«

Sie lehnte sich zurück und schaute sich in dem Landschaftsbild fest, das da hing. Es war ein weites, sonnenhin gebreitetes Feld, an dessen Rand viele Blumen wuchsen, und sie fragte leichthin: »Du warst doch auch einmal in Japan? Sie haben da unter ihren vielen Göttern einen Gott, so einen kleinen Kerl mit hoher Stirn und langen Ohren: Shinighami, den Herrn des Todeswunsches. Kennst du ihn?«

»Ja«, sagte Fernand und wartete.

Schafgarben wuchsen an dem gemalten Rain, Wiesenschaumkraut, roter Klee, es war eine kleine, wimmelnde Seligkeit, die Sehnsucht nach Erdenduft und lebendigen Wiesen weckte. Ina fragte: »Und wenn ich operiert werde? Sterbe ich dann nicht?«

Fernand Delares begann ein helles Lächeln wie über ein Kind und erwiderte: »Nicht sterben, es wäre ein Ausnahmefall, der bisher noch nicht vorgekommen sein soll; im allgemeinen stirbt jeder Mensch einmal, nicht wahr, kleine Schwester? Wir können es nur hinausschieben.«

»Nun also!« sagte Ina und begann gleichfalls zu lächeln; einen Augenblick lang sahen sie einander in die Augen, in die geschwisterlich gleichen Delares-Augen, dann sagte Ina: »Dann will ich es also mit meinem Shinighami halten und nicht operiert werden und mein halbes Jahr leben oder mein Jahr und dann sterben. Zeit genug. Zeit genug. Es ist ein wunderbares Gefühl, Leben und Sterben in beiden Händen zu halten und zu sagen: Ich will. Ich will, Fernand. Vielleicht habe ich das zu selten gesagt. Vielleicht ist deshalb mein Leben so hingeweht, so hingetrieben, so rinnender Sand, so ohne Gewicht. Ein richtiges Tänzerinnenleben. Weißt du noch, was du als Bub sagtest: Hopsassamenschen? Aber jetzt will ich etwas. Ich kann dir nicht sagen, wie mir heute auf dem Herweg war. Der Himmel so wie nie, ein Abschiedshimmel, die Stimme der Stadt neugeboren, eine Abschiedsstimme. Alles ist transparent und leuchtet von innen heraus. Wie herrlich spürt man das Leben, wenn man sterben muß, Nando. Aber du schaust mich an und bist so still, Nando?«

»Ja. Ich schaue dich an, Ina. Laß mich still sein dabei.«

Er stand im durchsonnten Fensterrahmen, schmal und verwachsen in seinem weißen Kittel, und die unbegreifliche Stille seines Lächelns war nur in seinen Augen. Er war schon etwas grau geworden; Ina schaute ihn an und erschrak fast. Wie schön er ist, dachte sie, schöner als alle, schöner als Tonius von Maaten und alle vorher und nachher. Sie sah ihre eigenen Züge wie in einem großen, sehr reinen Spiegel; die Augen, die Stirn, die Lippen, das Kinn, und ein sonderbarer Gedanke zuckte vorbei: So werde ich aussehen, wenn ich gestorben bin.

»Es ist schön, daß du noch einmal wahrhaftig zu mir gekommen bist, nicht nur als Traumbesuch«, sagte er. »Und wann fährst du zurück zu deinem Mann?«

»Ich fahre nicht zurück zu meinem Mann«, erwiderte Ina.

Fernand verstummte, er sah wieder hinaus, wo die

Schwalben ihren Flug wie silberne Ketten ins Blau hingen.

»Zu dem, was noch vor mir liegt, ist mein Mann nicht zu brauchen. Ich werde ihm schreiben, daß ich hier eine Sanatoriumskur machen muß, und er wird zu beschäftigt sein, um mir nicht zu glauben. Schade um ihn, daß er so leer geworden ist, so zeitgemäß, einer von den vielen Heutigen, denen die Larve zum Wesen wurde. Er hat so gute, ruhige Hände. Früher einmal, noch bevor das Kind kam, habe ich oft gedacht: Sie werde ich halten, wenn ich sterben muß. Das war ein Irrtum. Der Mensch ein Irrtum, die Hände ein Irrtum, vielleicht auch ein Irrtum, daß ich ihm mein Bestes gab: Den Wunsch nach dem Kind.«

Sie horchte vergraben in sich hinein, und was sie dunkel empfand, sprach sie nicht aus; aber sie fragte: »Ist dein Kind am Leben geblieben, Fernand?«

»Ja«, sagte er einsilbig; sie spürte, wie er sich verschloß und abglitt. »Und wie willst du jetzt deine Zeit leben, Ina? Hast du dir schon ein Bild davon gemacht?« fragte er behutsam.

»Ich möchte in Wien bleiben. Ich möchte recht nahe an meine Kindheit heranrücken und noch einmal die Welt entdecken, in der alles lebendig war. Auch in deiner Nähe möchte ich jetzt bleiben, Fernand; ich glaube, ich werde dich brauchen.«

»Möchtest du nicht mein Gast sein, zunächst? Es ist zwar Spitalsluft in diesem Haus, und viele Kranke und viele Schmerzen. Aber, Ina, vielleicht wäre gerade das jetzt gut für dich, vielleicht zeigt es dir einen Weg, den du noch nicht kennst?«

»Danke, nein, Nando. Du bist gut. Aber das ist kein Weg für mich. Siehst du, die ganze Zeit, während ich hier mit dir spreche, höre ich eine Melodie. Es ist viel los in mir, da ist noch immer ein großer Hunger. Ich will ganz allein sein und nur die Augen aufmachen und die Hände und das Herz und spüren, wie schön das Leben ist, wenn man ans Sterben denkt. Und zum Schluß wird wahrscheinlich nichts anderes daraus werden als noch einmal ein Tanz; nur besser als die anderen Tänze, anders als die anderen Tänze. Jetzt lachst du mich aus, Fernand, aber wenn ich dichten könnte oder malen, dann würdest du es besser verstehen und Respekt davor haben: Das letzte Werk. Nun, Nando, ich bin im Grunde stumm geboren und kann alles nur tanzen. Warum erschrickst du?«

»Ich erschrecke nicht. Ich dachte an etwas. Davon erzähle ich dir einmal, wenn du wiederkommst. Vielleicht.«

»Ja. Ich komme wieder, Fernand. Und du: Behalte mich in deinen Gedanken. Heute bin ich froh und leicht. Es werden schwarze Stunden kommen, ich spüre sie schon hinter mir stehen; sei dann bei mir. Auf Wiedersehen.«

»Auf Wiedersehen, Ina.«

»Fernand?« sagte sie und blieb unter der Tür stehen mit ihrem blassen, durchsichtigen Gesicht und dem neuen, wunderbaren Licht in den dunklen Augen. »Fernand? Stehen die Birken noch in Amrun?«

»Ja, Ines. Die Birken stehen noch in Amrun«, antwortete Fernand Delares.

Den Gang entlang kamen zwei Wärter, die auf der Bahre eine starre, weißverhüllte Last trugen. Er griff nach ihrer Hand, als sei sie zu schützen. Aber sie sah ihn an und hatte das Lächeln um die ernsthaften Lippen nicht verloren.

Vor Jahren hatte der junge Fürst zu Wriedt in seinem Schloß in Heiligenstadt zuerst seine Frau und dann sich erschossen. Seitdem stand das Haus, von der erbenden Seitenlinie gemieden, leer. Ein wunderlicher alter Gärtner hauste allein in den Nebengebäuden, heizte getreulich das Treibhaus, zog seltene Pflanzen und träumte Tag und Nacht davon, die blaue Rose zu züchten. Das Schloß schlief tot und zugesperrt hinter seinen schweren Barocktüren, der Park verwilderte, Efeu überwuchs mit grüner Flut den kleinen Pavillon am Hügel. Dort fand Ina Raffay Wohnung.

Es ist ein stilles Wohnen zwischen gedunkelten Nußbaummöbeln und grünblinden Spiegeln. Der Abend geht mit Kerzenlicht im Hause um wie ein gepuderter Lakai. Alte Kastanienbäume recken sich in die Fenster und bis übers Dach. Eine Amsel wohnt im Efeu und singt den Morgen ein. Dann erscheint die Witwe Keslaber mit ihrem Zahnwehgesicht und einem Arsenal von Besen, Bürsten und Alltäglichkeit, um Ordnung zu machen. Indes steht Ina Raffay in dem dreifenstrigen Sälchen oben und macht Kniebeugen und Gelenkübungen und die alten Exerzitien aus der Ballettschule. Wandentlang stehen breite, krummbeinige Barockstühle, wie Sträflinge angezogen, die Pendüle am Kamin schweigt, der Kristallüster steckt in einem weißen Sack, der leise pendelt, wenn Ina bei der Arbeit heftig wird. Nachher schmerzen die Glieder, der Rücken, die Knie; die Fußsohlen möchten in weichen Schuhen schlafen, es ist eine große Müdigkeit in der kranken, vierzigjährigen Ina Raffay, die nicht nachgeben will. ›Zuerst muß ich in Form sein‹, denkt sie jeden Morgen und bändigt sich und ihre Nerven mit vielem kaltem Wasser und jener körperlichen Disziplin, die ihr aus Varietézeiten wiederersteht.

Dann kommen die guten Stunden.

Ina geht durch den Herbstwald. Bergabwärts spült das Buchenlaub in kupfernen Wellen, die Erde atmet süßbittere Herbheit, Schlehen schütten üppig ihren violetten Reif über die Hecken, die Luft ist ein Bad aus zartblauem Silber. Ina trinkt weit aufgeschlossen alles in sich ein, sie denkt nicht oft daran, daß es der letzte Herbst ist, den sie sieht, aber ihr Wesen ist durchtränkt von diesem Bewußtsein, und das macht den Herbst so, als hätte sie zuvor noch keinen gesehen.

An einer Mauer brennt wilder Wein. Rot! denkt Ina; ich habe ja nie gewußt, was Rot ist. Eine Seligkeit, ein Jauchzen und ein Schrei. Man müßte etwas tanzen können, das nichts anderes ist als dies: Rot. Der Mohnblumentanz ist blaß und lebt nicht. Man müßte ihn noch einmal schaffen, jetzt, mit den neuen Augen und dem Wissen um den Tod und mit der Abschiedsmelodie im Herzen. Noch einmal! verlangt es in Ina; alle Dinge der Welt möchte es noch einmal haben. Sie geht in der Welt herum, und es ist ihr unbegreiflich, wie die Menschen so dumpf hinleben. Jedem von ihnen ist der Tod gewiß. Sie müßten sich nur daran erinnern, und alles Dasein bekäme Wert und Glanz und die Schönheit des Unwiderruflichen. Aber der Tod steht vergessen im Winkel, und das Leben ist eine tägliche Gewohnheit.

Sie war sehr frei in dieser Zeit, sie tat, was ihr gefiel. Sie sah auf der Straße ein Mädchen, sechzehnjährig vielleicht, von einer süßen, unerwachten Schönheit. Sie ging ihr nach, sprach sie an, schenkte ihr Blumen, ein seegrünes Kleid, Goldkäferschuhe, alles, was das kindische Wesen sich wünschte. Sie führte sie im Wagen in den Prater, fütterte sie im Lusthaus mit Schlagsahne, die Kleine schaute die feinen Damen und die jungen Herrn umher an und bekam wache Augen. Ina lachte und nannte sie Mila Merz, es machte sie froh für ein paar Stunden.

Auch einen jungen Menschen sprach sie an, der im verschlissenen Mantel frierend und unschlüssig unter den Opernarkaden stand und den Theaterzettel anstarrte. Er hatte brennende, verhungerte Musikantenaugen. Sie nahm ihn mit in eine Loge und schaute dem halb Bewußtlosen zu, wie er im »Tristan« ertrank. Nachher begleitete sie ihn noch lange Nachtstunden durch Vorstadtstraßen auf und ab und immer wieder um das Viereck eines Häuserblocks herum und hörte zu, was er aufgewühlt und stammelnd von seinem Leben erzählte, von seinen Plänen und dem, was er schaffen wollte. Als sie ihn verließ, küßte sie ihn auf den Mund; aber es war nicht der Kuß einer Frau.

Einmal bekam sie Lust, Thomas Brandt zu sehen, und

machte sich sogleich auf den Weg. Es war die alte Luft in den Gassen, der alte Glockenschlag im gewölbten Nachmittagshimmel, die alte Klosterstille im Heiligenkreuzerhof; die jammernde Türglocke klang Erinnerung. Aber im Vorzimmer roch es nach Kohl. Ein kleinbürgerlich davonraschelndes Türenschlagen erhob sich in der Wohnung, als Besuch gemeldet wurde. Ina lächelte der späten Sonne in den tiefen Fensternischen zu. Es dauerte eine Weile, ehe das Dienstmädchen mit einer frischen Schürze wiederkam und die grüne Tür zum Musikzimmer öffnete. Drinnen hatte sich Thomas Brandt vor dem Flügel aufgebaut mit seinem effektvollen weißen Kopf und dem braunen Samtröckchen. Ina mußte lachen, aber er machte ein vielsagendes, ergriffenes Gesicht und drückte ihre Hände stumm und nicht ganz echt. Donnerwetter, ist die alt geworden! dachte er dabei. Ina sah ihm seine Gedanken an, und ihr Lachen vertiefte sich.

»Du hast dich gar nicht verändert«, sagte sie wie zur Antwort und fing mit einem Seitenblick die ganze erheiternde Erscheinung ein: Die wohlfrisierte Locke, die pünktchenverzierte Weste, über der an goldener Kette üble Medaillons baumelten, und die Füße, die ein selbständiges Leben führten in dem Bestreben, Pantoffel zu verbergen. Ina murmelte einiges über das Wetter. Das Gespräch knarrte konventionell und wie auf Rädern hin. Thomas Brandt wurde erst lebhaft, als er von den Erfolgen seiner Meer-Symphonie berichtete; aber es brannte kein Licht mehr in seinen Bronzeaugen. Er ging ans Klavier und schlug das Thema des zweiten Satzes an. Es glich in Rhythmik und Charakter aufs Haar dem Irinmotiv. Er sagte: »Du siehst: wieder eine Meeresstimmung und trotzdem grundverschieden von meinen früheren Kompositionen. Man bleibt nicht stehen, Gott sei Dank, man wiederholt sich nicht. Man ist noch immer ganz vorne, bei den Jungen, wenn die es auch nicht zugeben wollen, weißt du, und mit den Ellbogen um sich hauen.« Und er senkte den Kopf über die Tasten und begab sich in ein Adagio, das Ina fern und langatmig an den Ohren vorbeiklingelte.

Aus dem Nebenzimmer kroch durch Spalten gemütlicher Kaffeeduft, es raschelte respektvoll an den Türen; als Brandt seinen Satz beendet hatte und noch eine Weile versunken dasaß und Ina dann mit einem hungrigen und erwartungsvollen Ausdruck ansah, der mancherlei Enttäuschungen verriet, sagte sie: »Schön, wunderschön.« Aber seine Augen verlangten: Mehr, mehr! »Es ist eine so romantische Melodie«, sagte sie unsicher. Mehr, mehr, verlangte sein Gesicht. Aber mehr wußte sie nun beim besten Willen nicht. Porzellantassen klirrten friedlich nebenan; die Pantoffel waren blau, sah Ina jetzt, und mit einem feinen Pelzrändchen verziert. »Und die Harmonik? Wie findest du das Harmonische? Kühn, nicht wahr? Ganz neu. Es befremdet dich vielleicht sogar, weil es so weit voraus ist?«

»Das kann sein«, erwiderte sie hilfsbedürftig und schaute die Tür an, die sich vorsichtig öffnete. Dahinter stand ein etwas aus der Form gegangenes Füchschen mit etwas zu roten Haaren, und auch in diesem gefalteten und gepuderten Gesicht fand Ina die Anstrengung des Jungbleibenwollens. Aber das Füchschen hatte noch den munteren Blick der Augen und den resoluten Händedruck. Sie küßte Ina schnell und herzlich auf beide Wangen und fragte gleich darauf: »Vater, können wir jetzt Kaffee trinken?« Vater legte sein versunkenes Gesicht beiseite und begab sich, etwas behindert durch den Gebrauch der verschämten Pantoffel, ins Eßzimmer. Auch hier gibt es Portieren, dachte Ina, die in stiller Heiterkeit schwamm. Der Tisch stand als weiße Insel im Lampenschein, es lungerten etwas zu viel Handarbeiten überall herum, zwei langknochige, rötliche junge Menschen mit Kneifern vor den kurzsichtigen Augen verbeugten sich. »Unsere Söhne!« stellte Frau Brandt vor und schaute zufrieden an ihnen hinauf. »Hast du auch Kinder?« fragte Thomas Brandt. »Nein«, erwiderte sie einsilbig, und der schnelle Gedanke an die unvollendetgebliebenen kleinen Häuschen machte ihr einen Augenblick die Kehle eng.

»Wollen gnädige Frau nicht Mutters weltberühmte Vanillekipferln probieren?« fragte der eine junge Mann und präsentierte gewinnend ein Tablett. »Spezialität des Hauses Brandt, Attraktion dieses beliebten Lokals«, setzte der andere fort. »Du glaubst nicht, wie mich dein Besuch freut«, sagte Thomas Brandt. »Du lebst in Frankfurt? Und was hat dich nach Wien gebracht?«

»Ich mache hier eine Kur; vielleicht gebe ich auch noch einen Tanzabend.«

»Tanzt du denn noch immer?« fragte er erschrocken und tauchte dann verlegen in seiner geräumigen Kaffeetasse unter. Das Füchschen schaute mit Frauenaugen die Linie an, die in Inas Gesicht von den Nasenflügeln zum Kinn lief. »Sind Sie krank, Raffay? Und ist es denn was Ernstes?« fragte sie mit behutsamer Herzlichkeit. Die jungen Männer unterbrachen ihr stilles Kauen und sahen aus gerundeten Augen die ältliche Dame an, die tanzen wollte. Ina gab keine Antwort. Es war einen Augenblick sehr stumm im Zimmer. Da kam von draußen Abendläuten und stieß an Inas Herz wie eine Stimme. Eine Stunde vorbei; eine leere Stunde. Eine Stunde verloren und kommt nicht wieder.

»Was gibt's?« fragte Thomas Brandt ihr erblaßtes Gesicht. – »Die Glocken«, murmelte sie horchend. Auch er hörte sie jetzt, er hörte sie. Ein dunkles Motiv, das groß in das geheimnisvolle Schwirren der Bässe und Celli hineinschritt, er hörte es. Einen Atemzug lang war Licht in ihren Augen. »Will Vater noch eine Tasse Kaffee?« fragte das Füchschen beunruhigt. »So einen Kaffee wie in diesem Lokal gibt's in ganz Wien nicht mehr«, äußerte der eine junge Mann. »Schwarz wie die Hölle, süß wie die Sünde, heiß wie die Liebe«, plapperte der andere prompt hinterher. Ina erhob sich hastig. »Ich muß gehen«, sagte sie ungeduldig. Man machte Phrasen. Sie angelte hilflos nach einem Grund ihres verfehlten Besuches. Sie brauchte einen Klavierspieler, irgendeinen jungen Menschen, der täglich ein paar Stunden zu ihrer Arbeit spielte; aber es mußte ein begabter Mensch sein, keine Maschine, auch kein Walzerheld. Ob unter Brandts Schülern sich so etwas fände?

»Knarr!« riet das Füchschen sofort.

»Knarr ist ein Rüpel«, sagte Thomas Brandt.

»Aber begabt, und arm, sehr arm, er kann's brauchen.«

»Er hat perverse Ohren und einen verdorbenen Geschmack. Ich glaube, daß er mich im Innern für einen impotenten Philister hält.«

»Er ist eifersüchtig auf dich. Alle genialen Burschen sind das.«

»Die Weiber!« beschloß Thomas Brandt geschmeichelt. »Sie hat nun einmal den Tick fürs Geniale und protegiert es, wo sie kann.« Frau Brandt notierte Inas Adresse. Die jungen Männer produzierten erstklassige Verbeugungen. Jetzt roch es im Vorzimmer nach gebratenen Zwiebeln. Thomas Brandt stellte seine Pantoffelfüße hinter den Schirmständer und schaute Ina wieder vielsagend in die Augen. Sie reichte ihm die Hand, er drehte sie mit einer gewohnten, uralten, verbrauchten Bewegung zu sich und küßte die Stelle, die der Handschuh freiließ. Ina lief die Treppen hinunter wie auf der Flucht.

Dann erschien eines Tages Herr Knarr, von der Witwe Keslaber mit Mißbilligung betrachtet und tatsächlich nicht sehr gewinnend in Äußerem und Benehmen. »Thomas Brandt hat Sie sehr herzlich empfohlen«, sagte Ina freundlich.

»Der Alte möchte sich als Wohltäter aufspielen. Dafür danke ich«, sagte Herr Knarr. »Ich werde bei Ihnen meine Zeit abschwitzen. Sie werden mich dafür bezahlen. Basta. Auf gegenseitige Freundlichkeiten wird kein Wert gelegt.«

Sie postierte ihn an das Tafelklavier, das er ansah wie einen Haufen Mist, in den hineinzugreifen er bemüßigt war.

Auch vor den Noten, die sie hinlegte, schien er sich zu ekeln. Er blätterte vorsichtig darin herum, und seine Stirn begann sofort zu arbeiten, als er die erste Seite aufgeschlagen hatte. Zum Tanz in Grün ließ er ein kurzes Grunzen vernehmen. Der Tanz der Seejungfrau entlockte ihm ein kurzes, verächtlich gestoßenes Schnauben durch die Nase, er grinste etwas und sagte kopfschüttelnd: »Dieser Alte! Dieser Alte!« Den Tanz der Masken las er ganz durch.

»Von wem?« fragte er.

»Von Konradin Rahl.«

»Unbekannte Größe«, knarrte Herr Knarr und legte die Blätter fort. Aber beim Tanz der Mohnblume von einem jungen Franzosen schüttelte es ihn ganz unverhohlen. Als er Glucksche Musik vor sich sah, vergrößerten sich seine Augen in erschreckendem Maße, und er fragte: »Das wollen Sie tanzen?«

»Ja«, sagte Ina.

»Na, Servus! Das kann schön werden«, sagte Herr Knarr und setzte sich nieder. Ina nahm ein paar Blätter vom Klavier und trug sie fort.

»Was ist das?« fragte er.

»Das, damit bin ich noch nicht fertig, das kommt später«, sagte sie ungewiß und schloß den letzten Tanz weg.

Herr Knarr spielte, und er spielte gut; bald kannte er die Tänze auswendig und schaute nicht mehr in die Noten und nicht auf die Tasten; aber auch die tanzende Ina Raffay sah er niemals an. Er hatte stumme, nach innen gewendete Augen hinter seinen Brillengläsern und wurde wütend, wenn Ina mit ihm zu sprechen versuchte. Ihr gefiel er; es machte ihr die Arbeit leicht, daß er sich gar nicht um sie kümmerte. Sie besah sich sein hölzernes Gesicht mit den tiefen Kerben in den Wangen und vermutete, daß er hungerte. Sie stellte ihm Tee und Butterbrot aufs Klavier, er aß mit gedankenvoller und abwesender Miene, aber erstaunlich schnell. Sie vergrößerte täglich die Portionen; Herr Knarr bewältigte zerstreut und hungrig jede Quantität. Die Witwe Keslaber vermutete: »Er ißt überhaupt nur, was er bei uns kriegt, und sonst den ganzen Tag nix«, und die Witwe Keslaber hatte recht. Herr Knarr wurde ziemlich satt bei Ina und sah sich endlich in die Lage versetzt, Geld für Partituren und Konzertkarten zu erübrigen; freundlicher wurde er dadurch keineswegs. Die Witwe Keslaber erkundigte sich einmal bei ihm, was eigentlich Geheimnisvolles mit ihrer Dame im Saal oben im Werk sei. Herr Knarr entgegnete: »Die verrückte alte Tante hopst da im Hemd herum wie wild und reißt sich alle Beine aus.«

»Im Hemd?« stammelte die Witwe. »Jesusmariaundjoseph!«

»Ja, in einer Art Hemd, so einem färbigen, wie es eben Tänzerinnen und solche Weiber tragen«, sagte Herr Knarr und ging davon. Die Witwe Keslaber war dadurch in schwere Bedenken gestürzt, sie erhöhte ihren Tageslohn und hatte eine ernste Aussprache mit dem alten Gärtner, der den Pavillon an Ina vermietet hatte. Aber der war in seiner guten Meinung über die Dame nicht zu erschüttern. Zu oft saß sie bei ihm im Treibhaus und ließ sich von Pflanzen und Blumen erzählen. Etwas, das sie dunkel Neugierde nannte, trieb sie oft ins Gedränge hinaus, dicht zwischen die Menschen, in Kaffeehäuser, in überfüllte Straßenbahnen. Sie sah sich in fremden Gesichtern fest, sie saugte sich in fremde Leben hinein, sich selbst stärker und vielfältiger zu spüren. Dieselbe Neugierde, der Drang, jedes Leben in ihres, dieses kurze, ablaufende, aufzunehmen, trieb sie zu den Pflanzen. Sie konnte stundenlang vor einer Blume sitzen, die süße laue Luft atmen, das kleine Schlaflied des Brünnchens hören, das ihr zu Ehren spielte, und zusehen, wie sich Blüte und Blatt langsam, zart, unmerklich bewegten, wuchsen, welkten. Es war sehr still im Treibhaus, und es konnte vorkommen, daß man sich selbst vergaß und zur Pflanze wurde, mit Wurzeln trinkend, mit Sehnsucht dem Licht zugekehrt.

Das sind die guten Stunden.

Die andern, die mit den verhüllten Gesichtern, die angstvollen und verzweifelten stehen noch wie ein stummer Kreis um sie und warten. Schon aber ist Schlaf nicht mehr Schlaf, nicht mehr süßes Eingebettetsein in Wärme und Nichtwissen; immer liegt Ina Raffay in den Nächten so ausgestreckt, so angespannt am Rücken, die horchenden Finger auf die kranke Brust gelegt, während der letzte Tanz sich aufbaut, Bewegung um Bewegung, jede sich quälend um das Stärkste an Ausdruck. Schon hat jedes Lachen seinen Unterton und jedes Empfangen seine Angst. Alle Uhren stehen im Pavillon, und dennoch wird aus Nacht und Tag hinrinnende Zeit.

An einem Abend im Dezember klingelt Ina an der Tür der Klinik Delares. Eine Schwester öffnet, eine andere führt sie in Fernands blaues Zimmer. Der Professor ist noch bei der Abendvisite. Die Schreibtischlampe schüttet stillen Schein aus, an die Fenster klingeln harte, kleine Schneekörner. Ina sieht ihre Hände vor sich liegen; die zittern, auch die Schultern, auch das Herz. Sie hält ihre Lippen mit den Zähnen fest und wartet. Dann kommt Fernand und bringt seine Hände und seine Augen und sein jenseitiges Lächeln.

»Fernand«, sagt Ina, »Fernand, es schneit, es fällt schon der erste Schnee.«

Er versteht sie sogleich. Er sagt: »Ja, Ina. Ein Vierteljahr ist vorbei.« Und etwas später: »Es ist noch Zeit, Ina, du kannst noch umkehren.«

»Nein«, flüstert sie, »nicht umkehren, das nicht. Man erschrickt nur manchmal.«

Er nimmt ihre Hände, und sie sitzen still nebeneinander, bis sie nicht mehr zittert. Einmal greift er nach ihrer Wange und legt ihren Kopf auf seine verwachsene Schulter; es ist die alte Stellung, die, in der zwei Kinder in Amrun dem Sonnenuntergehen zusahen. Es ist Heimat, an Fernands Schulter auszuruhen.

Mit geschlossenen Augen sagt Ina: »Kein braunes Buchenlaub mehr sehen, keinen wilden Wein. Nie mehr. Nie mehr Herbsterde riechen, nicht mehr dasein, wenn die Marienfäden wandern. Ich sehe sie so gern.«

Fernand sagt: »Nichts mehr sehen, Ina, nein. Aber alles sein. Erde und Laub und wilder Wein und wandernder Faden in der Luft.«

Sie atmet tief. Fernand geht nach einer Weile ans Klavier und beginnt zu spielen, es ist die Schubertsche Sonate in a-Moll, die sie seit Kinderzeiten liebt. Ihre Gedanken stillen sich und ziehen davon und bauen schon wieder Bilder in die Luft. Das ist Schubert, dazu darf man nicht tanzen, sagt Mama. Ina weint.

Ein anderes Mal, an einem klaren, sehr blauen Frosttag, da sie mit Fernand durch den Anstaltsgarten geht, geschieht es, daß sie mit einer plötzlichen Bewegung stehenbleibt, mitten im leichten Gespräch, und fragt: »Wird das Ende sehr schrecklich sein, Nando?«

»Nein«, antwortete er nach einem Zögern. »Das Ende spürt man nicht, wie man den Schlaf nicht spürt. Du wirst Schmerzen haben, kleine Schwester, aber die Schmerzen gehören noch zum Leben. Ich kann bei dir sein und mildern, wenn es nottut. Was nachher kommt, ist schön, denke ich mir.«

Ina schweigt. Fernand schaut sie forschend an, es ist der kühle, messende Blick des Arztes. Später, beim Abschied, fragt er: »Ina, willst du vielleicht nach Amrun?«

Aber Ina erwidert: »Nein, Fernand. Noch nicht.«

Auch an dem Abend, da sie vierzig Jahre alt wird, flüchtet sie in das Delares-Haus. Ein breites Fenster stößt weiße Helle in den Garten. »Der Herr Professor ist im Operationssaal«, sagt die öffnende Schwester. »Oben ist Besuch.« Als Ina das blaue Zimmer betritt, wendet sich ihr ein kluger, schmaler Kopf unter grauen Haaren zu, sie erkennt ihn gleich, es ist Herr Adolf, der Krüppel von der Oper, der errötet und sich verbeugt. Er hat Beine gekriegt, Herr

Adolf, Holzbeine, die ganz richtig in Hosen und Stiefeln stecken und die er nicht ohne Stolz unter den Tisch setzt. Es ist hübsch gedeckt, eine Flasche Wein steht neben Blumen, und auf dem weißen Tischtuch liegen Herrn Adolfs Hände. Die Finger sind verrunzelt wie die einer Waschfrau, weil sie vorher einer so nachdrücklichen Behandlung mit heißem Laugenwasser unterzogen wurden; aber es sind hübsche, saubere, ausdrucksvolle Hände ohne Pech und Leim und Stiefelwichse. »Wir sind ja alte Freunde«, sagte Ina. »Es hat mir ordentlich gefehlt, daß Sie nicht mehr bei der Oper zu sehen sind. Wie merkwürdig, daß ich Sie hier treffe!«

»Ich bin jedes Jahr an diesem Tag bei Herrn Professor eingeladen«, sagt er und wird noch röter. »Ich bin jetzt wieder Schustergeselle, ja, Herr Professor hat mir eine Stelle bei einem orthopädischen Schuster verschafft, das ist ein hochinteressanter Beruf. Gehört natürlich viel Geduld und Liebe dazu und ein Gewisses, was nicht jeder hat. Für Fabrikbetrieb ist ja unsereiner nicht, aber beim Orthopädischen, da muß jeder Stiefel anders geschnitten sein und der rechte wieder anders als der linke, und es darf nichts drücken; das versteht unsereiner, es ist eine halbe Doktorarbeit, sagt Herr Professor.« Er schielt nach Inas Füßen und setzt hinzu: »Wenn ich mir erlauben darf, die Dame trägt noch immer so gute Schuhe, nicht zu klein und kein hoher Absatz, das freut mich. Ist die Dame noch immer beim Ballett?«

Fernand trat ein, und sie wandte ihm mit einer kurzen, unbeherrschten Bewegung den Kopf zu. Ihr war, ihn müsse noch die Luft des Operationssaales umgeben wie etwas Erschreckendes, Unheimliches. Aber er lachte und war lustig und fast knabenhaft in seinem Wesen. »Wir wollen vergnügt sein«, sagte er zu Inas Augen; und sie wurden vergnügt. Er erzählte von seinen Erlebnissen und Reisen in aller Welt, und Herr Adolf kramte urwüchsige Schusterstubengeschichten aus seiner Wanderzeit hervor und sang mit seiner kleinen, alten Stimme verschollene Wiener Lieder. Ina hörte zu, ihr war gut, flüchtig dachte sie an Doktor Hunold, der jede Woche einen gut stilisierten, inhaltslosen Brief mit dem Vermerk »In Eile geschrieben« schickte. Sie dachte an das Haus hinter den mageren Taxusbäumchen, sie kannte das Menü, das in Frankurt an ihrem Geburtstag gegessen wurde, die einflußreichen Leute, die zu Gast waren, den Trinkspruch, den Hunold hielt, und seinen bilanzziehenden Epilog nachher beim Zubettgehen.

Herr Adolf schaute in sein Weinglas und sagte: »Wenn die Dame gestattet und obwohl die Dame heuer persönlich anwesend ist, möchte ich mir erlauben, was Herr Professor und ich jedes Jahr an diesem Tag taten: Ein Glas auf ihr Wohl zu trinken.«

»Denken Sie auch nächstes Jahr daran«, sagte Ina und sah Fernand an.

»Daran, daß Totsein und Lebendigsein dasselbe ist, wie deine Großmama zu sagen pflegte«, sagte er, und er sagte es wie einen Scherz, obwohl sein Mund dabei ernst wurde.

In dieser Nacht kamen zum erstenmal die Schmerzen. Ina lag gespannt und ausgestreckt in ihrem Bett, ihr war gut und heiter zumute, ihre Finger hielten die kranke Stelle, die nicht wuchs, immer noch winzig, fast unmerkbar war. Da spürte sie es zum erstenmal und lag still und atmete lange nicht. Es war fast kein Schmerz, es war nur ein Nagen, ein grabendes Gefühl weit unter der kranken Haut ins Tiefe; wühlend, aussetzend, wieder grabend. Ina rührte sich nicht, ihr war kalt, und die Finger und die Zehen krampften sich ein wenig, ohne daß sie es wußte. Sie spürte den Schmerz. Es ist Zeit, sagte ihr gequältes Fleisch. Es ist Zeit, sagten die Stunden der Nacht ohne Schlaf. Das Fensterkreuz, schwarz im Mondschein stehend, sagte es, die Schatten im Winkel, die nackten Wipfel draußen, ihr eigenes, flatterndes Herz: Es ist Zeit. Eine Traumstimme sang den letzten Tanz, die helle Melodie über dem dunklen Trauermarsch: Es ist Zeit.

Ina Raffay lag mit offenen Augen und sagte laut in die Stille: »Es ist Zeit.«

Am Morgen entschlief der Schmerz. Spät erhob sie sich, zwang ihre Glieder mit Bädern und Übungen zur Straffheit und ging in den Saal hinauf. Da saß schon Herr Knarr; er hatte sein Frühstück verzehrt und sagte ungeduldig: »Es ist Zeit!«

Sie legte ein paar Notenblätter vor ihn hin und sagte leise: »Jetzt müssen wir diesen Tanz einarbeiten.« Herr Knarr las die Überschrift: »Der letzte Tanz. Für Dich.« Seine Augen vergrößerten sich sehr.

»Ihnen gewidmet?« fragte er.

»Ja.«

Er schnob nur Verachtung durch die Nase. »Die Verse möchte ich komponieren«, sagte er noch und begab sich ans Spielen. Ina stand noch da und hörte die längst vertraut gewordene Musik an und sammelte sich wie vor einem Sprung. Herr Knarr beugte sich über die Tasten und blieb bei einem Akkord stehen, bei einer seltsam eindringlichen Modulation, einer Wendung, bei der Ina zum erstenmal die Hand aus dem schwarzen Mantel heben wollte. Herr Knarr horchte sich da hinein, er gab einen kleinen, erregten Laut von sich, wiederholte den Takt und ging dann weiter. Seine Hände waren aufgewacht, sie spielten zu Ende und lagen noch einen Augenblick auf den Tasten, die ihren dünnen Ton aussangen, und er sagte: »Gute Musik. Anständige Musik. Schade drum.«

»Sie arbeiten wohl sehr ungern mit mir?« fragte Ina mit aufgestörten Nerven.

»Ungern, warum? Ich habe schon im Kino gespielt und in einer Praterkapelle. Man muß ja leben. Ich bin eben kein Millionär, der zu Hause sitzen und sein Streichquartett komponieren kann. Von mir aus können Sie tanzen, was Sie wollen, ich spiele schon dazu. Sie bezahlen es ja. Mir tut's nur leid um diese Musik. Da steckt was drin.«

»Glauben Sie nicht, daß ich das tanzen kann, was da drinsteckt?« fragte Ina. Sie stand schon im schwarzen Mantel, und ihre Mundwinkel zitterten fast kindlich.

»Nein«, sagte Herr Knarr ohne weiteres.

»Sie sind der erste Mensch, der das verachtet, was ich schaffe; das vertrage ich nicht. Dabei kann ich nicht arbeiten.«

»Schaffen? Schaffen Sie denn auch? Nennt man Ballett-tanzen Schaffen? Ach, ich weiß schon, der Alte hat mich gebührend aufgeklärt: Die berühmte Ina Raffay, die Reformatorin der Tanzkunst, die im Lexikon steht, die kleine Seejungfrau. Schöne Kunst! Was ist denn Kunst? Musik? Oper? Nein. Symphonie? Nein. Manchmal, bei Beethoven, ja. Aber sonst? Effekt. Instrumentation. Schminke. Die Matthäus-Passion, ja, sehen Sie, das ist es. Ein Streichquartett, ja. Vier Stimmen und nichts weiter. Etwas ganz Reines. Kein Vertuschen, kein Schönfärben. Vier Stimmen. Und daraus eine Welt aufbauen. Und darum ringen und darum leben wie ein Hund, nicht fressen, nicht schlafen, nicht sehen, kein Mensch sein; nur sich quälen und alles, was man hat und kann, in diese vier Stimmen pressen und zum Schluß spüren: Musik ist unzulänglich. Kunst ist unzulänglich. Schauen Sie die Neunte an oder den Faust oder den Moses des Michelangelo: Das alles ist ja die helle Verzweiflung über das Unzulängliche. Da kommt man her, springt ein bißchen, lächelt ein bißchen und nennt das: ›Kunst. Schaffen.‹ Schön. Los! Fangen wir an mit dem Schaffen.«

»Wenn alles doch unzulänglich ist und Schaffen eine Qual«, sagte Ina sehr leise und langsam, »warum glauben Sie, daß ich ohne Qual bin? Vielleicht will auch ich alles, was ich weiß und kann und bin, in diesen Tanz zwingen. Mein ganzes Leben. Und alles, was noch kommt. Vielleicht habe auch ich etwas zu sagen und weiß kein anderes Instrument als mich selbst. Unzulänglich, das ja. Aber verachten lasse ich mir es nicht.«

»Gerede«, sagte Herr Knarr, aber er senkte ein wenig den Kopf. »Zuviel Gerede. d-Moll Adagio. Vierviertel. Tanzen Sie das, wenn Sie können.« Er hob einen dumpfen Akkord aus den Tasten.

»Wer war die Dame?« fragte der Lokalredakteur, der unter der Tür mit Ina zusammentraf. »Ein Tanzweib«, knurrte Herr Frank, in Zigarettendunst und die Dichtung einer Schmucknotiz versunken. »Mager!« äußerte der Lokalredakteur. »In der dritten Blüte«, murmelte Herr Frank. »Mich sieht sie nicht. Der sechzehnte Tanzabend im Monat! Blosch kann hingehen.«

Blosch, selten rasiert, zu unbegabt zum Dichter, zu träumerisch zum Reporter, durch einen Sektionschef in das Blatt protegiert und dort zu Pulver zerrieben, legte die Marke weg, deren Hinterseite er eben beleckt hatte. »Sie hat die gewisse Morbidezza früher italienischer Bildnisse, finde ich«, sagte er. »Blosch redet wieder Feuilleton«, sagte Herr Frank. »Stuß redet er«, sagte der Lokalredakteur. »Kein Wunder bei einem Menschen, der in seiner freien Zeit Verlaine übersetzen möchte.« »Entschuldigen Sie«, sagte Herr Blosch. »Ich entschuldige; aber machen Sie mir den Raubmord in Favoriten fertig, statt Ihre Zeit mit morbiden Tänzerinnen zu vertun. Wozu ist die Nymphe überhaupt hier angetanzt? Kritiken schinden, was, Frank?«

»Sie hat nach einem Herrn Pratt gefragt. Perle sagt, der ist lange tot. Dann hat sie uns einen Vortrag gehalten über Tanzkunst, ich weiß nicht was, es war Philosophie dabei. Blosch kann's erzählen, er hat zugehört. Ich muß meine Schmucknotiz machen.«

»Wenn sie philosophieren, haben sie schlechte Beine, das kennt man«, bemerkte der Lokalredakteur und knipste sich Haare aus den Ohren. Blosch, im Hintergrund, sagte: »Sie will etwas anderes tanzen als die andern. Sie sagt, die machen es sich zu leicht, und der Tanz verfällt schon wieder. Sie meint, es ist zu viel Kostüm und zu wenig Ausdruck. Sie will ohne Kostüm tanzen.«

»Ohne Kostüm? Donnerwetter! Wird das erlaubt?«

»Wer will ohne Kostüm tanzen?« fragte der Feuilletonredakteur, der eintrat und im Spiegel seinen dekorativen Graubart besah, bevor er daran ging, seinen Rock zu wechseln.

»Nicht ganz ohne Kostüm, aber nur im einfachen Kittel, es soll nur die Farbe geben, hat sie gesagt«, erklärte Blosch ungehört.

»Wie heißt sie denn?«

»Ina Raffay.«

»Was? Ina Raffay? Ina Raffay!« sagte der Feuilletonredakteur und schaute im Kreis herum. »Ich glaube, Ihr Säuglinge, fern von Wissen und Erfahrung, ahnt wirklich nicht, wer Ina Raffay ist?«

»Nein«, sagte Herr Frank ungerührt.

»War das Ina Raffay?« fragte Blosch und kam hinter seinem Schreibtisch hervor. »Wirklich dieselbe Raffay, von der die ganze moderne Tanzbewegung ausging?«

»Seine Unbildung weist Lücken auf«, äußerte der Lokalredakteur. Der Feuilletonmensch kratzte sich mit einer Ekke des Programms den Kopf und sagte: »Wenn es dieselbe ist, dann möchte ich sie nicht tanzen sehen. Sie muß zwischen sechzig und siebzig sein. Als ich ein ganz junger Kerl war, hatte sie ihre gute Zeit. Wenn man so zurückdenkt! Der alte Pratt war ganz verrückt mit ihr. Der ist nun auch schon eine Ewigkeit tot. Ina Raffay! Die Raffay!«

»So alt hat sie nicht einmal ausgesehen«, sagte Blosch.

»Sie war auch verschleiert«, bemerkte skeptisch der Lokalredakteur.

»Die Perle soll kommen«, verlangte der Feuilletonmensch. Die Perle, der Redaktionsdiener, so genannt wegen eines unaussprechbaren böhmischen Namens und seiner verehrungswürdigen Eigenschaften, erschien auf schiefen Beinen.

»Perle«, fragte der Feuilletonredakteur, »wann ist der selige Pratt gestorben?«

»Das werden im Jänner so ein fufzehn Jahrln sein.«

»Perle! Erinnern Sie sich: Wann war das Pressefest, bei dem die Raffay getanzt hat? Wissen Sie: Pratt seine Raffay!«

»Na ob! Die, wo er immer hat die Reklamenotizen unterbringen wollen! Na, ob ich mich erinner! Das sind jetzt, ein, drei, das sind so vierundzwanzig Jahrln jetzt.«

»Bitte«, sagte der Feuilletonredakteur und schaute alle an. »Entweder also ist es ein Schwindel, oder es ist eine Tragödie mit dieser Raffay. Auf jeden Fall kann Blosch hingehen«, beschloß Herr Frank.

Und Blosch wusch seinen Gummikragen und ging hin.

Es war ein Abend im April mit leichter Luft und lauem Westwind in den Straßen. Die Verlockung, ein Frühlingsfeuilleton zu schreiben, war groß. Blosch kaute an ungedichteten Sätzen. Das Referat über den Tanzabend war schon halb fertig zur selben Zeit, da Ina Raffay noch im Künstlerzimmer saß, das mittelst einer spanischen Wand zur Garderobe improvisiert war, und ihre Haare löste und sich für den Tanz in Grün jung schminkte. Herr Knarr wanderte jenseits der spanischen Wand herum und biß in einem ganz unangebrachten Anfall von Lampenfieber seine Nägel ab. Ina war außerordentlich müde und benommen. Eine Nacht der nagenden Schmerzen in der Brust lag hinter ihr, Fernand hatte ihr Opiumtropfen gegeben, nun spürte sie sich dumpf, erschöpft, die langentwöhnte Schminke brannte in den Augen wie bei einer Anfängerin. »Ist der Saal schon voll?« fragte sie. Herr Knarr wanderte auf die kleine Bühne, kehrte zurück und meldete: »Hundeleer.«

»Wir warten noch, Knarr«, sagte sie dankbar. Dann saß sie wieder da, dicht neben der Heizung, denn sie fror mit heißem Kopf, und schaute auf ihre nackten Füße. Die kamen ihr so sonderbar verändert und fremd vor. Die Haut war dünner geworden, die Adern liefen sehr blau darunter hin; der Gaumen war ihr ausgetrocknet vom Opium, sie schloß die Fäuste, da spürte sie das Blut klopfen in der Handfläche. »Noch fünf Minuten, Knarr«, sagte sie fast flehend.

»Den Saal umschwebt unheimlich, fast gespenstisch, die Aura der verschollenen Tänzerin«, begann Bloschs Referat; das stimmte nicht. Der Saal war von außergewöhnlicher Nüchternheit, ein neuer Saal in einem neueröffneten Konzertgebäude, es roch noch nach frischem Anstrich und Ölfarbe; zwei Stuckengel posaunten geschmacklos über die kleine Bühne hin. Die Klappsessel knarrten unmäßig, die elektrischen Lampen brannten zu hell, der Saal fror, obwohl er überheizt war. In der Garderobe hörte man Streit, dort zankten sich der alte Ballettmeister Forli mit der Garderobenfrau, weil er unbedingt seinen Spazierstock mit Elfenbeingriff in den Saal mitnehmen wollte. »Markante Köpfe tauchen auf«, beschloß Blosch. Herr Forli nahm wirkungsvoll in der ersten Reihe Platz, unfern von ihm saß Doktor Bertram, der Regisseur, und putzte seinen Kneifer. Fräulein Marschall, die Primaballerina, dick emailliert und in Brillanten glänzend, begrüßte beide. Thomas Brandt mit Frau tauchte auf und machte ein zerstreutes Gesicht. In der letzten Reihe saß eine dicke, erhitzte Dame mit den hübschen, lustigen Augen der Mila Merz; sie hatte eine zu großgemusterte Bluse an und erzählte ihrem Mann, dem Strumpfwarenhändler Haberl, kleine Geschichten aus der Jugend. Der Saal füllte sich langsam, oder vielmehr, er füllte sich gar nicht. Auf der Uhr zwischen den blasenden Engeln marschierten die Zeiger schon weit über die Anfangszeit. Die Bühne war von keinem Vorhang verschlossen, trüb beleuchtet, im Hintergrund hing farbloser Samt in geraden Falten.

»Auffallend ist das Überwiegen der grauen Köpfe, eine

vergangene Generation ist erschienen, um die Tänzerin ihrer Jugend noch einmal zu feiern«, hatte Herr Blosch in seinem Referat vorausgesetzt. Auch dies entsprach nicht der Wahrheit. Die Agentur hatte Hochschulen und Akademien mit Freikarten gefüttert, es saßen junge Menschen da, ein paar Maler, ein paar Musiker, ein paar Mädchen mit prononzierten Frisuren, und warteten in flauer Stimmung auf den Anfang.

»Knarr, ich glaube, ich habe Angst, zum erstenmal in meinem Leben Lampenfieber, Knarr«, sagte Ina im letzten Augenblick hinter dem grauen Samt. Sie war schwindlig. Aber schon spielte Knarr, schon wurde unbarmherzig der Saal verdunkelt, und grünes Licht färbte die Bühne. Sie tat die erste Bewegung, stieß sich vor, aus Dumpfheit ins Überwache, sie warf sich auf die Bühne in jenem Hinstürmen, das diesen Tanz der Jugend einleitete; das lange Haar wehte warm und knisternd hinter ihr her wie einst. Auf einem Molldreiklang hielt sie ein, mit dem scheu tastenden, zitternd horchenden Innehalten der Schmetterlinge in ihrem Flug. Da spürte sie Kälte sich entgegenschlagen, wie eine Schlucht lag leerer Raum zwischen ihr und dem Saal. Schwere verhing sich in ihren Gliedern, sie preßte hart die Kiefer aufeinander, indes sie das traumvoll sehnsüchtige Wiegen des Sechsachteltaktes begann.

Unten sah man nicht unfreundlich, aber etwas gelangweilt zu; man kannte diesen Tanz schon, man hatte ihn, der einmal Revolution gewesen war, nun von hundert Tänzerinnen gesehen, von jungen, schönen, eben erblühenden wie von kunstvollen, routinierten. Man kannte das Wiegen, das sehnsuchtsvolle Inslichtlangen der Arme, den horchend geneigten Kopf, die nackten Zehen, leicht wie über Moos und Wiesen gleitend. Selbst Fräulein Marschall, die Primaballerina, hatte sich nach längerer angestrengter Pediküre vor kurzem dazu entschlossen, eine *Valse triste* mit nackten Füßen und ohne Spitzentechnik zu tanzen, und mit Hilfe von Schleiern und einer blonden Perücke einen durchaus erfreulichen Eindruck damit erzielt. Immerhin: Man applaudierte, schwach, aber nicht ohne Respekt. Hinter dem Samt sagte Herr Knarr ermunternd: »Na also!« Seit Ina geschminkt war und sich den Leuten hinwarf, hatte er Mitleid mit ihr und wunderte sich darüber.

Sie hüllte sich in den opalisierenden Schleier der Seejungfrau, sie atmete schwer, und Schweiß stand in kleinen Tropfen auf ihrer Stirn. »Ist es zu hell auf der Bühne, oder kommt es mir nur so vor?« fragte sie ins Leere. »Alles in Ordnung, Fräulein, mit der Beleuchtung«, sagte der Mann am Scheinwerfer und wechselte die Platten; die Kohlenstifte im Apparat gingen zischend an, schon ließ Herr Knarr das Irinmotiv erklingen.

Im Parkett hob Thomas Brandt den Kopf und sah spähend der Tänzerin entgegen, die aus den steilen Samtfalten hervortrat. Ina Raffay tanzte, und die ganze Zeit war sie erschreckend wach, seltsam verdoppelt stand sie neben sich und sah sich zu mit ernüchterten Augen. Das quälte, das störte ihre Nerven auf, das wuchs und wurde dichter zu dem unheimlichen Gefühl, zwei Wesen stünden auf der Bühne. Die eine Ina Raffay, die mit den müden, angestrengten Gliedern, tanzte im Vordergrund, sehr wach, sehr bewußt, und mühte sich und fand nicht mehr dieses Einsinken in den Tanz, dieses Leichtwerden und Davonfliegenkönnen. Die andere, eine mit süßen, sechzehnjährigen Augen und Lippen, stand hinter ihr in die Vorhangfalten geschmiegt und sah reglos zu, sie konnte lächeln, ein wenig schmerzlich, ein wenig in Spott. Das peinigte, das wurde so stark, daß Ina in einem Zwang den Tanz durchbrach, eine Sekunde stillstand, die Hände ausstreckte und angstvoll hinter sich blickte. Der Scheinwerfer peitschte sein Licht in ihre Augen, vielleicht auch war ein Schatten vorbeigeglitten und im Bläulichen ertrunken. Sie warf die Hände vors Gesicht und tanzte weiter. Es war nur eine Sekunde, der Saal atmete tief.

Nachher applaudierte man stärker. Es wurde hell. Thomas Brandt schaute noch immer spähend auf jene Stelle, die Ina angestarrt hatte. »Was gibt's, Vater?« fragte das Füchschen. »Wo bist du? Siehst du Gespenster?« Aber Vater schwieg.

»Ein Hauch visionärer Melancholie«, stenographierte Blosch in sein Programm. Doktor Bertram sagte vorne zu Ballettmeister Forli: »Da sieht man erst, wie alt man wird, lieber Freund. In der Tretmühle merkt man das nicht. Wann haben wir die Premiere von der Oper gehabt, was? Und wegen so etwas hat es Krach und Aufregung gegeben. Wie? Lieber Freund!«

»Sie hat sich ganz gut konserviert, finde ich«, sagte Herr Forli in vornehmer Gesinnung und rieb seine Nase mit dem Elfenbeinknopf, »die gute technische Grundlage, wissen Sie, das hält die ältesten Knochen jung.« Fräulein Marschall machte ein Mündchen.

Ina saß eine Weile mit hängenden Händen hinter ihrer spanischen Wand, bevor sie daranging, sich für den nächsten Tanz umzukleiden. Jenseits der Wand wanderten Herrn Knarrs Stiefel geräuschvoll auf und ab, standen, wanderten wieder. Während aller Übungsstunden hatte er Ina seinen widerspenstigen Rücken zugedreht, heute, hinter dem grauen Samt, war er so postiert, daß er sie sehen mußte. Und was er sah, machte ihn auf eine sonderbare Weise wütend und mitbeteiligt. Er brummte einiges, und gedeckt durch die spanische Wand, äußerte er schließlich: »Da war ein Moment, der war nicht schlecht. Der war gespürt.«

»Gespürt, ja«, sagte Ina erschöpft, »aber Kunst war es nicht; gerade das nicht.«

Der Abend ging weiter. Sie tanzte den Tanz der Masken. »Ihre Geistigkeit überwiegt, man vermißt die holde, tänzerische Sinnlichkeit«, stenographierte Blosch nicht ohne Stolz. Sie tanzte den Tanz der Mohnblume, sie tanzte das Rote, sie stachelte sich an und den Saal, sie zwang die Leute noch einmal zu sich, sie spürte noch einmal Hitze zum Podium emporschlagen und sich selbst aufgelöst in Bewegung und Antrieb. Noch einmal riß die letzte Steigerung ihr das Gewand vom Körper und ließ sie auf der plötzlich verdunkelten Bühne zusammensinken.

»So etwas finde ich schamlos«, sagte Herr Forli mitten in den Beifall, der knallend losging. »Der Schlager des Abends«, stenographierte Blosch; es paßte nicht recht in den schönen Stil seines Referates, er kaute eine Weile, aber es fiel ihm nichts Passenderes ein. Ina kam wieder, mit einem schüchternen Lächeln und Augen, die wie blind waren, verbeugte sie sich gegen den halbleeren Saal, der sein Möglichstes an Lärm hergab. Die Knie zitterten ihr ein wenig nach all der Anspannung. Zu beiden Seiten der Uhr bliesen die Engel unbeteiligten Gesichtes in ihre Posaunen.

»Eine Pause, Knarr«, sagte Ina und versuchte, das Krampfhafte in Kiefern, Zehen und Muskeln zu lockern. Ihre Sohlen waren mit einer Staubschicht bedeckt und verlangten nach kühlem Wasser. »Wozu machen Sie den Leuten dieses Affentheater vor?« fragte Herr Knarr, nachdem er eine Weile an seinen Nägeln gebissen hatte.

»Wozu, ja wozu? Wozu komponieren Sie Ihr Streichquartett, Knarr?«

»Das ist etwas anderes. Und ich gehe nicht auf den Markt damit.«

»Nein. Vielleicht ist Musik, die niemand hört, noch immer Musik, ich glaube es fast. Aber Tanz, den niemand sieht, ist kein Tanz, Knarr.«

»Oder Sie sind eitel.«

»Nein«, sagte Ina und lächelte durchsichtig. »Eitel bin ich nicht. Wenn ich eitel wäre, ginge ich nicht so vor die Leute, die mich früher gesehen haben. Sagen Sie, bitte, nichts mehr. Der Abend ist absurd, ich weiß es jetzt schon: absurd. Vielleicht glaubte ich noch etwas geben zu können. Vielleicht wollte ich mich nur noch leben spüren. Vielleicht, ach, Knarr, Sie wissen so wenig wie ich, was unsereinen dazu verflucht, etwas zu tun, solange man noch kriechen kann. Und dann: Man versucht alles und glaubt, es ist etwas Großes, und hernach steht immer der graue Geiger in der Ecke. Nun, es ist Zeit. Nicht mehr reden, Knarr. Machen wir's fertig.«

Der Opferreigen. Glucksche Musik. Holde, begnügsame Heiterkeit, ein Schreiten, ein Stehen, ein Horchen. Ein Heben von unsichtbaren Früchten und Blumen, ein Aufwärtsgetragensein in leichte Himmel. Dann in dunklerem Cis-Moll ein Erschrecken, Sichwehren, Hände, die flehen, Lippen, die weinen, ein Nacken, der gebeugt wird, tiefer, tiefer, tiefer, bis die Stirn im Staube liegt und nur noch Schultern verzweifelt zucken unter dem hingespülten blauen Haar. Und wieder dic erste Melodie und wieder die Heiterkeit, die jetzt Resignation ist, und wieder die unsichtbaren Kränze, an unsichtbarem Altar niedergelegt. Und zum Schluß nur ein Fallenlassen der Hände, indes der Mund im emporgewandten Gesicht demütig lächelt.

Der Saal langweilt sich. Einige stehen auf und gehen fort, obwohl es noch zeitig ist. Ballettmeister Forli ist darunter und Fräulein Marschall. Blosch gähnt durch die Nase, er ist sehr enttäuscht. Seit Stunden sitzt er da und lauert auf das Ungewöhnliche. Etwas, das ein Gedicht gäbe oder eine Novelle für die Sonntagsbeilage, oder auch nur ein Feuilleton; ein Referat von zwei Spalten zumindest. Blosch bezieht Zeilenhonorar. Blosch ist ärgerlich auf diese unergiebige Ina Raffay, die nicht jung ist, aber scheinbar auch nicht viel älter als andere, die tanzen; die nichts Schlechtes bringt, aber auch nichts, das anders wäre als bei andern. Sie hat einfach renommiert in der Redaktion. Zwar hat sie eine gewisse Kraft des Ausdrucks, welche fast imstande ist, den fehlenden Kostümzauber zu ersetzen, denkt Blosch und stenographiert es auch sogleich; aber, er starrt die Posaunenengeluhr an und sucht angestrengt die Fortsetzung zu diesem Aber.

Man sieht den jungen Mann der Agentur quer durch den Saal gehen und im Eingang zum Künstlerzimmer verschwinden. Die Pause ist ziemlich lang. Es steht nur noch eine Nummer auf dem Programm: »Der Tanz im schwarzen Mantel.« Noch einige erheben sich unschlüssig, die neuen Sitze knarren, der Saal wird noch leerer. Herr Knarr hinter dem Samt sieht es und ist gereizt. Er fängt Streit mit dem jungen Mann der Agentur an, der unbedingt seinen trüben Kassenbericht abliefern will, Herr Knarr stößt Verachtung in kurzen Tönen durch die Nase und entfernt den jungen Mann.

Über der spanischen Wand hängt schon die runde spanische Capa, der schwarze Mantel. Ina Raffay hantiert vor dem Spiegel mit Seidenpapier und Abschminke. Sie ist erschreckend mager geworden in der letzten Zeit; überall, wo sie die Schminke fortwischt, kommen die Knochen zum Vorschein unter der dünnen, blau geäderten Haut. Die Kontur ihrer Lippen ist noch fester geworden, die Wangen haben Schatten, die Schläfen sinken ein, wie sie das Haar zu einem knappen Helm aus blauem Metall aufteilt. Sie wirft den Mantel über, sie atmet einmal tief und rafft sich zum Letzten zusammen; unheimlich kommt ein durchhöhltes Gesicht ihr aus dem Spiegel entgegen. »Alles Schminke?« fragt Herr Knarr, der kalte Hände bekommt. »Nein, alles Ausdruck«, antwortet Ina und lächelt skurril. »Es ist doch manchmal gut, daß man immer seinen eignen Totenkopf bei sich trägt.«

Dunkelheit im Saal. Ungewisses Licht auf der Bühne, finster im Vordergrund, leicht aufgehellt nach rückwärts. d-Moll. Adagio. Der letzte Tanz.

Erst nur ein Schatten im Dunklen. Etwas, das sich in den Samtfalten versteckt. Etwas, das stumm dasteht und wartet. Dann ein steiles, schwarzes Schreiten über die Bühne, sonst nichts. Da hebt sich die Melodie auf, diese verklärte, einfache Melodie des Lebens; und rückwärts, wo es heller ist, weht ein Mädchen über die Bühne, weiß, in weiße Schleier gehüllt, in einer sehnsüchtig nach vorwärts getriebenen Bewegung. Sie tanzt, kindlich in sich selbst versunken, hinter Schleiern lächelt sie, horcht, erschrickt, lächelt schon wieder, verschwindet tanzend. Und wieder ist das Dunkle, Schreitende da, schmal in den reglosen Falten des schwarzen Mantels und ohne Ausdruck starrend. Dann kommt jener Akkord, der wie ein Schauer ist, und zum erstenmal greift eine Hand aus der Verhüllung, eine magere Steinhand, knöchern und mit hohen Adern, greift aus dem Dunklen ins Helle, steht einen Augenblick so stark im Licht, daß sie fleischlos scheint, und verhüllt sich. Das Mädchen kommt wieder, noch tanzt es und ist doch schon wie auf der Flucht, schon blickt es zurück und immer wieder zurück, indes seine Melodie es nach vorwärts treibt, voran, voran. Schon stoßen Bässe Angst und Drohung in die Musik, schon trübt sich das Licht, und der Tanz wird Wirbel, der besinnungslos hinfegt und versinkt.

Und nun, im Dunkel, geschieht Grausiges, ein unheimliches Doppelspiel. Jagen und Gejagtwerden, Flucht und Verfolgung, Flüchtende und Verfolger scheinen zugleich da zu sein, wie grelles, hinschlagendes Licht bald dies, bald das aus der Schwärze reißt. Dann wird es still. Dann wächst noch einmal die Melodie des Lebens auf und zieht die helle Gestalt über die Bühne, stiller und fast feierlich; dann hämmert der Trauermarsch, die schwarze Gestalt steht sehr groß da und geht und hebt die Hände, und jetzt ist Sanftmut in ihnen, ein schönes, starres Gesicht lächelt Unbegreifliches, der Mantel weitet sich, drehend scheint er den ganzen Raum zu bedecken und fällt dann in sich zusammen, in steifen, leblosen Falten. Die Bühne wird heller, die Musik verklingt d-Moll-Akkorde, die beiden Gestalten sind verschwunden, die helle des Lebens, die dunkle des Todes. Nur der Mantel liegt noch auf der Erde.

Der Saal bleibt noch einen Atemzug lang verwundert

still, ein paar Hände beginnen zu applaudieren, und das klingt betrüblich genug. Gleich darauf knarren die neuen Klappsitze, und ungeduldige Stiefel scharren zur Garderobe. Man verläßt den Saal mit einer unangenehmen Empfindung im Nacken, die man sonst nach Tanzabenden nicht zu haben pflegt. Einzelne haben einen Hauch um ihre Stirnen wehen gefühlt, der imstande ist, jeden Appetit auf das Nachtessen zu verderben. Andere vermissen schmerzlich einen Wiener Walzer oder einen russischen Tanz zum Abschluß.

»Es war reizend«, sagte die ahnungslose Mila Merz zu ihrem Gatten. Blosch fühlt, wie schon häufig, zwei Seelen in seiner Brust; die eine möchte gerne ein Gedicht schreiben, während sich die andere dafür entscheidet, dem Referat noch zehn Zeilen beizufügen. Er tritt in der Garderobe dem versunkenen Thomas Brandt auf die Füße, der sich sinnlos lächelnd entschuldigt. Blosch beschließt: »Das Doppelspiel in dem letzten Tanz war eine virtuose technische Leistung, wenngleich die Idee: Tod und Leben oder ähnliches, im Klischee steckengeblieben und unklar ist.« Im Saal dreht man die Lichter ab, ein Diener holt den schwarzen Mantel von der Bühne, trägt ihn ins Künstlerzimmer und hängt ihn der Tänzerin um die Schultern, indes er eine Trinkgeldhand ausstreckt.

Ina steht mitten im Raum, unaufhaltsam von einem Schüttelfrost überfallen. Die Wirkung des Opiums ist vorbei, da nagt es wieder unter der glatten Haut ins Tiefe.

»Das Unzulängliche, Knarr«, sagt sie und lächelt sonderbar schwingend, »das Unzulängliche.«

Herr Knarr, schon in Hut und Überrock, kaut wie im Krampf an etwas, er hat fremde Augen hinter seiner Brille, er möchte etwas sagen, aber es kommt nicht viel heraus. »Entschuldigen Sie«, sagt er, denkt nach, kaut wieder und sagt noch einmal mit wankender, durchgerüttelter Stimme: »Entschuldigen Sie.«

Dann ist Ina allein, es brennt nur noch ein Licht im Zimmer. Sie ist so müde, daß sie sich nach einer Ohnmacht sehnt wie nach einem Genuß. Aber nur der Schüttelfrost ist da und der grabende Schmerz und eine drehende Dunkelheit. Für Sekunden. Sie legt die Hände vors Gesicht und läßt sie wieder sinken. Da steht noch einer an der Tür und wartet. Der Fremde im Mantel, denkt Ina überreizt und tut wie gezogen drei Schritte. Doch er ist es nicht; er trägt einen Radmantel wie der tote Konradin, aber er hat ein fremdes Gesicht. Der graue Geiger? fragt es in ihr und wartet.

»Sie kennen mich nicht, gnädige Frau?« sagt der Mann und dreht einen schlechten Hut in der Hand.

»Nein«, sagt Ina.

»Nein. Es war ja auch nur Episode. Manchmal scheint es mir, ich selbst war nur eine Episode in meinem eignen Leben. Ein Jahr, eine Frau, ein Bild. Die ganze Welt in Gelb und Blau. Ja, ja, gnädige Frau. Aber was ist nicht Episode, am Ganzen gemessen, am Großen? Sie wissen es nun auch, und auch, wie Vergessenwerden schmeckt. Aber es war schön heute abend. Ich danke Ihnen. Für den letzten Tanz vor allem, für den ohne Maske. Gute Nacht, gnädige Frau.«

»Walt Meinart«, sagte Ina und streckt eine Hand vor sich hin. Aber das Zimmer ist schon leer, auch die Treppe, auf der nur ein Notlicht flackert. Es könnte sein, daß noch mehr Gespenster auf den Stufen stehen und Reden halten wollen. Ina friert, sie hört ihre Zähne klirren, sie möchte nichts mehr als schlafen.

Unten in der leichten, süßschmeckenden Luft des Frühlings wartet Fernand neben dem Wagen. Er legt still seinen Arm um ihre Schultern in dem schwarzen Mantel. Etwas später fragt er ganz leise: »Willst du jetzt nach Amrum, kleine Schwester?«

Ina Raffay schließt die Augen und flüstert: »Ja. Jetzt ist es Zeit.«

Die alte, verschrumpfte Kalesche, dieselbe wie einst, knarrt in den Abend. Birken und Ebereschen säumen die Straße, hügelaufwärts zieht schwarzer Wald, zackig in Dämmerungshimmel greifend. Über die Wiesen steigt Nebel, geht ferner Gesang, zerfließt es wie wandernder Schatten. Ina atmet tief die starke Luft, den bitteren Geruch der Schafgarben, und plötzlich, fast erschreckend süß, fängt ihr Herz zu schlagen an, in einem unerklärlichen Gefühl von Sehnsucht und Neid und Hoffnung.

Sie hat die Heimkehr nach Amrum oft durchlebt, aber heute ist es nicht geträumt. Der schwarze Wald ist wirklich da, wirklich der kleine Vogelruf aus Bacherlen, wirklich der friedliche Geruch des Holzrauchs, die geduckten Hütten, der entschlafene Schlag des Weberschiffchens im dunklen Haus. Über das Schwarz des Waldes hebt sich silbern die Mondscheibe. Auf dem Hügel steht Schloß Amrum.

Noch einmal klingt Heimat vom Hufschlag in der Einfahrt und vom Brunnen im Hofe. Noch einmal geht Ina die kleine Barocktreppe hinauf mit ihrem Schritt, der in allem Müdesein das Schwingende nicht verloren hat. Und während alles in ihr sich löst und heimkehrt, sieht sie einen Augenblick ganz deutlich eine Flußfahrt in Indien vor sich, eine nächtliche Fahrt am Rand des Dschungels, wo Mangrovebäume hundertfüßig ins Wasser waten und die Nacht mit Stimmen von unerhörter Fremdheit aus verstrickten Wipfeln schreit. Gleich darauf sieht sie die Kassette, in der Großmama die toten Delares mit ihren Abenteuern eingepackt hatte, und dann steht sie im blauen Zimmer und denkt: Ich habe etwas Fieber.

Im Ofen brennt Holzfeuer. Auf dem Tisch ist eine Mahlzeit gerichtet, ein paar Glockenblumen nicken violett und tragen den Duft des Waldbodens her. Die Tochter des Kastellans bedient in bäuerlicher Einsilbigkeit und empfiehlt sich. Ina stützt den Kopf in die Hände, gestorbene Menschen gehen durch das Zimmer und haben freundliche Stirnen. Das Bett wartet nebenan, groß wie ein Haus, mit Säulen und Vorhängen. Das Bettzeug ist kühl und feucht, es steigt ein kleines Schauern daraus. Es ist das Bett, in dem die Delares zu sterben pflegen.

Zum offenen Fenster rinnt Mondlicht herein, schwarz und ernsthaft stehen draußen Tannen und regen sich im Schlaf; irgendwo murmelt Wasser. Ganz von ferne und gleichmäßig singen Frösche. Unten fällt mit einem klingenden Stoß das Tor zu. Ina streckt sich, legt einen Arm unter den Kopf und die Finger auf die kranke Brust. Heute sind da keine Schmerzen. Traumhaft fühlt sie sich kleiner werden, kleiner, und das letzte, was sie denkt, ist ein Hang voll Erdbeeren, die Fernand ihr zeigen wird.

Auch das Erwachen war ohne Schmerzen. Sie lag eine Zeitlang noch mit geschlossenen Augen, und Tannengeruch strich zum offenen Fenster herein, kühl an ihre Lippen. Es war eine angenehme Leere in ihr; keine Bilder mehr, keine Tänze, keine Bewegungen, kaum noch Gedanken. Als sie die Augen aufschlug, kam ihr zuerst das verblaßte Seidenmuster des Betthimmels entgegen, dann bewegtes Sonnenlicht auf hellen Dielen. Am Fußende des Bettes stand ein Mädchen, nicht mehr jung, mit einem geraden Prinzessinnengesicht und in weißer Schürze.

»Ich bin Schwester Beate«, sagte sie. »Die Heimstätte schickt mich her. Professor Delares wünscht, daß ich in Ihrer Nähe und zu Ihrer Verfügung bleibe, gnädige Frau.«

»Die Heimstätte!« sagte Ina horchend; in den letzten Tagen waren alle Farben sehr stark, jeder Klang so aufgeschlossen, jedes Gesicht und jedes Wort voll Eindringlichkeit. »Welche Heimstätte, Schwester?«

»Die Kinderheimstätte im Wald.«

»Gibt es das hier?«

»Ja, das gibt es«, sagte die Schwester und lächelte ein wenig. »Wissen Sie das nicht? Es ist das größte Kinderheim auf dem Kontinent. Es ist eine von den vielen Delares-

Stiftungen. Der Professor hat alle Güter der Familie zu Asylen und Krankenhäusern gestiftet, wußten Sie das nicht? Nur Schloß Amrum ist unberührt geblieben; dafür wurde oben an der Heide die Kinderheimstätte gebaut.«

»Im Kauzenwald«, sagte Ina und wußte wieder alle die alten Wege. »Setzen Sie sich zu mir, Schwester, und erzählen Sie mir davon.«

Schwester Beate setzte sich an den Bettrand und legte eine große, adlige Hand auf die Decke. »Die Häuser stehen oben am Waldrand, wo die Heide anfängt; da ist es schön und gesund. Die Kinder sind immer in der Sonne. Wir haben blinde Kinder oben, taubstumme, schwachsinnige, verkrüppelte, kranke und erblich belastete. Das klingt traurig, nicht wahr, aber so ist es nicht. Sie müssen hinkommen und zusehen, wie lustig es bei uns ist, und wie froh die Kinder sind, und Sie müssen unsre Lehrer sehen, wie sie so viel Freude und Selbständigkeit in die Kinder einpflanzen. Es sind alles merkwürdige Menschen, unsere Lehrer und Ärzte; ich weiß nicht, wie Professor Delares sie alle findet. Freilich, er ist ein Heiliger und hat eine Wünschelrute für Menschen, das weiß ich selbst.«

»Mit welchen Kindern haben Sie zu tun, Schwester Beate?«

»Ich, ich habe das Zimmer mit den Hoffnungslosen.«

»Die sterben müssen?«

»Ja.«

»Sie haben viele Kinder sterben gesehen?«

»Ja.«

»Ja«, wiederholte Ina und fiel in Schweigen. Vor ihr auf der Decke lag Schwester Beates Hand, diese große, ruhige, ausgearbeitete Hand. Inas Augenlider brannten. Sie werden kühl sein, wenn diese Hand sie schließt, ist Inas wunderlicher Gedanke. »Sind gar keine gesunden Kinder in der Anstalt?« fragt sie.

»Ja. Auch gesunde.« Die Hand bewegte sich ein wenig.

»Unsere eigenen«, sagte die Schwester nachher und lächelte wieder und blickte auf. »Alle Schwestern im Heim sind Mütter, gnädige Frau, uneheliche Mütter, aus ihrem Kreis geworfene Menschen. Wir werden ausgebildet, wir haben unsre Pflichten und dürfen unsre Kinder bei uns behalten und erziehen. Können Sie jetzt verstehen, gnädige Frau, wie lieb wir die kranken Kinder haben, und daß es schön ist in unserm Heim?«

Ina schloß müde die Augen. Es war gut, daß es nun immer still blieb hinter den Lidern, grau und weich wie eine Wolke; fortgewischt die Jagd der Tänze und Farben und das gierige Erleben.

»Haben Sie Schmerzen? Wünschen Sie etwas?« fragte Schwester Beate und schaute in das erschöpfte Gesicht.

»Nein«, sagte Ina, ohne die Augen zu öffnen. »Mir ist jetzt gut. Keine Wünsche. Ich bin nur faul, ich bin so müde, wie ich noch nie im Leben war. Nein, Schmerzen habe ich keine. Ich möchte nur liegen, mich nicht rühren, nicht sprechen, nicht schauen, nicht sehen. Ich glaube, Pflanzen leben so faul, wissen nichts, wollen nichts, tun nichts, sind nur da. Das verstehen Sie nicht, Schwester, mit Ihren fleißigen Händen und Ihrer weißen Schürze, was für ein wunderbares Gefühl es ist, dasein und sonst nichts.«

Die Tage gehen in Schleiern hin, gleichmäßig, ungezählt. Ina schläft und schläft. Im Halbtraum denkt sie: Ich habe ein halbes Jahr lang in allen Nächten mit dem Tod getanzt, das macht so müde. Manchmal auch ist sie wach, liegt ganz unbeweglich, hat keine Schmerzen, und es ist ihr, der schwarze Mantel decke sie schon in steifen Falten zu. Das ist ein wunderbares Ausruhen. Dann öffnen sich immer noch einmal die Augen. Der verblaßte Betthimmel, die Tannen vorm Fenster, Sonnenlicht auf weißen Dielen, Schwester Beates Gesicht, ihre Hände, die Kissen richten und Einspritzungen geben, wenn die Schmerzen kommen: das ist die ganze Welt. Und wunderlich wächst in Ina ein Gefühl der Gesundung auf, während sie liegt und zum erstenmal in sich und in der Stille die Melodie ihres Lebens erfaßt. Sprechen will sie nicht, aber manchmal schreibt sie auf ein paar lose Blätter etwas hin, einen Gedanken, ein Gefühl, etwas, das fast wie ein Lied klingt. Für Fernand, denkt sie; es soll ein Brief für Fernand werden.

Aber an einem Tag geht Hufschlag aus dem Haus, und eine kleine Unruhe wischt durch die Gänge; die Schwester sagt: »Heute kommt Professor Delares; er ist jeden Monat ein paar Tage bei uns. Er besucht sein Kind.«

»Ist sein Kind in Amrun?« fragt Ina aufgerichtet.

»Ja«, sagt die Schwester.

Ina sagt: »Ich möchte aufstehen. Mir ist besser als seit langem. Mir hat die Ruhe so gut getan, als würde ich gesund, ich möchte aufstehen. Wundern Sie sich nicht.«

Aber es ist nicht Schwester Beates Art, sich zu wundern.

Zuerst sind die Kniekehlen schwach, und Schwindel saust um die Schläfen; dann kommt wieder Wille in Inas Augen, und die Gelenke straffen sich, sie fühlt sich stärker als am Abend der Ankunft. Die Luft ist warm, Maiglöckchenduft hängt ums Haus, im blauen Zimmer stehen sie in Steinkrügen mit ihren kleinen weißen Mädchengesichtern. Ina nimmt ein paar in die Hand und schaut in die Tiefe der kleinen Kelche hinein; da wacht ihr Herz auf und beginnt noch einmal sehnsüchtig zu klopfen. »Genug Ruhe«, sagt sie, »übergenug, Schwester. Morgen will ich in den Wald, es ist Mai, es ist doch Mai? Darf ich es denn versäumen? Ich muß noch lernen, wie Mai aussieht.«

Der Wagen knarrte durch die Einfahrt; als Fernand ausstieg, stand Ina auf der Barocktreppe, sehr gerade, sehr leuchtend, und hielt ihm mit einer wunderlich damenhaften Gebärde die Hand hin. »Mir ist so, als wäre ich fähig, deine Diagnose zu blamieren und gesund zu werden, Fernand«, sagte sie lächelnd. Er hörte das Angestrengte ihrer Worte, er sah, daß ihre Augen nicht mehr suchten, sondern eine stille Brunnentiefe bekommen hatten, er wechselte einen schnellen Blick mit Schwester Beate und antwortete fröhlich und leichthin: »Es scheint so. Mein alter Lehrer Frémart behält recht: Meine Hand ist gut, aber meine Diagnosen taugen nichts.«

Nachts kam eine Stimme zu Ina und rief sie und war so stark, daß sie aufstehen mußte, sich ankleiden, das Haar hinaufknoten und das Haus verlassen. Nachtwandlerisch fand sie den Weg über Wiesen, die im Mondschein ertranken, durch den Wald, der mit Wipfeln sprach, mit Maiblumengeruch atmete, hin zur Elfenwiese, auf der sich hell die Birken wiegten. Es war ihr Traumweg, oft gegangen, und auch heute zog er wunderbar unbeschwert und voll Geheimnis hin, wie durch strömende, silberne Luft. Am Waldrand stand sie dann und wartete. Der Mond hob weiß die Birken aus der Wiese, schwarzer Tau lag im Gras, die Nacht war warm und klar und ohne Nebel. Mit sonderbarer Deutlichkeit sah Ina alles, den einzelnen Halm, an dem hochzeitlicher Blütenstaub hing, jede Blume, die mit festgeschlossenen Lippen kindergleich schlief, im Schwarz der Föhren die helleren Zweigspitzen. Fast entzaubert stand sie da, den klaren Konturen aller Dinge gegenüber, und dachte: Die Elfen kann man nur einmal tanzen sehen.

Da kam es über die Wiese her, hell und schmal und mit dem Schritt der Elfen: Ein kleines Mädchen. Dunkles Haar wehte bis an die Kniekehlen, es ging ganz langsam mit seinem unvergleichbaren Gang und hielt den Kopf horchend der Erde zugeneigt. Dann stand es an den Birken, hob sein Gesicht ins Licht. Da fing Inas Herz ganz ruhig zu schlagen an. Sie erkannte das Kind: Sie selbst stand auf der Wiese, sie sah sich selbst. Sie atmete einmal tief auf, dann spürte sie ihr Blut warm und sanft in sich fließen, sie setzte sich auf einen Baumstumpf, schloß die Hände um die Knie und schaute wartend hin; gleich wird es anfangen zu tanzen, dachte sie kindlich und öffnete die Lippen.

Aber das Kind tanzte nicht, wenn auch sein Gang noch leichter war als Tanz. Es schritt von Blume zu Blume, von Halm zu Halm, es beugte sich und horchte in die Kelche hinein, sie schienen ihm zuzusprechen; es hatte zärtliche, behutsame Hände, die streichelten die schlafenden Blumen, mit manchen schien es zu flüstern, und einige bekamen einen Kuß. Eine unnennbare Heiterkeit und Anmut wehte um das kleine Wesen. Nie noch hatte Ina so behutsame Liebe zu allem Lebendigen gesehen wie die, mit der das Kind die Dinge berührte, mit Fingern, Lippen, Lächeln und seinem unbegreiflich aufgeschlossenen Blick.

Es bückte sich und brachte die kleinen Hände wieder herauf; sie waren mit Dunklem gefüllt, mit Erde, verstand Ina. Es legte sein Gesicht in die erdangefüllten Finger, tief hinein, mit trinkenden Lidern und Lippen. Gezogen, als wäre sie ein Spiegelbild, tat Ina dasselbe. Kühl und doch lebendig lag die Erde ihr auf der Stirn, den geschlossenen Augen, dem Mund, in den Händen. Ihr Geschmack, süß und bitter, drang in sie ein. Sie atmete nicht, einen Augenblick lang. Einen Augenblick lang lagen alle Dinge blitzhaft aufgehellt in ihr, sie begriff Unbegreifliches. Glück, Erlösung, Licht, strömende Erkenntnis. Unendlichkeit sank in sie ein mit dem Geschmack der Erde auf ihren Lippen.

Dann war es vorbei. Das Kind auf der Wiese öffnete die Hände und ließ die Erde ins betaute Gras rinnen. Es wandte sich, es winkte irgendeiner Ferne zu, der Wiese, dem Himmel, der kleinen Wolke vielleicht, die am Waldrand aufstieg. Es umarmte eine Birke noch wie eine Schwester und glitt davon, zauberhaft vom Waldschatten aufgetrunken. In der stummen Nacht hörte Ina jetzt die Heimlichkeit einer Quelle rinnen, immergleich, immergleich, immergleich. Es preßte ihr die Hände, die noch feucht von Erde waren, vors Gesicht, etwas stieß an ihr Herz, daß es auftaute in heißer

Erleichterung, und hingeworfen erfuhr Ina zum erstenmal ganz, was Weinen ist und Abschiednehmen.

Als sie nach Stunden sich aufrichtete, leergeweint, erschöpft, erlöst, ausgeströmt, da war schon Dämmerung in der Luft. Stern nach Stern trat zurück in den aufgehellten Himmel, die Wipfel fröstelten über der ergrauenden Lichtung. Unter den Stämmen regte es sich, Fernand trat aus dem Wald, hob Ina auf und legte still seinen Mantel um ihre Schultern. »Du?« fragte sie.

»Ich hörte nachts das Tor fallen und ging dir nach, Ina. Ich dachte mir, daß du die Elfen suchst. Jetzt wird es Frühe. Jetzt komm, kleine Schwester, nach Hause.«

»Ich habe die Elfen nicht gefunden, Nando. Aber ich habe mich selbst gesehen, in Wahrheit, mich selbst. Ich wußte es vorher nicht, wie lieb ich alles habe, alles, Nando, alles.«

Fernand schwieg und führte sie über Stein und Wurzeln und nasses Moos. Die Knie waren ihr schwach, das letzte Stück des Weges trug er sie fast. Nur einmal blieb er stehen, sie sah sein Gesicht sehr nahe über das ihre gebeugt, und er sagte leise: »Was du gesehen hast, warst nicht du selbst; und doch vielleicht du selbst: in Wahrheit, Ina. Was du gesehen hast, war mein Kind. Es kann nicht sprechen, es kann nicht hören, es ist stumm geboren, das letzte Delares-Kind. Aber es weiß Geheimnisse, die wir nicht wissen.«

Am Hügel stand Amrum unter einem letzten Stern. Ihn schaute Ina an, indes die Augen ihr zufielen und Traum und Wirkliches sich wunderlich ineinander verstrickte.

Zum letzten Mal traf Ina das Kind, als sie an einem Morgen zu den Birken am Hügel hinaufkam. Da lag es auf einer der sonnenwarmen Grabplatten und hatte die Augen groß und trinkend aufgeschlagen. Es regte sich nicht, als es Ina gewahr wurde, es lag ganz still und hielt eine Hand in das goldgrüne Sonnengeriesel empor. In der kleinen braunen Handfläche lebte es, viele zarte blaue Schmetterlinge, Seelchen hießen sie in Amrum, saßen da mit ihren Edelsteinaugen und den feinen zitternden Flügeln, ausruhend wie auf einer Blüte. Ina legte sich neben die kleine Ines, und auch sie schaute in den Himmel. Sie war sehr müde, der kurze Weg hügelaufwärts hatte sie übermäßig angestrengt; im Rücken war ein totes Gefühl, das sie in seltsamer Weise mit dem Stein verwachsen ließ. Während sie so neben dem stummen Kind mit seinen Schmetterlingen lag und in den Himmel sah, griff diese Empfindung des Gestorbenseins immer stärker in sie, bis sie ganz aufgesaugt war, sich selbst nicht mehr wußte, eingewurzelt in die Erde und zugleich schwebend fortgeführt in den Himmelsraum. Die Birken rauschten.

Nach einer Unendlichkeit, vielleicht von einem fallenden Blatt gestört, vielleicht vom Nicken einer Steinnelke, schwangen die Schmetterlinge sich auf, eine kleine, opalfarbige Wolke, die blau ins Blaue verrann. Das Kind wandte seine Augen Inas Gesicht zu, es schien über etwas darin ganz schwach zu erschrecken, und es streichelte ihre Wangen mit derselben Mischung von Liebe, Mitleid und innigem Verbundensein, wie es die nächtlichen Blumen gestreichelt hatte.

Ina drückte das Kind ganz eng an sich und flüsterte abgebrochen: »Jetzt ist es gut. Keine Angst mehr. Keine Lügen mehr. Ich weiß es jetzt. Erde auf den Lippen und Ruhe. Nicht mehr tanzen. Nicht mehr Ichsein. Steinnelke. Birke. Halm im Tau. Alles.«

Das Kind, das nichts hören konnte, lächelte groß und horchend in Inas Augen. »Mein Du, mein liebes, wunderliches Du«, sagte Ina und preßte es an ihr Herz, das so glücklich stillen, stetigen Schlag klopfte wie nie zuvor.

Nachher gingen sie zusammen durch die Welt, das Kind mit dem schwingenden Schritt seiner nackten, braunen Sohlen, Ina schwer, schleppend, nicht mehr tänzerisch und doch so froh und aufgehoben. Es blühte überall, es schwamm

Glockenklang der Bienen in der Luft, Libellen zogen sonnenwärts wie durchsichtige Seelen, hochzeitlich tanzten vergoldete Mücken; schon schloß der Lindenbaum seinen Duft auf; schon stäubten gelbe Wolken aus verliebten Gräsern, im Blau des Himmels zog es hin wie ein seliges silbernes Segel.

Es waren die alten Kinderwege, durch den feierlich orgelnden Herrschaftswald, durch den Kauzenwald, an der verkrüppelten Föhre vorbei und dem Sumpf, in den kleine Urwälder von Zinnkraut schritten und weiße Orchideen. Zur Heide hinauf, wo es still war, wo Wacholderzwerge stumm um eine helle Lärchenprinzessin kauerten. Die Grillen sangen Mittag.

»Ich bin müde«, sagte Ina hinsinkend; ihr Gesicht war sehr weiß geworden. Die Sommerwelt drang auf sie ein wie ein Sturm. Sie sah Farben, die sie nie gesehen hatte, sie hörte Klänge, nie gehörte. Sie liebte die Welt, sie liebte sie mit unsäglicher Süße des Abschiednehmens. Auf ihrer Stirn standen kleine Schweißtropfen; sie fuhr mit der Hand über die Schläfen, das weckte Erinnerung. Sie spürte die Knochen sich abzeichnen unter der feuchten Haut, und wie müde sie war, und daß sie ruhen wollte. Sie schloß die Augen, und traumhaft hörte sie im Bienengesumm den Vogel Niewieder singen, indes sie einschlief, das Kind in ihren Armen haltend.

Im Traum aber geschah es ihr, daß sie durch eine Straße ging, eine häßliche, trübe Vorstadtstraße mit vielen kleinen, gleichen, traurigen Häusern; noch immer war die blutige Lache nicht von den Pflastersteinen gerieben. Es kam eine Wolke daher und hing so tief, daß man nicht atmen konnte. Aus Fenstern schauten verzerrte Gesichter, sie floh, rannte Treppen hinauf, da waren eiserne Türen und immer wieder eiserne Türen, bis sie in der Garderobe stand, die nur ein übelriechender Verschlag war, in dem Dirnenstimmen gellten und gemeine Bewegungen aus Spiegeln wiederkamen.

Ina Raffay! schrie es tausendfach, Ina Raffay! Der Scheinwerfer peitschte mit weißem Licht, sie tanzte, und ihre Glieder waren schwer, sie schleppte Lasten hin im Tanz, der schwarze Mantel flog um sie, und in der Kulisse stand noch einer und hatte auch den schwarzen Mantel an. Eine Trauerfahne hing schlaff von einem Haus, dann stürzten Bausteine zusammen, und Doktor Hunold sagte: »Orientpolitik, meine Herren, Orientpolitik!« Unwesenhaft tanzte noch einen Augenblick Jimpy Timps weiße Lieblingshündin Bichette dahin, dann griff eine Hand nach Ina und zog sie ins Licht. Sie lag in der Heide, es war warm, Licht strömte, Licht vom Himmel, Licht aus den Wiesen, Licht aus unbegriffenen Fernen. Sie hielt das Kind im Arm, es war ihres, und es konnte sprechen, und es nannte sie Mutter.

Sie erwachte. Sie hielt das Kind im Arm. Es war nicht ihres, und es war stumm. Aber es sah sie an mit einem Ausdruck unbeschreiblicher Zärtlichkeit und glücklicher Verwunderung. Es bewegte die Lippen, als wäre es noch halb im Traum. In plötzlichem Begreifen fragte Ina: »Hast du es auch geträumt? Hast du im Schlafe sprechen können? Und war ich deine Mutter? Ich, deine Mutter!« wiederholte sie ganz leise und vergraben. Das Kind schlug die Hände um ihren Hals, und aus seiner Sanftheit brach wunderbar eine leidenschaftliche Heftigkeit hervor, die lachte und weinte und Ina mit Küssen überschüttete und sie mit einem Glücksgefühl überflutete wie nichts zuvor.

Es war fast Abend, als Schwester Beate auf ihrem unruhigen Suche Ina endlich fand. Sie fand sie in den Wiesen, unfern der Mohnfelder, die schon schliefen, hingesunken, halb liegend, den Kopf an einen Stamm gelehnt, sehr blaß, sehr schwach, kaum fähig zu gehen, kaum fähig zu sprechen. Aber sie richtete sich auf und lächelte seltsam schwebend und sagte: »Wie schön ist alles, Schwester, wie unaussprechlich schön. Ich bin so sterbensglücklich heute.«

In der Nacht begannen die großen Schmerzen. Sie waren furchtbar. Sie rissen Schreie aus Ina, ein unmenschliches Brüllen, das weit aus dem Schloß drang und die Tiere im Stall unruhig machte. Sie wandelten Ina Raffay, die Tänzerin, zu einem gepeinigten Stück Fleisch, das halb gelähmt, halb sich windend, um Erlösung gellte. Sie krampften ihr die Hände und die Zunge und trieben ihr die Augen aus dem Kopf. Sie näßten ihr das Haar mit Schweiß, daß es stumpf und kalt in die Kissen klatschte. Sie zerbrachen sie ganz und warfen sie hin, ein elendes Stück Verfall unter einem seidenen Betthimmel.

Schwester Beates Hände waren da inmitten roter, aufzuckender Visionen, sie gaben Morphium, sie konnten für kurze Zeit einen Taumel, eine dumpfe Wirrnis schenken; unterirdisch tobte das Grauenvolle weiter, drang wieder hoch, in unerhörtester Qual. Auf Stunden entschlief sie, im Morphiumrausch noch stöhnend, ward wieder emporgerissen in Schmerz und Krampf und Peinigung, entschlief wieder. Eine Nacht lang, einen Morgen lang.

Dann, als schon die Glocke von den Wirtschaftsgebäuden den Mittag rief, war es vorbei, so plötzlich, wie es gekommen war. Ina lag da, still, erschöpft wie nach einer Geburt, die Augen weit aufgerissen in verzweifelter Angst.

Schwester Beate wusch sie mit kühlem Wasser, wechselte Wäsche und Kissen. »Wird es wiederkommen?« flüsterte Ina. »Das Grauenhafte? Noch oft? Noch lange? Wie lange, Schwester? Noch Wochen? Monate? Laßt mich doch sterben.« Schwester Beate wandte sich ab und schwieg. Ina lag still und schloß die Augen; langsam sänftigte es sich in ihr. »Die Tannen«, sagte sie einmal. Die Tannen standen unbewegt vorm Fenster und dufteten im Mittag. Stunden später versuchte sie die Füße zu regen. Sie konnte es nicht. »Da ist schon ein Stück von mir gestorben«, sagte sie, und der Schimmer ihres früheren Lächelns zog über die Lippen, die von den Qualen der Nacht zerrissen und ausgetrocknet waren. Sie hob die Hände von der Decke und betrachtete sie, die lebten noch, aber sie waren fremd geworden. Einmal fragte sie: »Fernand kommt nicht?«

»Er kommt«, sagte Schwester Beate.

Es war Abend, als Fernand in das Zimmer trat. Die Schwester glitt aus der Tür. Neben dem Bett stand eine Kerze, die kleine gelbe Flamme bewegte sich nicht, obwohl das Fenster offen war. Reglos und steil stand sie im Raum und malte Schatten an die Wände und Glanz in die Falten des Bettvorhanges. Ina lag da und hatte eine Hand gegen das Licht erhoben, daß ihr Fleisch rötlich durchschimmert war und das Knochengerüst deutlich hervortrat.

»Sieh, Fernand«, sagte sie, versunken die Hand betrachtend, und in ihrem Ton war schon wieder etwas von der ewigen Beschwingtheit ihres Wesens.

»Wie fühlst du dich jetzt?« fragte er und neigte sich über das Gesicht mit den blauen Schatten.

»Jetzt ist mir gut, Fernand. Wunderbar still und gut. Setz dich zu mir. Gib mir deine Hand. Wie gut, daß du gekommen bist.«

Er strich einmal über ihr Haar, und sie schloß die Augen und begann zu lächeln. »Deine Hände, Fernand! Jetzt sind sie bei mir, deine Hände. Weißt du, daß man aus ihnen trinken kann? Ruhigsein, Warmsein, Starksein. Deine Hände. Wo war ich? Wie viele Wege bin ich gegangen? Was habe ich gesucht? Wie viele Türen habe ich geöffnet? Wie viele Hände habe ich gehalten? Jetzt sind es doch die deinen, die bei mir sind, wenn das Letzte kommt. Der schwarze Mantel, weißt du. Aber kein Tanz mehr. Nur noch die Schmerzen.«

Sie öffnete die Augen, es stand Angst und Entsetzen darin. Sie wollte sich aufrichten und konnte es nicht. »Die Schmerzen«, flüsterte sie. »Grauenvoll. Grauenvoll. Wann kommen sie wieder, Fernand?«

Er spürte ihre Hände zittern, er hielt ihren gepeinigten

Blick ganz fest mit seinen Augen und antwortete: »Die Schmerzen kommen nicht wieder, Ina. Sie sind vorbei. Jetzt sollst du schlafen.«

»Schlafen«, sagte sie sehnsüchtig, es war fast ein Schluchzen.

Fernands Hände ließen die ihren los, ein Glas klirrte im steilen Kerzenlicht, sie mischten eine helle Flüssigkeit und kamen wieder, still und fest wie immer. Sie hoben sanft ihren Kopf und legten das Glas an ihre Lippen. »Trinke«, sagte Fernand.

Ina trank; es schmeckte kühl, ein wenig süß, ein wenig bitter, es schmeckte, wie alles im Leben geschmeckt hatte. »Was ist es?« fragte sie.

»Ein Schlafmittel. Mache jetzt die Augen zu. Gib mir deine Hände. Liege still. Erschrick nicht, wenn dein Herz stärker klopft. Es ist gleich vorbei. Dann schläfst du. Und wenn du aufwachst, wenn du aufwachst, ist alles besser«, sagte er nach einem Atemzug.

Er saß ganz reglos und sah unverwandt in das Gesicht mit den schweren, sinkenden Augenlidern. Es war sehr still. Auf dem Nachttisch knisterte einmal die Kerze. Fernands Uhr tickte mit schnellem goldenem Schlag, einmal raschelten ein paar Briefbogen auf der Decke.

»Hast du einmal gesehen, wie es ist, wenn ein Luftballon davonfliegt?« fragte Ina wie aus dem Traum.

»Nein«, sagte er und beugte sich über ihre Lippen, die leise zitterten.

»Schön ist das; Fliegen. Immer höher. Immer höher. Immer kleiner werden. Ein Punkt. Und dann fort sein. Aufgetrunken vom großen Himmel.«

»Ja, Ina.«

Stille.

»Ich habe nichts gewußt. Ich habe es nicht gewußt, Fernand. Jetzt weiß ich es. Alles.«

»Ja, Ina.«

Die Lippen zitterten stärker in dem durchscheinenden Gesicht. Es ist wie ein zarter Krampf um ihre reinen Linien. Die schweren Lider öffnen sich noch einmal über ertrinkenden Augen. »Ich hab' dich lieb, Nando.«

»Ja, Ina.«

Die Tannen regen sich draußen im Schlaf, auch die Blumen am Fenster. Im Dorfe, weit, singen sie: ›Drei Ringel, drei Rosen, drei Sommer ins Land.‹ Fernand schaut unverwandt in Inas Gesicht. Einmal richtet sie sich schwach empor und flüstert mit erlahmenden Lippen: »Wer kommt? Was – ist – das –?«

»Nichts, kleine Schwester. Die große Stille.«

Die Kerze brennt unbeweglich. Fernand sitzt reglos und hält ihre Hände in den seinen und schaut auf ihr Gesicht hin, die ganze Nacht lang. Es ist ein wunderbares Gesicht. Stimmen ziehen hin, Bilder, geheimnisvoller Ruf in der Nacht. Die Kerze schläft ein. Ein Vogelruf wacht auf im Turmgarten. Kein Stern steht mehr am Himmel.

Fernand läßt Inas Hände sinken, und zum erstenmal küßt er die Augenlider, auf denen schon Blumenkühle liegt.

Am Abend jenes Tages, da Ina Raffay unter den Birken begraben wurde, ging Fernand Delares noch einmal zum Hügel hinauf und setzte sich auf die eingesunkene Grabplatte mit den verwischten Namen. Es dämmerte schon. Das Gras hatte sich schon wieder aufgerichtet von den Schritten, die darüber hingegangen waren, und hing taufeucht und geneigt über den Stein. Die Nelken schliefen mit geschlossenen Gesichtern. Das Birkenlaub sprach leise im Wind. Fernand saß eine Zeitlang da, den Kopf in die Hände gestützt und unbeweglich. Dann nahm er Briefblätter heraus, die er an Inas Bett gefunden hatte, und las sie im letzten Schein, der blaß vom Himmel fiel, noch einmal durch.

Auf dem einen stand:

Mein liebes Kind! In Eile, deshalb mit Maschinenschrift! Dein langes Schweigen beunruhigt mich; ich hoffe sehr, daß Du wohl und im Begriff bist, Deine Nerven bald kuriert zu haben. Ich kann Dir nicht verhehlen, daß ich beginne, Deinen langen Kuraufenthalt peinlich zu empfinden. Ein Haus wie das unsere braucht unbedingt eine repräsentierende Frau. Die gute Zwillingsbauer, die Dir tausend Grüße schickt, tut ja, was sie kann, aber sie wird eben sehr alt und ist nicht mehr viel wert. Mit der Köchin ist andauernd Streit, sie soll unehrlich sein. Ich hatte neulich ein Herrenessen für die Stadtverordneten, da klappte bei Tisch gar nichts. Ich möchte Dich herzlich bitten, mit Rücksicht auf die Verpflichtungen meiner Stellung und das überflüssige Gerede, das Deine Abwesenheit hervorruft, Deine Kur möglichst zu beschleunigen. Davon, wie Du mir sonst fehlst, möchte ich gar nicht sprechen. Ich hoffe, daß ich demnächst endlich meinen Vorsatz ausführen kann, Dich zu besuchen und vielleicht gleich mit heimzunehmen. Aber Du wirst aus den Blättern gesehen haben, daß es im Augenblick das Wichtigste ist, den Reichskanzler zu stützen. Ist diese Krise erst vorbei, dann bekomme ich hoffentlich Zeit, an Persönliches zu denken. Heute, zwischen zwei Reichstagssitzungen, deshalb nur in Kürze und Eile diese Zeilen und herzliche Küsse

von Deinem Mann.

Auf dem andern Blatt stand mit Bleistift in Inas leichter, hochfliegender Schrift:

»Ich bin gestorben.
Ich habe die Türen aufgemacht
und hinter mir geschlossen.
Jetzt trinkt an meinem Herzen eine Blume.
Ihr seliges Gesicht ist mattweiß,
lächelnd wächst es der Sonne zu.
Mein Nacken ruht warm im Atem der Welt.

In meinen gefalteten Händen halten Tiere Hochzeit.
Und meine geschlossenen Augen, auf denen Erde liegt,
keimende Erde,
sehen von tausend Sternen,
von Millionen Sonnen
das Licht.«

Als Fernand das Blatt sinken ließ und aufschaute, war es im Tal schon dunkel. Die Birken sprachen im Schlaf, auf den Höhen lag letzter Schein.

Am fernen Hang stand eine einsame Föhre, schwarz an die Unendlichkeit des Himmels gelehnt.